バリューチェーンと工業技術で学ぶ

文系学生、行政、金融職
の方のために

新しい
業界研究

企業研究入門
改訂増補版

吉田雅彦／安井　健／曽根悠子 共著

鉱脈社

は じ め に

　本書は、文系学部の学生や、文系学部を卒業して行政、金融などに勤務している方々が、業界研究・企業研究の方法を学ぶことを目的としている。本書がとりあげる**業界研究・企業研究**は、就職活動や仕事の必要などに応じて、対象**業界・企業の概要、事業、顧客、市場を調査し分析すること**[1] である。学生の就職活動や若い社会人の転職活動で、気になる業界・会社の情報や、自分が応募する職種にどのような知識、経験が求められているのかなどを調べる必要に迫られたり、行政に就職して商工担当部署に異動したり、金融機関に就職して工業が盛んな街の支店に赴任したりして、**仕事の一環として業界・企業を調査研究する必要**に迫られる場合がある。本書は、そのために必要な視座と方法を提示する。また、主要20業界の概要を示している。

　本書は、**文系の読者**に対して、**業界・企業研究の基礎知識**を、漏れなく、体系的に、理論的に紹介することを目指している。理論的に紹介しようとする理由は、理論は実務経験が少なくても学べば理解できるからである。実際、大学で学生に教えるときに、例えば、経済学の理論は、かなり難解であるにもかかわらず、コツをつかむとどんどん理解が進み、若い頭脳はすごいなあと思わされる。それなのに、時事問題で、日本経済新聞などの経済記事を読解させると、ふうふう言って苦労している。一橋大学の楠木建教授は、授業でのエピソードとして「ある学生が手を挙げて『先生、もっと抽象的に説明してもらわないとわかりません』と言いました。こちらとしては具体的な例を使って説明したほうがわかりやすいだろうと思って講義をしていたのですが、実務経験がない学生にビジネスの具体的なことを話しても、いまひとつリアリティがない。抽象レベルで理解すれば、ビジネスの実際を肌で知らなくても本質がつかめるはずだ、だからもっと抽象的に説明してほしい、というのがこの学生のリ

クエストでした[2]」と紹介している。

　実務経験がない場合には、理論や抽象の方が頭に入りやすいことは、実務家が、そうでない人に対して何かを説明しようとする際に気をつけなければならないことかもしれない。

　経営学を実務に応用するときは、①顧客（ターゲット）は誰か、②顧客にとっての価値（バリュー）は何か、③企業の事業遂行能力（ケイパビリティ）はどうか、④どう黒字化するか（収益モデル）という企業の仕事の流れに沿って考える[3]。本書は、［図0-1］のように、企業の仕事の流れに沿って経営学の理論に基づいて企業の調査研究の基礎知識を修得できるように、以下の考え方で構成している。

　第一に、企業は、さまざまな顧客に様々な価値を提供している。顧客や提供する価値は、同じ業界の企業どうしでは似ている。**第Ⅰ章で、主な産業の概要を紹介する。**漏れなく産業を紹介するために、日本標準産業分類（総務省）に準拠した。

　第二に、企業の競争力を決定づける**事業遂行能力**は、企業を支える人材、技術などの**経営資源**（リソース）と、日々の**事業活動**（オペレーション）から成り立っている[4]。事業活動の工程を機能別に表したものがバリューチェーンである[5]。本書では、**第Ⅱ章1、2節で、バリューチェーン理論を紹介し、3節で、バリューチェーンの各機能を分担する専門的な人材集団・職業群である職種を紹介**する。文系学生が就職して社会人になると、文系学生が就きやすい職種の専門家に育成されていくことが多い。職種を漏れなく紹介するために、職業分類表（厚生労働省）に準拠した。

　第三に、**工業技術は、経営資源の重要な構成要素で、業界、企業によって特色がある。**製造業や専門商社などは、工業技術によってビジネスモデル・収益モデルが成り立っている。業界、企業を理解するためには、文系であっても、最小限の工業技術の知識が必要となる。**第Ⅲ～Ⅵ章では、業界を学ぶための工業技術の基礎知識を紹介している。**工業技術の基礎知識の定番とされる工業高校の教科書の内容に加えて、公開鍵暗号による暗号化技術、AI（人工知能）な

[図0-1] 本書の構成

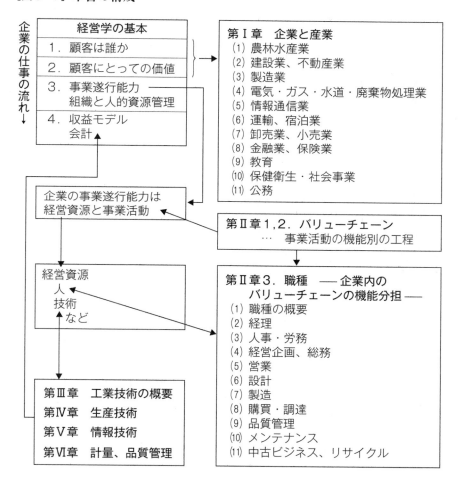

ども紹介し、必要な知識修得に漏れがないよう努めた。第Ⅲ章の初めに、産業
と工業技術の関係を示す表を示したので、読者の興味に応じた業界・企業に必
要な工業技術に絞って学ぶこともできる。

　文系学生や文系卒業生の社会人が、就職活動や仕事のために業界研究を行うための方法論は、これまで明確には提示されてこなかった。業界研究で著名な関 満博一橋大学名誉教授は、工業高校の教科書を読むことを推奨している。著者（吉田．以下同じ）が1984〜2015年の31年余り勤務した経済産業省では、文系卒業生が産業を担当する部署に配属されると、書籍、業界団体の報告書、企業の社歴、Web サイトなどで業界研究、企業研究をする。企業を訪れる前に、企業の社歴、Web サイトなどを見たり、日刊工業新聞社の「トコトンやさしいシリーズ」や、ナツメ社の「図解雑学シリーズ」などで、**訪問先企業の工業技術を勉強する。そうしないと、企業の経営者や社員とコミュニケーションが取れないし、工場を見せてもらっても何をしているかわからないからである。**

　著者は、2016年以降、大学のキャリア形成の授業などで、文系学生が業界・企業研究をするための知識を教授している。工業高校の教科書は優れているが、文系学生のニーズに合わせて作られてはいない。業界・企業を知るためには、工業技術の知識だけでなく、ビジネスの知識も必要である。授業での試行錯誤を経て、文系学生・卒業生向けの企業研究には、[図0-2] のように、経営学・マネジメントと工業技術の基礎知識のそれぞれの一定部分の知識が必要であることがわかった。

　数学や物理学の訓練を受けていない文系学生・卒業生が、高度な工業技術を理解することは困難である。しかし、業界・企業研究に必要な工業技術の知識には一定の範囲とレベルがあるので、本書の第Ⅲ〜Ⅵ章で効率的に漏れなく修得すれば対応可能である。経営学・マネジメントの中の必要な知識は、経営学部以外の文系学生でも、本書で学修すれば理解できる。

　本書は、業界・企業研究に必要な経営学・マネジメントと工業技術の基礎知識を紹介する目的に徹している。さらに深く学びたい人のためには、テーマに応じて推薦図書を紹介した。**本書が、文系学生・文系卒業生にとって、業界・企業研究に必要な知識を効率よく学ぶために有効に活用されることを願っている。**

[図0-2] 業界研究・企業研究に必要な知識のイメージ

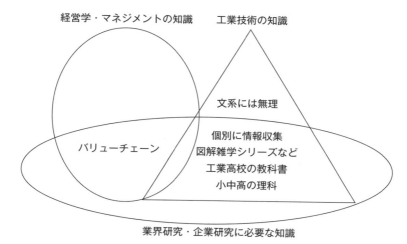

経営学・マネジメントの知識　　工業技術の知識

文系には無理

バリューチェーン

個別に情報収集
図解雑学シリーズなど
工業高校の教科書
小中高の理科

業界研究・企業研究に必要な知識

改訂増補にあたって

　『新しい業界研究』は『企業研究入門 (2021)』の改訂増補版である。企業研究入門では、業界研究は読者の自学自修に委ねていた。読者から「業界研究の方法も示してほしい」との感想が寄せられたため、20業界の業界研究を文脈の中で詳細に解説する改訂増補を行い、書名も変更した。また、『企業研究入門 (2021)』は単著であったが、『新しい業界研究』の第1章第3節および第5章第3節 (3) は、安井　健氏、曽根　悠子氏が執筆・情報提供している共著となった。

　［注］
1）転職.jp ビジネス用語集
2）楠木 (2010) (p.483)
3）三谷 (2019) (p.29)
4）三谷 (2019) (p.30)
5）三谷 (2019) (p.119)

目　　次

はじめに ……………………………………………………………………… 1

改訂増補にあたって ………………………………………………………… 5

第 I 章　産業と企業 ──────────────────────── 23

第1節　産業と企業 ── 業界研究と企業研究は両方とも必要 ── ………… 24

第2節　産　業 ………………………………………………………… 28

（1）産業の大きさ・規模 …………………………………………… 28

（2）農林水産業 ……………………………………………………… 30

（3）建設業、不動産業 ……………………………………………… 31

（4）製造業 …………………………………………………………… 32

（5）電気・ガス・水道・廃棄物処理業 …………………………… 33

（6）情報通信業 ……………………………………………………… 33

（7）運輸、宿泊業 …………………………………………………… 37

（7）-1　旅行会社 ……………………………………………… 37

（7）-2　ホテル ………………………………………………… 38

（7）-3　鉄道、航空会社 ……………………………………… 39

（8）小売業、卸売業 ………………………………………………… 40

（9）金融業、保険業 ………………………………………………… 44

（10）教　育 …………………………………………………………… 46

（11）保健衛生・社会事業 …………………………………………… 47

（12）公　務 …………………………………………………………… 48

第3節 企業研究 ·· 54

（1）企業研究 ·· 54

（2）企業理念 ·· 54

（3）会社の企業理念と自身の価値観 ····················· 55

　思考実験1 ··· 55

　思考実験2 ··· 57

　思考実験3 ··· 58

（4）企業と自身の価値観の一致・不一致 ················ 59

（5）離職の理由 ·· 62

第Ⅱ章　バリューチェーンと職種 ──── 67

第1節　バリューチェーン ···························· 68

（1）バリューチェーンと職種 ······························ 68

（2）バリューチェーンを担う職種集団が企業の利益を生む ········· 69

第2節　バリューチェーンの例 ····················· 71

（1）製造業のバリューチェーン ···························· 71

（2）サービス業のバリューチェーン ······················ 72

（3）バリューチェーンとICT ······························ 73

（4）エネルギー産業のバリューチェーン ················· 75

第3節　職　種──企業内のバリューチェーンの機能分担── ········ 77

（1）職種の概要 ·· 77

（2）経　理 ·· 80

（3）人　事 ·· 84

（4）経営企画、総務 ·· 85

（5）営　業 ·· 86

（6）設　計 ·· 87

（7）製　　造 ……………………………………………………………… 87

（8）購買・調達 ……………………………………………………………… 88

（9）品質管理 ………………………………………………………………… 89

（10）メンテナンス ………………………………………………………… 89

（11）中古ビジネス、リサイクル、廃棄 ……………………………… 90

**第4節　バリューチェーンの一部に
　　　　 特化したビジネスを行う業種** ……………… 93

第5節　日本の主要企業とバリューチェーン ……………… 97

（1）日経225 ………………………………………………………………… 97

（2）就職活動のための業界研究の基本 ……………………………… 98

第Ⅲ章　工業技術の概要 ———————— 101

第1節　企業と工業技術 …………………………………… 102

第2節　工業技術の歴史 —— **工業技術の概要を知るために** —— …… 105

（1）食料を得る ……………………………………………………………… 105

　　（1）-1　石　　器 ……………………………………………………… 106

　　（1）-2　鉄　　器 ……………………………………………………… 108

（2）衣服を着る ……………………………………………………………… 111

　　（2）-1　植物繊維 ……………………………………………………… 111

　　（2）-2　炭素繊維 ……………………………………………………… 115

　　（2）-3　キュプラ繊維 ………………………………………………… 117

（3）住　　む ………………………………………………………………… 117

（4）エネルギー源から動力を得る ……………………………………… 121

（5）情報を処理する ……………………………………………………… 125

（6）兵器・軍事のための工業技術 ……………………………………… 126

第3節 工業技術のソフトインフラ ············· 132

（1）知的財産制度 ················· 132

（2）工業デザイン ················· 134

（3）図　面 ····················· 135

第Ⅳ章　生産技術 ─────────── 139

第1節 作業工具 ······················ 140

（1）計測工具 ···················· 140

（2）作業工具 ···················· 142

（3）電動工具 ···················· 143

第2節 材料と材料加工 ·················· 144

（1）金　属 ····················· 144

（1）-1　鋳　造 ·················· 145

（1）-2　溶　接 ·················· 147

（1）-3　プレス加工 ··············· 148

（1）-4　切削加工 ················ 149

（2）木　材 ····················· 151

（2）-1　素材としての木材 ············ 151

（2）-2　合　板 ·················· 153

（2）-3　集成材 ·················· 155

（2）-4　木材の加工法 ·············· 158

（2）-5　木材の表面仕上げ ············ 159

（3）繊　維 ····················· 161

（3）-1　繊維の種類 ··············· 161

（3）-2　繊維の加工法 ·············· 162

（4）プラスチック ·················· 166

（4）-1　プラスチックの種類 ··········· 166

（4）-2　プラスチックの加工 ··········· 166

（5）ガラス ………………………………………………………………………… 172

第3節　工作機械 ……………………………………………………… 176

（1）工作機械 ………………………………………………………………… 176
（2）工作機械の種類と加工方法 …………………………………………… 176

第4節　電　気 …………………………………………………………… 184

（1）電気の基本 ……………………………………………………………… 184
　　（1）-1　直流・交流 …………………………………………………… 184
　　（1）-2　電流・電圧 …………………………………………………… 184
　　（1）-3　交流・直流の変換 …………………………………………… 186
（2）太陽光発電 ……………………………………………………………… 190
　　（2）-1　太陽電池 ……………………………………………………… 190
　　（2）-2　半導体とダイオード ………………………………………… 192
（3）原子力発電 ……………………………………………………………… 194
（4）燃料電池 ………………………………………………………………… 194
（5）日本のエネルギー源 …………………………………………………… 196
　　（5）-1　日本のエネルギー源の歴史 ………………………………… 196
　　（5）-2　エネルギー間競争 …………………………………………… 198
　　（5）-3　日本の太陽光発電は過剰に ………………………………… 199
　　（5）-4　離島での発電 ………………………………………………… 200
（6）日本の電気の周波数 …………………………………………………… 200
（7）回路計・オシロスコープ ……………………………………………… 201
（8）制御・センサ・アクチュエータ ……………………………………… 202
　　（8）-1　制　御 ………………………………………………………… 202
　　（8）-2　センサ ………………………………………………………… 203
　　（8）-3　アクチュエータ ……………………………………………… 204
　　（8）-4　モータ ………………………………………………………… 204
　　（8）-5　油圧シリンダ ………………………………………………… 207
　　（8）-6　形状記憶合金アクチュエータ ……………………………… 210
（9）シーケンス制御 ………………………………………………………… 211

第 V 章　デジタル・情報通信技術 —————— 215

第1節　用語の定義 ———————————— 216

（1）情　報 ———————————————————— 216
（2）デジタル ——————————————————— 217
（3）ソフトウエア ————————————————— 219

　（3）- 1　ソフトウエアの分類 ——————————— 219
　（3）- 2　アプリケーション ———————————— 219
　（3）- 3　オペレーティングシステム（OS）————— 219
　（3）- 4　GUI ————————————————— 220

（4）プログラム言語 ———————————————— 220
（5）マークアップ言語 ——————————————— 222

第2節　コンピュータ・インターネット ———— 225

（1）コンピュータ ————————————————— 225

　（1）- 1　構成 ———————————————— 225
　（1）- 2　論理回路 ——————————————— 225
　（1）- 3　データ圧縮 —————————————— 227
　（1）- 4　コンピュータの小型化、高性能化 ————— 228

（2）携帯電話・スマートフォン ——————————— 229
（3）インターネット・コンピュータネットワーク ——— 230
（4）デジタルカメラ・イメージスキャナ ——————— 233
（5）ロボット ——————————————————— 235
（6）プリント配線 ————————————————— 235
（7）公開鍵暗号・電子署名 ————————————— 237
（8）暗号資産（仮想通貨）・ブロックチェーン ————— 239

第3節　AI ——————————————————— 244

（1）AI —————————————————————— 244
（2）AIの代表的な研究テーマ ———————————— 245

（3）ディープラーニング・AIができること ……………………… 247

（4）AIができないこと ……………………… 249

（5）中小製造業でのAI活用事例 ……………………… 251

第4節　ビジネス・生活での利用 ……………………… 254

（1）生産現場での利用 ……………………… 254

（2）流通現場での利用 ……………………… 256

（3）物流センターでのAI、JAN、ITF活用事例 ……………………… 260

（4）オフィスでの利用 ……………………… 262

（5）生活での利用（IOT） ……………………… 263

第5節　社会人が身につけるべき デジタル・情報通信技術 ……………………… 265

（1）社会人が身につけるべきデジタル・情報通信技術の知識範囲 … 265

（2）文系学部の卒業生がIT企業に就職したらどうなるのか ……… 267

（3）文系学生がIT企業に入った後のキャリア ――A社のケース― … 269

（4）DX・AIなどの新しい技術は人の仕事を奪わない ……………… 272

第VI章　計量、品質管理 ――――――――― 283

第1節　計　量 ……………………… 284

（1）計量の意義 ……………………… 284

（2）国際単位系（SI） ……………………… 286

（3）SI基本単位、SI組立単位、SIとともに用いることができる単位 … 286

（4）国際単位系（SI）の指数の接頭語 ……………………… 287

第2節　品質管理 ……………………… 291

（1）品質管理 ……………………… 291

（2）品質管理の実際 ……………………… 291

　　　　（2）－1　層　　別 …………………………………………………………… 292

　　　　（2）－2　ABC分析・パレート図 ……………………………………………… 293

　　　　（2）－3　特性要因図・フィッシュボーン図 ………………………………… 295

　　　　（2）－4　ヒストグラム ………………………………………………………… 296

　　　　（2）－5　散布図 ………………………………………………………………… 298

　　　　（2）－6　チェックシート ……………………………………………………… 300

　　　　（2）－7　管理図 ………………………………………………………………… 301

　　（3）ISO ……………………………………………………………………………… 302

　　（4）ISO9000ファミリー ………………………………………………………… 303

　　（5）ISO14000ファミリー ……………………………………………………… 304

　　（6）HACCP ………………………………………………………………………… 304

　　（7）その他の品質規格 …………………………………………………………… 305

　参考文献 ……………………………………………………………………………… 307

　索　　引［アルファベット］ ……………………………………………………… 309

　索　　引［五十音］ ………………………………………………………………… 310

初版への謝辞 …………………………………………………………………………… 315

改訂増補版への謝辞 …………………………………………………………………… 317

図・表・写真・課題・業界研究・コラム・推薦図書目次

［図］

［図0-1］ 本書の構成 ……………………………………………………………… 3
［図0-2］ 業界研究・企業研究に必要な知識のイメージ ……………………… 5
［図Ⅰ-1］ 企業・産業・経済全体 ……………………………………………… 24
［図Ⅰ-2］ もの・サービスの産出額 …………………………………………… 28
［図Ⅰ-3］ もの・サービスの産出額に占める農林水産業の比率 …………… 30
［図Ⅰ-4］ もの・サービスの産出額に占める建設業、不動産業の比率 …… 31
［図Ⅰ-5］ もの・サービスの産出額に占める製造業の比率 ………………… 32
［図Ⅰ-6］ もの・サービスの産出額に占める電気・ガス・水道・廃棄物処理業の比率 … 33
［図Ⅰ-7］ もの・サービスの産出額に占める情報通信業の比率 …………… 33
［図Ⅰ-8］ もの・サービスの産出額に占める運輸、宿泊業の比率 ………… 37
［図Ⅰ-9］ 小売業の業態別売上高推移 ………………………………………… 42
［図Ⅰ-10］ もの・サービスの産出額に占める金融・保険業の比率 ………… 44
［図Ⅰ-11］ もの・サービスの産出額に占める教育、学習支援業の比率 …… 46
［図Ⅰ-12］ もの・サービスの産出額に占める保健衛生・社会事業の比率 … 47
［図Ⅰ-13］ もの・サービスの産出額に占める公務の比率 …………………… 48
［図Ⅰ-14］ 国の行政機関の組織図（令和4年7月1日時点） ……………… 50
［図Ⅰ-15］ 企業理念 …………………………………………………………… 55
［図Ⅰ-16］ 2023年現在の日本の売上げ大手5社 …………………………… 57
［図Ⅰ-17］ Aさん、Bさんの価値観とキャリア満足度 ……………………… 60
［図Ⅰ-18］ 何のために仕事をする？ ………………………………………… 62
［図Ⅰ-19］ 会社へ伝えた退職理由と本当の退職理由 ……………………… 63
［図Ⅱ-1］ 製造業（ものづくり）のバリューチェーンと職種の例 ……… 68
［図Ⅱ-2］ ポーターのバリューチェーン図 ………………………………… 69
［図Ⅱ-3］ サービスは、形がない。生産と消費が同時。同じものはない。在庫できない …… 72
［図Ⅱ-4］ サービス業のバリューチェーンの例 …………………………… 73
［図Ⅱ-5］ バリューチェーンの各プロセスに利用されるICT ……………… 74
［図Ⅱ-6］ エネルギー産業のバリューチェーン例 ………………………… 75
［図Ⅱ-7］ 電力市場自由化による変化 ……………………………………… 76
［図Ⅱ-8］ I型・T型・π型人材 ……………………………………………… 83
［図Ⅱ-9］ 2019年、インターネット広告費がテレビを超えた …………… 95
［図Ⅲ-1］ 奥出雲のたたら製鉄と農業システム …………………………… 109
［図Ⅲ-2］ 日本の繊維業の事業所数及び製造品出荷額 …………………… 114
［図Ⅲ-3］ 日本のアパレル市場における衣類の輸入率 …………………… 114

［図Ⅲ-4］　建設・不動産業界の仕組み ………………………………………… 119

［図Ⅲ-5］　ワットの蒸気機関 ……………………………………………………… 122

［図Ⅲ-6］　日本のエネルギー消費 ………………………………………………… 124

［図Ⅲ-7］　図面 ……………………………………………………………………… 136

［図Ⅲ-8］　立体形状を平面図にする仕組み ……………………………………… 136

［図Ⅳ-1］　鉄鋼産業の概要（2015年） ………………………………………… 150

［図Ⅳ-2］　木材の組織と木目 ……………………………………………………… 152

［図Ⅳ-3］　合板の製造過程 ………………………………………………………… 154

［図Ⅳ-4］　集成材の製造過程 ……………………………………………………… 155

［図Ⅳ-5］　たたきのみとげんのう ………………………………………………… 158

［図Ⅳ-6］　繊維業界の構造 ………………………………………………………… 163

［図Ⅳ-7］　プラスチック射出成形機とその仕組み ……………………………… 167

［図Ⅳ-8］　原油の精製工程 ………………………………………………………… 170

［図Ⅳ-9］　原油からは、ほぼ一定の比率でしか石油製品ができない ………… 170

［図Ⅳ-10］　化学業界の構造 ………………………………………………………… 171

［図Ⅳ-11］　ガラスの構造 …………………………………………………………… 173

［図Ⅳ-12］　自動車産業は関連産業・雇用が多い（2014年） …………………… 181

［図Ⅳ-13］　直流・交流の電圧 ……………………………………………………… 185

［図Ⅳ-14］　交流電流を直流電流に変換する仕組み ……………………………… 187

［図Ⅳ-15］　太陽光発電から送電線まで …………………………………………… 189

［図Ⅳ-16］　太陽光発電の仕組み …………………………………………………… 190

［図Ⅳ-17］　物質に光が当たると熱くなる仕組み ………………………………… 191

［図Ⅳ-18］　太陽電池に光が当たると発電する仕組み …………………………… 191

［図Ⅳ-19］　ダイオードの仕組み …………………………………………………… 193

［図Ⅳ-20］　ダイオードによる太陽光発電の仕組み ……………………………… 193

［図Ⅳ-21］　原子力発電の仕組み …………………………………………………… 195

［図Ⅳ-22］　日本のエネルギー源の変化 …………………………………………… 197

［図Ⅳ-23］　発電コスト比較 ………………………………………………………… 198

［図Ⅳ-24］　九州で太陽光発電が過剰となった …………………………………… 199

［図Ⅳ-25］　日本の電気の周波数 …………………………………………………… 200

［図Ⅳ-26］　宮崎大学 田村教授の「顔の筋電位を用いた電動車椅子制御システム」 …… 202

［図Ⅳ-27］　ブラシ付のDCモータの仕組み ……………………………………… 205

［図Ⅳ-28］　ステッピングモータ …………………………………………………… 206

［図Ⅳ-29］　油圧シリンダの仕組み ………………………………………………… 207

［図Ⅳ-30］　油圧ショベル用油圧シリンダと油圧ショベル ……………………… 208

［図Ⅳ-31］　形状記憶合金アクチュエータ ………………………………………… 210

［図Ⅳ-32］　シーケンス制御の例（全自動洗濯機） ……………………………… 211

［図Ⅴ-1］アナログとデジタル ･･････････････････････････････ 218

［図Ⅴ-2］アナログ情報のデジタル変換の仕組み ･････････････ 218

［図Ⅴ-3］データ圧縮の仕組み ･･･････････････････････････････ 227

［図Ⅴ-4］携帯電話が通話できる仕組み ･･･････････････････････ 229

［図Ⅴ-5］タッチパネルの仕組み ･･･････････････････････････ 230

［図Ⅴ-6］インターネット（WWW）の仕組み ･･･････････････ 231

［図Ⅴ-7］デジタルカメラがカラー写真を撮る仕組み ･････････ 234

［図Ⅴ-8］プリント配線 ･････････････････････････････････････ 236

［図Ⅴ-9］エッチング法によるプリント配線製造の仕組み ･････ 236

［図Ⅴ-10］公開鍵暗号方式の仕組み ･･････････････････････････ 237

［図Ⅴ-11］電子署名の仕組み ･････････････････････････････････ 239

［図Ⅴ-12］ブロックチェーンの仕組み ････････････････････････ 241

［図Ⅴ-13］形式知と暗黙知 ･･･････････････････････････････････ 246

［図Ⅴ-14］ディープラーニングの仕組み ･････････････････････ 248

［図Ⅴ-15］シンギュラリティ ･････････････････････････････････ 250

［図Ⅴ-16］AI画像検査機の開発要素 ･････････････････････････ 251

［図Ⅴ-17］JANコード ･･････････････････････････････････････ 258

［図Ⅴ-18］集合包装用商品コードをITFシンボルで表現した例 ･･････ 258

［図Ⅴ-19］家庭のIOT ･･････････････････････････････････････ 263

［図Ⅴ-20］デジタル・情報技術のビジネスへの応用のイメージ ･････ 265

［図Ⅴ-21］社会人が身につけるべきデジタル・情報通信技術の知識範囲 ･･ 266

［図Ⅵ-1］国際単位系の基本単位と現在の決め方 ･････････････ 285

［図Ⅵ-2］国際単位系（SI）の組立単位 ･･････････････････････ 286

［図Ⅵ-3］国際単位系（SI）の接頭語（指数の読み方） ･･･････ 287

［図Ⅵ-4］国際単位系（SI）の基本単位と組立単位の関係 ･････ 288

［図Ⅵ-5］層別分析 ･･･ 293

［図Ⅵ-6］ABC分析・パレート図 ･･････････････････････････ 294

［図Ⅵ-7］特性要因図（フィッシュボーン図） ･･･････････････ 296

［図Ⅵ-8］ヒストグラム ････････････････････････････････････ 297

［図Ⅵ-9］散布図 ･･･ 299

［図Ⅵ-10］チェックシート ･･･････････････････････････････････ 300

［図Ⅵ-11］管理図 ･･･ 301

［図Ⅵ-12］製品のISO規格 ･･････････････････････････････････ 302

［図Ⅵ-13］ISO9001 ･･ 303

［図Ⅵ-14］HACCPの仕組み ････････････････････････････････ 305

[表]

[表Ⅰ-1] 日本標準産業分類（大分類体系）……………………………………………… 26
[表Ⅰ-2] もの・サービスの産出額（名目、生産者価格表示、単位：10億円、万人、％）…… 29
[表Ⅰ-3] 2019年 建設業 事業別国内売上高（単位：百万円、％）………………… 31
[表Ⅰ-4] 製造業の中の業種ごとの産出額（名目、生産者価格表示、単位：10億円）……… 32
[表Ⅰ-5] ＩＴ業界の産業分類 ……………………………………………………… 34
[表Ⅰ-6] ＩＴ業界の中の業界の種類例 …………………………………………… 35
[表Ⅰ-7] 主要旅行会社 ……………………………………………………………… 38
[表Ⅱ-1] 経済学の効用の考え方と "もの" の購入・保有の決定 …………………… 71
[表Ⅱ-2] 職業分類表（大分類、中分類）………………………………………… 78
[表Ⅱ-3] 中古品相場と商品競争力 ………………………………………………… 91
[表Ⅱ-4] バリューチェーンの一部に特化したビジネスを行う業種の例 ……………… 94
[表Ⅲ-1] リクナビ、マイナビの業界分類と本書で紹介の章等 ………………… 102,279
[表Ⅲ-2] 本節の工業技術年表 ……………………………………………………… 128
[表Ⅳ-1] 木材の表面仕上げ ………………………………………………………… 159
[表Ⅳ-2] プラスチックの種類、特長、用途 ……………………………………… 164
[表Ⅳ-3] 工作機械の種類と概要 …………………………………………………… 179
[表Ⅳ-4] センサの種類 ……………………………………………………………… 203
[表Ⅴ-1] ２進法と真理値表 ………………………………………………………… 226
[表Ⅴ-2] 人工知能（AI）の歴史 ………………………………………………… 245
[表Ⅴ-3] デジタル・情報技術年表 ………………………………………………… 274
[表Ⅴ-4] ＩＴ業界の中の業界の種類例 …………………………………………… 275

[写真]

[写真Ⅲ-1] コンビニエンスストア惣菜用の蒸気オーブン ………………………… 106
[写真Ⅲ-2] 諏訪の最古級の石器 …………………………………………………… 107
[写真Ⅲ-3] 諏訪の蛇紋岩製局部磨製石斧 ………………………………………… 107
[写真Ⅲ-4] 吉野ヶ里遺跡の衣服 …………………………………………………… 112
[写真Ⅲ-5] 八重山ミンサー ………………………………………………………… 113
[写真Ⅲ-6] 炭素繊維 ………………………………………………………………… 115
[写真Ⅲ-7] 炭素繊維製のスポーツカーとルーフ ………………………………… 116
[写真Ⅲ-8] ベンベルグ生地の伝統衣装 …………………………………………… 117
[写真Ⅲ-9] 三内丸山遺跡 …………………………………………………………… 118
[写真Ⅲ-10] 美々津の伝統的建造物群 ……………………………………………… 119
[写真Ⅲ-11] 現代の自動車ガソリンエンジン ……………………………………… 123
[写真Ⅲ-12] 雲州そろばん …………………………………………………………… 125

［写真Ⅲ-13］計算尺 ……………………………………………………………… 126
［写真Ⅲ-14］加工部品の完成品 ………………………………………………… 135
［写真Ⅳ-1］ノギス ……………………………………………………………… 140
［写真Ⅳ-2］のこぎりと万力 …………………………………………………… 142
［写真Ⅳ-3］電気グラインダ …………………………………………………… 143
［写真Ⅳ-4］鋳造工程 …………………………………………………………… 145
［写真Ⅳ-5］溶接工程 …………………………………………………………… 147
［写真Ⅳ-6］プレス加工機械 …………………………………………………… 148
［写真Ⅳ-7］切削加工による航空機部品 ……………………………………… 149
［写真Ⅳ-8］木製弁当箱（曲げわっぱ）の木目 ……………………………… 151
［写真Ⅳ-9］合板 ………………………………………………………………… 153
［写真Ⅳ-10］ほぞによる接合 ………………………………………………… 158
［写真Ⅳ-11］天然繊維と製品の例 …………………………………………… 161
［写真Ⅳ-12］プラスチック原料：プラスチック・ペレット（上）と着色剤（下） ……… 167
［写真Ⅳ-13］金型とプラスチック製品 ……………………………………… 169
［写真Ⅳ-14］汎用工作機械、NC 工作機械 ………………………………… 177
［写真Ⅳ-15］パソコンの AC（交流）アダプタ …………………………… 186
［写真Ⅳ-16］回路計とオシロスコープ ……………………………………… 201
［写真Ⅴ-1］Web サイトの表現とそれを記述した HTML …………………… 223
［写真Ⅴ-2］ＡＩ画像検査機 …………………………………………………… 252
［写真Ⅴ-3］ＡＩ画像検査機で検出した不良品（右） ……………………… 252
［写真Ⅴ-4］CAD 設計 …………………………………………………………… 255
［写真Ⅴ-5］㈱麻友物流センターでの商品・棚管理 ……………………… 260
［写真Ⅴ-6］計量・検品カート ………………………………………………… 261

［業界研究］
業界研究1　IT 産業（Part 1） ………………………………………………… 33
業界研究2　運輸、宿泊業 ……………………………………………………… 37
業界研究3　小売業 ……………………………………………………………… 40
業界研究4　卸・商社 …………………………………………………………… 43
業界研究5　銀行、保険 ………………………………………………………… 45
業界研究6　教育、学習支援業 ………………………………………………… 46
業界研究7　介護 ………………………………………………………………… 47
業界研究8　公務員・公的組織 ………………………………………………… 48
業界研究9　広告・出版・マスコミ …………………………………………… 93
業界研究10　食品・外食 ……………………………………………………… 110

業界研究11　建設業、不動産業 ………………………………………………… 119
業界研究12　エネルギー産業 …………………………………………………… 124
業界研究13　鉄鋼業界・金属業界 ……………………………………………… 149
業界研究14　木材・住宅・家具 ………………………………………………… 160
業界研究15　繊維産業 …………………………………………………………… 162
業界研究16　石油精製、化学、ゴム、薬品・化粧品業界 …………………… 169
業界研究17　ガラス、セラミックス、セメント ……………………………… 172
業界研究18　自動車、機械産業 ………………………………………………… 180
業界研究19　電気機械産業 ……………………………………………………… 211
業界研究20　IT産業（Part2）…………………………………………………… 275
業界研究21　エンタテインメント、ゲーム、レジャー施設、映画、音楽 ……… 278

［課題］
［課題 1］業界研究（小売）……………………………………………………… 43
［課題 2］業界研究（銀行、保険）……………………………………………… 46
［課題 3］業界研究（介護）……………………………………………………… 48
［課題 4］業界研究（公務）……………………………………………………… 51
［課題 5（学生への課題）］自分が就きたい職種 ……………………………… 92
［課題 6］業界研究（広告・出版・マスコミ）………………………………… 94
［課題 7］日経225企業 …………………………………………………………… 97
［課題 8］バリューチェーンの機能と企業 …………………………………… 98
［課題 9（学生への課題）］自分が就職を検討する業界 ……………………… 104
［課題10］業界研究（食品・外食）……………………………………………… 110
［課題11］業界研究（建設業、不動産業）……………………………………… 121
［課題12］1977年当時の報道から大停電の混乱の様子を見てみよう ……… 123
［課題13］業界研究（エネルギー産業）………………………………………… 125
［課題14］業界研究（鉄鋼業界・金属業界）…………………………………… 150
［課題15］業界研究（木材・住宅・家具）……………………………………… 160
［課題16］業界研究（ファッション、アパレル・服飾業界）………………… 163
［課題17］業界研究（石油精製、化学、ゴム、薬品・化粧品業界）………… 172
［課題18］業界研究（ガラス、セラミックス、セメント）…………………… 173
［課題19］業界研究（自動車、機械産業）……………………………………… 182
［課題20］業界研究（電気機械産業）…………………………………………… 212
［課題21］CPUを見てみよう …………………………………………………… 227
［課題22］コンピュータ、パソコンの発達を写真で見てみよう …………… 228
［課題23］昔の携帯電話・スマートフォンを見てみよう …………………… 229

［課題24］業界研究（IT 産業） ……………………………………………………… 278

［課題25］業界研究（エンタテインメント業界） …………………………………… 278

［課題26］業界研究（卸・商社） …………………………………………………… 279

［課題27(学生への課題)］自分が就職を検討する業界 …………………………… 279

［コラム］

　　コラム１　20代の仕事力の身に着け方 ………………………………………… 82

　　コラム２　ジャンク情報 ……………………………………………………… 100

　　コラム３　ワーク ……………………………………………………………… 176

　　コラム４　心配するな工夫せよ ……………………………………………… 273

［推薦図書］

［推薦図書１］『イラスト図解 病院のしくみ』木村 憲洋、川越 満（2005）日本実業出版社　　 47

［推薦図書２］『仕事の経済学』小池 和男（2005）東洋経済新報社 ……………………… 84

［推薦図書３］『ストーリーとしての競争戦略 優れた戦略の条件』楠木 建（2010）
　　　　　　　東洋経済新報社 …………………………………………………………… 90

［推薦図書４］『トコトンやさしい溶接の本』安田 克彦（2009）日刊工業新聞社 ……… 147

［推薦図書５］『トコトンやさしいプレス加工の本』山口 文雄（2012）日刊工業新聞社 … 148

［推薦図書６］『トコトンやさしい鉄の本』鉄と生活研究会、菅野 照造（2008）
　　　　　　　日刊工業新聞社 ………………………………………………………… 151

［推薦図書７］『図解 木と木材がわかる本』岩本 恵三、小澤 普照（2008）日本実業出版社　 160

［推薦図書８］『繊維の種類と加工が一番わかる』日本繊維技術士センター（2012）
　　　　　　　技術評論社 ……………………………………………………………… 163

［推薦図書９］『トコトンやさしい機械の本』朝比奈 奎一、三田 純義（2006）
　　　　　　　日刊工業新聞社 ………………………………………………………… 182

［推薦図書10］『図解雑学 原子力』竹田 敏一（2002）ナツメ社 ………………… 196

［推薦図書11］『ある日突然、普通のママが子どものネットトラブルに青ざめる
　　　　　　　知らないと意外にコワいネットとスマホの落とし穴』長谷川陽子（2017）
　　　　　　　アイエス・エヌ ………………………………………………………… 254

［推薦図書12］『トコトンやさしい計量の本』今井 秀孝、吉田 雅彦ほか（2007）
　　　　　　　日刊工業新聞社 ………………………………………………………… 290

第 I 章
産業と企業

● 第 **1** ● 節 **産業と企業**
―― **業界研究と企業研究は両方とも必要** ――

　産業は、類似した商品を供給する企業の経済活動の集合、同種の経済活動を行う企業の集合をいう[1]。

　業界は、同じ産業にたずさわる人々の社会[2]をいう。

　企業は、生産・営利の目的で、生産要素を総合し、**継続的に事業を経営する**こと、また、その経営の主体[3]をいう。

　産業・企業の分類は、**日本標準産業分類**（表１-１ [pp.26-27]）に拠るのが一般的である。日本標準産業分類は、大分類、中分類、小分類、細分類と、大づかみの分類から順々に細かく産業を分類している。

　社会人の読者がいま働いている企業・職場や、学生の読者が将来働くかもしれない企業・職場も、必ず日本標準産業分類のどこかに分類されている。

　業界研究・企業研究は、就職活動などで、世の中にある業界の種類や特徴を知り、興味を感じ、自分が行きたいと思う業界・企業を見つけるために行うも

[図Ⅰ-1] 企業・産業・経済全体

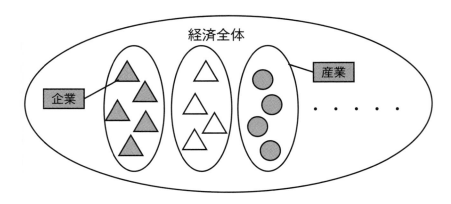

のをいう[4]。

　業界、産業が同じであれば、例えば、鉄鋼業界が鉄鋼を生産、加工するなどの共通点はある。しかし、同じ業界でも、企業には個性があり、生産する製品や得意な加工方法などが様々に異なっていたり、企業理念や社風も企業ごとに異なる。したがって、**業界研究と企業研究は両方とも必要であり、業界と企業を理解すると両方の理解を深めることができる。**

　企業は、ライバル会社を意識して、自社がより良くなるために優劣を詳細に分析している。業界全体の売り上げを分析して、自社の目標とする市場の動向を把握している。業界研究と企業研究は、その業界、企業に属している人たちは高いレベルで行っている。したがって、業界研究と企業研究を行う際に、その業界に属する企業の役職員にインタビューすることができれば、有益な情報を得ることができる。

　学生であれば、本やネット情報で業界や企業を調べることは、予備知識を得るという意味で非常に大事だが、それらは二次情報である。**二次情報**は、自分ではない誰かが集めた情報[5]をいう。会社説明会や面接で社員と直接話する（一次情報）場合は、最新で正確な情報を得ることができる。貴重な機会なので活用しよう。

[注]
1)　総務省 www.stat.go.jp/data/kokusei/2015/users-g/pdf/sangyo.pdf　（2023/6/15取得）
2)　広辞苑 第七版
3)　広辞苑 第七版
4)　リクナビ　https://job.rikunabi.com/contents/industry/2489/　（2020/08/12取得）
5)　帝国データバンクビジネス講座

[表 I-1] 日本標準産業分類（大分類体系）

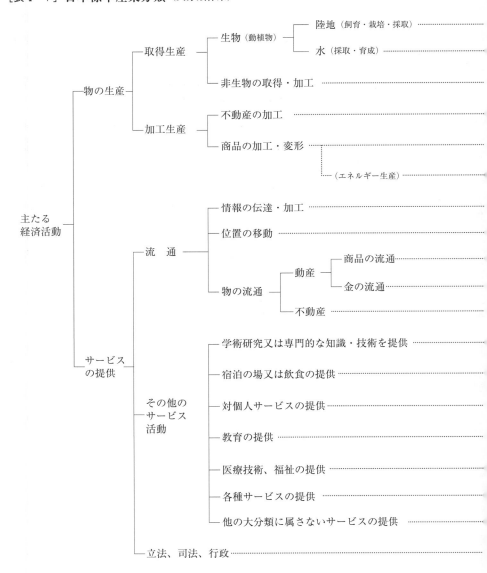

⋯⋯⋯⋯⋯⋯ A	農業、林業	陸生動植物の飼育、栽培、採取、採捕を業とするもの
⋯⋯⋯⋯⋯ B	漁　業	水産動植物の採取、採捕及び養殖を業とするもの
⋯⋯⋯⋯⋯ C	鉱業、採石業、砂利採取業	天然の鉱物の掘採、採石を業とするもの
⋯⋯⋯⋯⋯ D	建設業	土地に固着する建造物等の建設、土地等の造成、機械装置の据え付け及びそれらの請負を業とするもの
⋯⋯⋯⋯⋯ E	製造業	有機又は無機の物質に物理的、化学的変化を加えて新製品を製造し、卸売することを業とするもの
⋯⋯⋯⋯⋯ F	電気・ガス・熱供給・水道業	電気、ガス、熱、水等の供給及び汚水の処理を業とするもの
⋯⋯⋯⋯⋯ G	情報通信業	情報の伝達、処理、提供、インターネットに附随したサービスを提供することを業とするもの
⋯⋯⋯⋯⋯ H	運輸業、郵便業	人及び物の移動を業とするもの
⋯⋯⋯⋯⋯ I	卸売、小売業	有体的商品の売買及びこれらの売買の代理又は仲介を業とするもの
⋯⋯⋯⋯⋯ J	金融業、保険業	金融商品の売買・仲介を業とするもの
⋯⋯⋯⋯⋯ K	不動産業、物品賃貸業	不動産業又は物品賃貸を業とするもの
⋯⋯⋯⋯⋯ L	学術研究、専門・技術サービス業	学術的研究、専門的な知識・技術の提供を業とするもの
⋯⋯⋯⋯⋯ M	宿泊業、飲食サービス業	飲食又は宿泊させることを業とするもの
⋯⋯⋯⋯⋯ N	生活関連サービス業、娯楽業	日常生活と関連した技能・技術の提供又は娯楽などのサービスの提供を業とするもの
⋯⋯⋯⋯⋯ O	教育、学習支援業	学校教育又はその支援、教育活動、教養、技能、技術などを教授すること等を業とするもの
⋯⋯⋯⋯⋯ P	医療、福祉	医療、保健衛生、社会保険、社会福祉及び介護に関するサービスの提供を業とするもの
⋯⋯⋯⋯⋯ Q	複合サービス事業	複数の大分類にわたる各種のサービスの提供を業とするもの
⋯⋯⋯⋯⋯ R	サービス業（他に分類されないもの）	他の大分類に属さない対事業所サービスの提供を業とするもの
⋯⋯⋯⋯⋯ S	公務（他に分類されないものを除く）	国及び地方公共団体の機関のうち、立法、司法、行政の非現業的な業務を行うもの
	T　分類不能の産業	調査票の記入が不備で、いずれの項目にも分類しえないもの

出所：総務省（2013）

第2節 産業

（1）産業の大きさ・規模

産業ごとの「もの・サービス」の産出額は［表Ⅰ-2］、産出額の比率は［図1-2］のとおりである。

[図Ⅰ-2] もの・サービスの産出額
（名目、生産者価格表示、単位：10億円、万人、％）

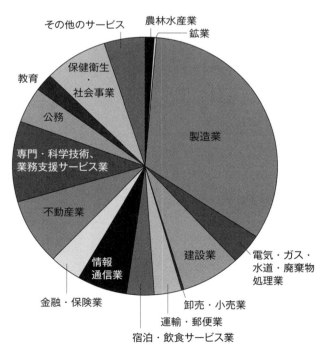

出所：内閣府（2020）から著者作成

[表Ⅰ-2] もの・サービスの産出額（名目、生産者価格表示、単位：10億円、万人、％）

財貨・サービスの項目	産出額	比率	就労人口	比率
1．農林水産業	12,349.2	1.3	259.1	3.8
2．鉱　　業	914.4	0.1	3.3	0.0
3．製　造　業	308,102.0	33.0	1,076.8	15.6
4．電気・ガス・水道・廃棄物処理業	36,895.7	3.9	58.9	0.9
5．建　設　業	66,840.9	7.2	479.7	7.0
6．卸売・小売業	2,541.9	0.3	1,050.0	15.3
7．運輸・郵便業	30,980.3	3.3	388.8	5.6
8．宿泊・飲食サービス業	32,786.0	3.5	422.8	6.1
9．情報通信業	55,806.9	6.0	196.6	2.9
10．金融・保険業	36,181.2	3.9	167.2	2.4
11．不動産業	79,585.5	8.5	116.8	1.7
12．専門・科学技術、業務支援サービス業	91,362.3	9.8	766.6	11.1
13．公　　務	40,827.0	4.4	197.8	2.9
14．教　　育	21,162.1	2.3	209.9	3.0
15．保健衛生・社会事業	73,609.9	7.9	872.1	12.7
16．その他のサービス	44,551.2	4.8	616.6	9.0
計	934,496.0	100.0	6883.0	100.0

出所：内閣府（2020）

注：卸売・小売業は、売上高から仕入額を差し引いた商業マージン額。他の部門は売上高。このため、卸売・小売業は相対的に小さな値となっている。

（2）　農林水産業

農林水産業が日本のもの・サービスの産出額に占める比率は、全体の1.3%と小さいが、**食料品（食品加工製造業）**と合わせると14%となる。さらに、卸売・小売業や、宿泊・飲食サービス業の関連部門を合わせると、**食関連ビジネス（フードビジネス）としては大きな産業**となっている。

近年、農業法人が、新しいビジネスモデルで若い人を雇用して利益を上げている例がある。

例えば、宮崎県串間市の㈱くしまアオイファームは、様々な品種のさつまいもを生産し、他の農家からも買付け、加工を行い、年間を通して顧客の需要に応じて販売できるように保存し、販売するまでを一貫性をもって行うビジネスモデルを作った。国内市場だけではなく、海外の市場調査をして、中華圏、東南アジア圏などの海外にもさつまいもを輸出してビジネスを拡大している[6]。

また、同県宮崎市の㈱九州テーブルの九州パンケーキ[7]事業は、大分県産の風味豊かな小麦、宮崎県綾町の農薬を使わずに育てられた合鴨農法の発芽玄米、長崎県雲仙のもちきび、佐賀県の胚芽押し麦、熊本県と福岡県の古代米の黒米と赤米、鹿児島県のうるち米と、九州各県の農産物を使用してパンケーキを作り、味とストーリー・ものがたりで国内、台湾、シンガポールで販売していくビジネスモデルを実現している。

農業の6次産業化は、農林漁業者（1次産業）が、農産物などの生産物の元々持っている価値をさらに高め、それにより、農林漁業者の所得（収入）を向上していくことをいう。生産物の価値を上げるため、農林漁業者が、農畜産物・水産物の生産だけでなく、食品加工（2次産業）、流通・販売（3次産業）にも取

[図I-3] もの・サービスの産出額に占める農林水産業の比率

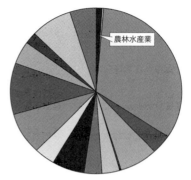

出所：内閣府（2020）から著者作成

り組み、それによって農林水産業を活性化させ、農山漁村の経済を豊かにしていこうとする。「6次産業」という言葉の6は、農林漁業本来の1次産業だけでなく、2次産業（工業・製造業）・3次産業（販売業・サービス業）を取り込むことから、「1次産業の1」×「2次産業の2」×「3次産業の3」のかけ算の6を意味している[8]。

（3）建設業、不動産業

　建設業は、日本のもの・サービスの産出額の7.2％、不動産業は8.5％を占める。

　建設業は公共事業への依存度が高い印象があるかもしれないが、［表Ⅰ-3］のように、建設業の売上高に占める公共需要の割合は約2割で、約8割は民間の需要に対応したものである。

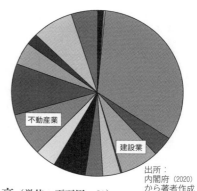

[図Ⅰ-4] もの・サービスの産出額に占める建設業、不動産業の比率

出所：内閣府（2020）から著者作成

[表Ⅰ-3] 2019年 建設業 事業別国内売上高（単位：百万円、％）

	公共需要	（比率）	民間需要	（比率）	合　計
1 土木建築工事	3,212,166	26.1	9,079,124	73.9	12,291,290
2 設備工事業	230,448	6.8	3,138,379	93.2	3,368,827
3 建設関連業	20,870	16.0	109,796	84.0	130,666
4 その他の事業	2,417	0.5	456,251	99.5	458,668
不動産業	188	0.1	336,305	99.9	336,493
設備機器の製造・販売	477	14.4	2,829	85.6	3,306
その他の事業	1,752	1.5	117,118	98.5	118,870
合　　　計	3,465,901	21.3	12,783,551	78.7	16,249,451

出所：国土交通省（2019）

注：調査の対象は、大手建設業者53社（総合建設業33社、設備工事業20社）。その他の事業の中の不動産業は、調査対象の53社が行っている不動産業の売上高であって、日本全体の不動産業の売上ではない。

（4）製造業

製造業は、日本のもの・サービスの産出額の33.0％を占める［図Ⅰ-4］。

製造業のバリューチェーンについては第Ⅱ章で、工業技術については第Ⅲ章以降で詳しく述べる。

製造業の中の業種ごとの産出額の内訳と比率は、［表Ⅰ-4］のとおりである。

［図Ⅰ-5］もの・サービスの産出額に占める製造業の比率

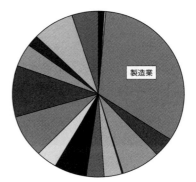

出所：内閣府（2020）から著者作成

［表Ⅰ-4］製造業の中の業種ごとの産出額（名目、生産者価格表示、単位：10億円）

	産出額	比率（%）	構成比（%）
（1）食料品	39,109.2	4.2	12.7
（2）繊維製品	3,452.0	0.4	1.1
（3）パルプ・紙・紙加工品	8,328.0	0.9	2.7
（4）化　学	28,233.3	3.0	9.2
（5）石油・石炭製品	18,042.8	1.9	5.9
（6）窯業・土石製品	6,415.4	0.7	2.1
（7）一次金属	37,858.3	4.1	12.3
（8）金属製品	12,635.6	1.4	4.1
（9）はん用・生産用・業務用機械	36,003.3	3.9	11.7
（10）電子部品・デバイス	12,830.0	1.4	4.2
（11）電気機械	16,848.9	1.8	5.5
（12）情報・通信機器	4,961.0	0.5	1.6
（13）輸送用機械	56,611.8	6.1	18.4
（14）その他の製造品	26,772.1	2.9	8.7
合　　　　　計	308,101.6	33.0	100.0

出所：内閣府（2020）から著者作成

（5）電気・ガス・水道・廃棄物処理業

　電気・ガス・水道事業は、廃棄物処理業と合わせて、いわゆるエネルギー産業で、日本のもの・サービスの産出額の3.9％を占める。公共性などから、自治体による運営や、独占的に事業を行うことが認められてきた事業が多くある。規制緩和によって、民営化や、競争による料金の引き下げを進めている分野でもある。

　エネルギー産業のバリューチェーンについては第Ⅱ章で、電力供給が止まったときの社会への大きな影響は第Ⅲ章で、発電や送電については第Ⅳ章で詳しく述べる。

[図Ⅰ-6] もの・サービスの産出額に占める電気・ガス・水道・廃棄物処理業の比率

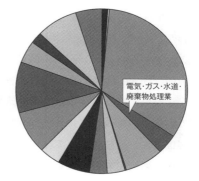

出所：内閣府（2020）から著者作成

（6）情報通信業

　情報通信業は、日本のもの・サービスの産出額の6.0％を占める。ICT（情報通信技術）については第Ⅳ章で詳しく述べる。

業界研究 1　IT 産業（Part1）

　情報通信技術は、新しい技術であり、生産技術のように目で見たり手で触ったりできないためか、偏見や誤解が多い。IT 業界という「業界」は他

[図Ⅰ-7] もの・サービスの産出額に占める情報通信業の比率

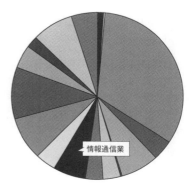

出所：内閣府（2020）から著者作成

の業界とは意味が異なることも誤解を生んでいる。学生が持つイメージとは異なり、多くの文系卒業生がIT業界で活躍している。

　IT業界という言葉は、同じ「業界」という単語は使うが、自動車業界や不動産業界などとは異なる意味の言葉である。自動車業界は、自動車の製造、販売などを行う業界である。不動産業界は、土地、建物を売り買いしたり、建物を建てて売ったり貸したりする。これらは、業界名と仕事の内容が対応していてわかりやすい。

　これに対して、IT業界は、ICT（情報通信技術）を使うという共通点はあるものの、IT企業というだけでは、その企業が何をしているのかは、すぐにはわからない。自動車業界、建設機械業界、工作機械業界などを「機械技術を使っているから機械産業」とまとめて呼んでいるようなものなので、その会社の顧客は誰か、何を提供して稼いでいる会社かに着目して、どのようなIT企業なのかを個別に判断しないとわからない。IT業界の中には、いくつかの「業

［表Ⅰ-5］IT業界の産業分類

```
大分類 G　情報通信業
　中分類　37　　通信業
　　371　　　固定電気通信業　NTT、KDDIなど
　　372　　　移動電気通信業　NTTドコモ、ソフトバンク、AUなど
　中分類　39　　情報サービス業
　　391　　　ソフトウェア業
　　3911　　　受託開発ソフトウェア業
　　3912　　　組込みソフトウェア業
　　3913　　　パッケージソフトウェア業
　　3914　　　ゲームソフトウェア業
　　392　　　情報処理・提供サービス業
　中分類　40　　インターネット附随サービス業
　　401　　　インターネット附随サービス業
　　4011　　　ポータルサイト・サーバ運営業
　　4012　　　アプリケーション・サービス・コンテンツ・プロバイダ
　　4013　　　インターネット利用サポート業
```

出所：総務省（2013）

界」があると考えた方がよい。

　産業分類では、IT 業界を、[表 I -5] のように分類している。

　受託開発ソフトウェア業 (3911) は、金融システム、航空・鉄道などの予約購入システム、大企業の生産システムなど、大型のシステムの**受託開発業務**などを行っている。また、設計のために使用する CAD ソフトの販売や、アフターサービスなどを主としている。採用は工学系・情報技術系の教育を受けたエンジニアが中心となる。

　情報処理・提供サービス業 (392) は、後で解説する顧客のバリューチェーンのどこに、どのようなサービスを提供するか、例えば、**営業支援 IT、人事支援 IT、経理支援 IT、経営コンサルタント IT** など、いくつかに分類できる。

[表 I -6] IT 業界の中の業界の種類例

携帯電話事業など	NTT、NTT ドコモ、KDDI、AU、ソフトバンクなど
ソフトウェア開発・販売	ソフトウェアの受託開発、パッケージソフトウェアの販売・カスタマイズなど
ゲーム開発・販売	ソニー、任天堂、セガ、カプコンなど
社内システム支援	企業内のアカウント、メール、セキュリティ、バックアップ、サーバ確保など顧客企業の情報システム部門の業務を請け負う
営業支援	企業の B to C の Web サイトの制作・運営、消費者からの問い合わせ対応など、顧客企業の販売・営業関連業務を請け負う
経理支援	領収書・伝票のデータ化、記帳・支払処理、月次・年次の財務書類・税務書類作成など、顧客企業の経理部門の業務を請け負う
人事支援	人事、労務管理などに必要なデータベース作成、人事評価システムの設計、運用業務などを請け負う
専門的な業務の支援	スポーツイベント、エンターテインメント、音楽、映像作成など、専門的な業務に対応した IT サービスを提供する
e コマース	Amazon、楽天、メルカリなど
ポータルサイト	Google、Yahoo など

　このように、IT業界とひとまとめに呼ばれている企業群の中に、[表1-6]のように、いくつかの業界があり種類がある。

　それらの業界の中には、開発が主たる業務で、工学系大学院でICTを学んだ技術者を中心に採用する企業もあれば、**顧客支援**（営業、経理、人事、経営コンサルタントなど）が主体で、文系卒業生を、工学系の開発職とともに重視して採用する企業もある。

　[表1-6]の太字のIT業界では、**文系学生を積極的に採用して、プログラミングの基本や経営・マネジメントを理解し、顧客とのコミュニケーションが取れる人材に育成している。**

　文系卒業生も多数がIT業界に就職している。入社前のIT業務の経験や資格を問わないで採用される場合も多い。その理由は、顧客の業務上のニーズをよく聴いて、どのようなシステムやサービスを提供すれば顧客が満足するかを整理して、システム設計のベースを作る仕事（IT業界でいう要件定義）が重要であり、この仕事には、文系出身者で向いている人が多くいるという経験、認識が企業側にあるからである。

　要件定義は、ソフトウェアや情報システムの開発で、必要とされる性能や実装すべき機能などを定義することで、この前段階として、発注者が何を求めているかを明確にする作業を行う[9]。

　プログラミング未経験の文系卒業生も、IT企業に入社したら、まずはプログラミングを勉強させられることが多いが、これは、第一に、文系卒業生でもプログラミングに向いている人もいること、第二に、プログラミングに向いていなくて、顧客対応の仕事に就かせる場合にも、プログラミングがどういうものかを理解している方が良い。なぜなら、どのようなシステムやサービスを提供すれば顧客が満足するか、課題を考えて整理する際に、開発担当が開発しやすいように課題を整理（要件定義）できるようになるからである。

　営業の仕事をしたいと望む学生であれば、総合商社や専門商社、製造業の営業職などに就職する道とともに、営業支援のIT企業に就職するという道もあ

る。営業支援のIT企業は、ものを売りたい企業から委託を受けて、スマホ用やパソコン用のWebサイトを作り、顧客から問い合わせがあれば、電話、チャット、メールでの応対を代行している。

　IT企業は、これまで人手不足で求人が多くあり、COVID-19（新型コロナウイルス感染症）の影響を受けても、売り上げや求人意欲が低下しなかった企業も多かった。ITと聞いただけで毛嫌いして避けるのではなく、ICT技術で何をする会社なのか、その内容に興味が持てそうか考えてみる価値がある。

（7）運輸、宿泊業

　運輸・郵便業は日本のもの・サービスの産出額の3.3％、宿泊・飲食サービス業は3.5％を占める。

　宿泊、お土産店、飲食店など観光関連産業は、設備投資が事前に必要で借金が大きく、かつ、サービス業のため、客対応には来客に応じた人手の確保が必要となる。このため、利益を上げるのが難しい業種といわれる。

[図Ⅰ-8] もの・サービスの産出額に占める運輸、宿泊業の比率

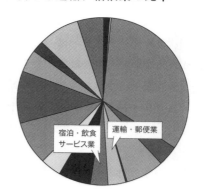

宿泊・飲食サービス業

運輸・郵便業

出所：内閣府（2020）から著者作成

業界研究2　運輸、宿泊業

（7）-1　旅行会社

　旅行会社は、旅行者のために交通機関や宿泊施設の手配を行ったり、パッケージ旅行のプラン作成や販売などを行ったりする。また、ホテルや航空会社などから部屋や座席を仕入れ、ツアーという商品にまとめる。さらに、自社の店舗やWebサイト、旅行代理店を通して旅行者に販売する。

　旅行の企画を立てる過程でレジャー施設と協力する機会も多く、各地域の特産物を作るメーカーや地方自治体とも緊密な連携が求められることもある[10]。

[表Ⅰ-7] **主要旅行会社**

社　　　　名	売上高（百万円）
㈱ＪＴＢ（連結）	1,322,992
㈱エイチ・アイ・エス（連結）	728,554
㈱日本旅行	429,766
ＫＮＴ－ＣＴホールディングス㈱（連結）	405,172
㈱ジャルパック	175,124
ＡＮＡセールス㈱	155,909

出所：帝国データバンク

注：OTA（Online Travel Agent）で売上が公表されていないものは含まれていない。各社の売上高は
　　2018年の単体業績。JTBは2018年4月の各子会社吸収前の売上高。

　近年は、店舗を持たないオンライン旅行会社OTA（Online Travel Agent）、例えば、楽天トラベル、じゃらんnet、るるぶトラベル、一休.comなどの参入が相次ぎ、売り上げを伸ばしている。店舗を持たないため、店舗経費や人件費がかからない分、価格競争ができる。また、トラベルコ、トリバゴ、スカイスキャナーなど、ホテルや航空券の最安価格を検索するメタサーチ企業のサービスにより、オンライン旅行会社同士が価格を比較されるようになり、競争が激しくなっている[11]。

（7）-2　ホテル

　ホテル業界は利用者に対し、宿泊するための部屋や、ホテル内のレストランや、会議室、結婚式場での各種サービスなどを提供している。ホテルや旅館の客室は、自社サイトによる直接販売と、旅行会社・旅行代理店や旅行サイトなどを通じた委託販売によって顧客に提供される。最近ではWebサイトからの予約が主流になりつつある。また、旅行予約サイトなどでは、ホテルの予約だけでなく、鉄道や飛行機の旅行券も一緒にセット予約できる場合も多く、消費者の利用は増えている。

　ホテルは、①広い部屋や豪華なレストラン・結婚式場などの施設を備えたシティホテル、②サービスや部屋の設備を最低限に抑えて低価格で提供されるビ

ジネスホテル、③観光地などに建てられ長期間の滞在も楽しめる**リゾートホテル**、などに分類される。

　ビジネスホテルは、宿泊に特化し、収入源は顧客から受け取る宿泊料である。

　シティホテル、リゾートホテルでは、レストランやバーといった飲食部門、結婚式、会社や団体などの会議と懇親会などの宴会部門から得られる売り上げも収益の大きな柱となっている。そのため、宿泊部門以外にも、レストランなどの運営スタッフ、宴会部門を支える営業・企画職といった幅広い仕事がある[12]。

（7）- 3　鉄道、航空会社

　鉄道会社は、人やモノを運ぶ移動手段としての鉄道を維持・運行している。多くの人々が集まる「駅」を基点とし、不動産、小売、ホテル、レジャー施設といった事業を運営している鉄道会社もある。

　鉄道会社は経営母体によって、日本国有鉄道に起源を有する「JRグループ各社」、民間企業によって運営されている「私鉄」、地方公営企業や地方自治体が運営する「公営鉄道」、国や地方自治体と民間が共同運営する「第三セクター鉄道」の4つに分かれる[13]。

　航空会社は、航空機を運航することで、人やモノを運ぶ。航空会社は、FSC（フルサービスキャリア，Full Service Carrier）と、LCC（エルシーシー，Low-Cost Carrier）に大別される。

　FSCは、多様な運航路線を整備したり、映画やビデオゲームなどの機内エンターテインメントや機内食の内容を充実したりして、付加価値の高いサービスを提供している。

　LCCは、短距離の直行路線を多頻度で稼働させたり、有名な空港ではない周辺空港を拠点に使用して、空港利用料を安くし、運航を効率化し、機内サービスの簡素化や預け入れ荷物などのサービスの有料化などで、低価格を実現させている[14]。

　ANAホールディングス㈱は、航空事業を中心に、旅行事業、商社事業等を

行っている。航空事業は、主力の全日本空輸株式会社、アジア向けの旅客・貨物の株式会社エアージャパン、地方路線のANAウイングス株式会社、LCCのPeach Aviationを運営している。その他、エア・ドゥ、ソラシドエア、IBEXエアラインズ、オリエンタルエアブリッジ、スターフライヤーと提携している。

　日本航空㈱は、2010年1月、経営破綻し、会社更生法の適用を申請した。高コスト体質や世界不況による減収で財務体質が悪化したことなどが原因である。グループの負債総額は約2兆3千億円で、金融機関を除く事業会社の破綻としては過去最大であった。京セラ名誉会長の稲盛和夫氏が会長に就任し、企業再生支援機構が出資して公的管理下で再建を進め、2011年3月に更生手続きが終了した。2012年、稲盛氏は名誉会長に退き、再上場も果たした[15]。フジドリームエアラインズ、天草エアラインと提携している。

　ピーチ・アビエーション㈱はANAと香港資本で設立されたLCCで、ANAの連結子会社となっている[16]。ジェットスターは、オーストラリアのカンタスグループが100%出資するジェットスター航空を中心にアジアに展開するLCCで、ジェットスター・ジャパン株式会社は、2011年に設立され、現在は日本航空（50%）、豪カンタスグループ（33.3%）他の株主構成である[17]。

（8）小売業、卸売業

　小売業、卸売業は、日本のもの・サービスの産出額の0.3％を占める。内閣府（2020）の統計では、他の部門と異なり、売上高から仕入額を差し引いた商業マージン額を示しているので、売上高に比べて小さな値となっている。

　小売業と卸売業は、流通業として一緒に分類されることもあるが、まったく異なる業種である。

業界研究3　小売業

　小売業（retail business）は、メーカーや卸売商などから商品を購入して最終消費者に販売する事業者[18]で、顧客に直接に販売する機能を持っている。小さ

な小売店は卸売業者から仕入れるが、大手小売チェーンでは、大手メーカーから直接仕入れて、自社の物流センターから自社の小売店舗に搬送する。卸売業の機能を自社内に持っている。プライベートブランド商品（小売店の名前・ブランドで作る製品）を作っている大手小売チェーンがあるが、この場合、製造業の機能も大手小売業が持っていることになる。

　デパート（デパートメントストアの略）・百貨店は、衣食住の全般にわたる多種類の商品を陳列し、主として対面販売を行う大規模な小売店をいう[19]。1980年代までは、高級な買い物、外食、屋上の遊園地など、総合的なレジャー施設として客を集めていた。1990年代以降は、バブル崩壊による景気低迷と、イオンモールなどの総合スーパーや、家電量販店、紳士服量販店などの専門小売チェーン店との競合によって、長期に衰退が続いている。2015年以降は、訪日外国人の購買の増加で、売上げ約6兆円で横ばいを続けていたが、2020年のCOVID-19以降は低迷し、2023年は戻りつつある。主なデパート企業は、高島屋、三越伊勢丹、J.フロントリテイリング（大丸、松坂屋）、丸井がある[20]。

　スーパーマーケットは、かつては、生活用品全般を揃えた総合スーパーが多くあったが、食品以外は専門小売チェーンとの競合によって衰退し、現在は、食品を中心とした食品スーパーと、イオンモールのような、総合スーパーと各種専門小売チェーンなどを揃え、大規模な駐車場を持つ業態に二分化している。2019年までは売上げ約13兆円で横ばいであったが、2020年以降はCOVID-19で中食、内食の需要が高まり、約15兆円と売上げが増加した。主な企業は、イオン、セブン＆アイ（イトーヨーカドー）、ライフ、バロー（東海地方のスーパー）、ユナイテッド・スーパー（マルエツ、カスミ、マックスバリュ関東）がある[21]。

　コンビニ（コンビニエンスストアの略）は、早朝から深夜、または24時間営業して、日用の食料、雑貨などをセルフサービス方式で売る小型スーパーをいう[22]。［図1-9］のように、デパートが売上げを減少させ、スーパーマーケットが伸び悩んでいる中で、フランチャイズ方式で、店舗数と売上げを伸ばしてきた。2022年の売上げは約12兆円。主なコンビニ企業は、セブン＆アイ（セブンイレブン）、ローソン、ファミリーマート、ミニストップ、JR東日本クロスステーション（KIOSK、NewDays、エキュートなど）がある[23]。

[図Ⅰ-9]　小売業の業態別売上高推移

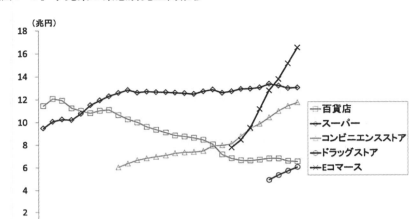

　フランチャイズ（FC）は、チェーン形式で行う経営形態の一つ。特定の商品やサービスについて特権（フランチャイズ）をもつ親企業（フランチャイザー）が、チェーンに参加する独立店（フランチャイジー）に対し、地域的独占販売権を与え、商品や販売ノウハウなどのサービスを提供する見返りとして特約料を徴収する[25]。コンビニエンスストア、ファストフード店、ファミリーレストラン、居酒屋などのチェーン店で採用されている。

　専門量販店は、家電量販店、アパレル、ドラッグストア、ホームセンターなど、特定の領域の商品を扱う店舗チェーンをいう[26]。

　家電量販店の売上げは約6兆円（2022年。以下同じ）。主な企業は、ヤマダ、ビックカメラ、ヨドバシカメラ、ケーズ、エディオンがある。

　アパレルの売上げは約6兆円。主な企業は、ファーストリテイリング（ユニクロ）、しまむら、アダストリア（グローバルワーク、ニコアンド、ローリーズファームなど）、ワコール、ワールド（アンタイトル、インディヴィ、アナトリエなど）がある[27]。

　ドラッグストアの売上げは約９兆円。主な企業は、ウエルシア、ツルハ、コスモス薬品、マツキヨココカラ（マツモトキヨシ、ココカラファイン）、スギ（スギ薬局）、サンドラッグ、富士薬品（SEIMS）、クリエイト、クスリのアオキ、カワチ薬品がある[28]。

　ホームセンターの売上げは約３兆円。主な企業は、カインズ、DCM（DCMカーマ、DCMダイキ、DCMホーマック、DCMサンワ、DCMくろがねや、ケーヨーデイツー）、コーナン商事、コメリ、アークランズ（ホームセンタームサシ、ビバホーム）がある[29]。

　紳士服量販店の売上げは約0.2兆円。主な企業は、青山商事、AOKI、コナカ、はるやまがある[30]。

［課題１］業界研究（小売）

　リクナビの業界ナビ[31]、マイナビの業界研究[32] から、小売業界について調べてみよう。小売業から一つ企業を選んで調べてみよう。

業界研究４　卸・商社

　卸売業（wholesale business）は、大きく分けて２種類ある。

　第一に、**小売業向けの卸売業**である。小売業に消費財（consumption goods, 消費者の欲望を直接に満たす財[33]）を卸売りする。この業態は、小さな商店が大手小売チェーンとの競争によって倒産・廃業して少なくなっていったのに合わせて、小売業向けの卸売業も少なくなった。

　第二に、**製造業向けの卸売業**である。専門商社、総合商社といった商社も卸売業に分類される。製造業は、部品などの生産財（production goods, 生産のために直接または間接に使用される財[34]）を、他の製造業から多く購入するが、その仲立ちをする卸売業である。大手卸売業、専門商社、総合商社は、輸出もしている。製造業向けの卸販売であるので、製品知識、関連する工業技術の知識に習熟することが必要である。第 III 章以降で詳しく述べる。

　このように、現状の日本の卸売業は、かつてのイメージとは異なり、小売業

向けと製造業向けの販売比率が約2：3[35]と、**製造業に卸す卸売業の販売額の方が大きくなっている。**

　卸・商社の販売額は、約430兆円（2022年）。主な総合商社は、三菱商事、伊藤忠商事、三井物産、丸紅、豊田通商がある[36]。主な専門商社は、メディパル（医薬品・日用品）、伊藤忠丸紅鉄鋼、アルフレッサ（医薬品、医療機器）、スズケン（医薬品）、阪和興業（鉄鋼、食品、石油）、メタルワン（鉄鋼）、三菱食品、日鉄物産（鉄鋼、産業機械、インフラ、繊維、食糧）、東邦（医薬品）、JFE商事（鉄鋼・鉄鋼材料・化学品）がある[37]。

（9）金融業、保険業

　金融業、保険業は、日本のもの・サービスの産出額の3.9％を占める。サービス業に含まれる。

　金融業（financial business）は、資金の貸借に関わるサービスの提供を主たる業とする。金融機関、証券会社、貸金業者（ノンバンク）、質商、信用保証機関などがある[38]。

　保険業（insurance business）は、保険業法に基づいて保険の引受けを行う事業をいう。生命保険会社と損害保険会社の2種類がある[39]。

［図Ⅰ-10］もの・サービスの産出額に占める金融・保険業の比率

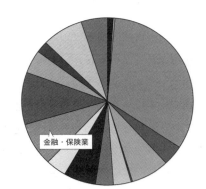

出所：内閣府（2020）から著者作成

　金融業、保険業は金融庁などの免許が必要である。金融業、保険業は、一般の企業にとっては、後で述べるバリューチェーンの財務機能を支援してくれるビジネスである。

業界研究 5　銀行、保険

　都市銀行は、大都市に本店を置き、全国規模でサービスを提供している銀行をいう。このうち、規模が極めて大きい銀行は「メガバンク」という。都市銀行の売上げ（経常収益）は、約25兆円。主な都市銀行は、三菱 UFJ、三井住友、みずほ、ゆうちょ銀行がある[40]。

　信託銀行は、預金やお金の貸し出しといった通常の銀行業務だけでなく、顧客から託されたお金や有価証券、不動産などの運用や、遺言・相続に関する業務などの「信託業務」を行う銀行をいう。主な信託銀行は、三井住友信託銀行、三菱 UFJ 信託銀行、SMBC 信託銀行がある。

　地方銀行は、特定の地域を中心に営業活動を行う銀行をいう。地域の有望な企業に融資して、その成長を金融面から支える、顧客の企業どうしをうまく結びつけて新たな価値を生む、地元の個人顧客に住宅ローン・教育ローンなどのサービスを提供するなど、地域経済の中で大きな役割を果たしている。

　信用金庫は、地域の事業者や個人が利用者・会員となって互いに地域の繁栄を図る、相互扶助を目的とした金融機関をいう。銀行と同様、預金を集めて個人や事業者に資金を貸し出す機能を持っている。

　損害保険は、交通事故や火災などの発生確率と被害額を過去のデータなどから科学的に割り出し、適切な保険料を設定して販売する。ただし、大規模な事故や災害などが起こった場合、大きな保険料の支払いを求められる可能性もあるので、保険料の一部をほかの保険会社に支払い、再保険をかけて、自社のリスクを軽くしている。損害保険業界の保険料収入は、約11兆円（2021年）。主な損害保険会社は、東京海上、MS&AD インシュアランス、SOMPO、トーア再保険、共栄火災海上保険がある[41]。

　生命保険は、人の生存や死亡に関して保険金を支払う生命保険や、医療保険、介護保険、がん保険などをいう[42]。生命保険業界の保険料収入は、約33兆円（2021年）。主な生命保険会社は、第一生命、日本生命、明治安田生命、かんぽ生命保険、住友生命、メットライフ生命、T&D ホールディングス、ソニー生命、アフラック生命保険、プルデンシャル生命などがある[43]。このうち、メットライフ生命、アフラック生命保険、プルデンシャル生命は外資系（米国）

であり、ソニー生命は他業界（電気機器）からの参入である。保険業法が1996年に改正され、規制緩和・自由化が図られたため、外資、他業界からの参入、保険会社のM＆A（統合、買収）も行われた。これに伴い、老舗企業から外資へなど、人材の移動も活発になった[44]。

　金融業は、おカネを扱うので、利益率が高く、手続きやリスク管理など、高度な業務が求められる。

　銀行は、金利が低いと、利益の元である利ざや（貸す時の金利と、預金者に払う金利の差）が小さくなるので収入が減る。国内産業や人口が減ると、銀行も、生命保険も顧客が減る。

［課題2］業界研究（銀行、保険）

　リクナビの業界ナビ[45]、マイナビの業界研究[46]から、銀行、保険業界について調べてみよう。銀行、保険から一つ企業を選んで調べてみよう。

（10）教　育

　教育や学習支援業は、日本のもの・サービスの産出額の2.3％を占める。サービス業に含まれる。

業界研究6　教育、学習支援業

　教育、学習支援業には、幼稚園、保育園、小学校、中学校、高等学校、専門学校、大学や、公民館、図書館、博物館、美術館、動物園、植物園、水族館、青少年教育施設、通信教育などの

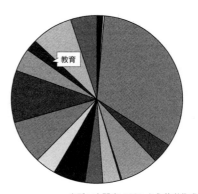

[図I-11] もの・サービスの産出額に占める教育、学習支援業の比率

出所：内閣府（2020）から著者作成

社会教育、学習塾、音楽、書道、英会話などの教室が含まれる。

　幼稚園、保育園、小学校、中学校、高等学校で教えるためには、大学の教育学部や、大学の教育学部以外で教職課程をとるなど、専門の教育を受けて資格を取得することが必要である。

（11）保健衛生・社会事業

　保健衛生・社会事業は、日本のもの・サービスの産出額の7.9％を占める。サービス業に含まれる。

　病院、歯科、マッサージ、児童福祉、老人福祉・介護事業などが含まれる。

　医療や福祉従事者の一部の業務は、専門の教育を受けて資格を取得することが必要である。

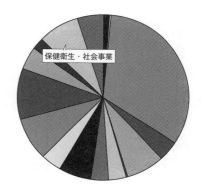

［図Ⅰ-12］もの・サービスの産出額に占める保健衛生・社会事業の比率

保健衛生・社会事業

出所：内閣府（2020）から著者作成

　［推薦図書１］『イラスト図解 病院のしくみ』木村 憲洋、川越 満（2005）日本実業出版社

業界研究７　介護

　高齢者は要介護認定を自治体に申請すると介護サービスを受けられる。介護施設には民間企業や社会福祉法人などの、①訪問介護（自宅に看護師やヘルパーが来る）、②デイサービス（日帰りで施設に行き、入浴、ケアサービスを受ける）、③有料老人ホーム（施設に入居してサービスを受ける）などがある。高齢者人口の増加で、介護業界は拡大していて、2022年９月現在、要介護・要支援認定者数は697万人、2021年の介護費用は約11兆円となっている。2025年には団塊の世代（出生率が高かった1947～1950年生まれ）が75歳以上となり、後期高齢者人口は2,180万

人に達すると推計されている。主な介護企業は、ニチイ学館、SOMPO、ベネッセ、ツクイ、セコムがある。

［課題3］業界研究（介護）

　リクナビの業界ナビ[47]、マイナビの業界研究[48] から、介護業界について調べてみよう。老人ホーム企業から一つ企業を選んで調べてみよう。

---

(12) 公　務

　公務は、日本のもの・サービスの産出額の4.4%を占める。

［図Ⅰ-13］もの・サービスの産出額に占める公務の比率

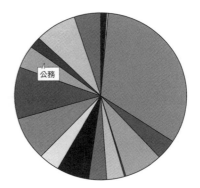

出所：内閣府（2020）から著者作成

業界研究 8　公務員・公的組織

　国の各省庁は、各省庁の設置法に基づいて、［図Ⅰ-14］のように法令に定められた分担で業務を行っている。

　都道府県庁は、国の各省庁に対応した部局を持ち、自ら業務を行うとともに、基礎自治体（市町村）の業務を支援している。

　基礎自治体は現場に密着した自治体であり、地域コミュニティ内での基礎自治体の役割は重要である。

　地方行政組織の中で、国の縦割りによる政策供給を、基礎自治体のニーズに応じたものに縦から横に変換する都道府県の仲介機能は重要である。

　政令指定都市は、政令で指定する人口50万人以上の市で、大都市行政を合理的、能率的に運営するため、道府県から社会福祉、保健衛生、都市計画、建築などの事務を移譲される。道府県は、政令指定都市の事務の多くは行わなくな

る。例えば、神奈川県の人口のうち、指定都市（横浜市、川崎市、相模原市）の人口の合計は 604.1万人で、神奈川県の総人口の65.4％を占めており[49]、県の行政が限定されている。

　地方行政組織の分類は、一般的には、総務、商工、農政など、取り扱う対象によって分類することが多いが、ここでは、機能に着目して、以下の4つに分類する。

　1）意思決定機能（知事室・首長室、企画部、議会事務局、財政課など）
　2）法令執行機能（環境基準、建築基準など法令を担当）
　3）予算執行機能（福祉保健、農政、土木、防災、教育などの予算執行）
　4）地域経済振興機能（商工、農政、企業誘致、観光など）

　第一の意思決定機能は、知事、首長などの行政トップの意思決定をサポートする機能である。各部門の長である部長が、仕事の内容面でサポートすることをはじめ、議員との調整を経て予算や条例を議決して実行する、国の省庁と調整して必要な施策を引き出すなどの機能である。この機能を担う人は、知事、首長などの問題意識を理解でき、議員や国の省庁の有力者との人脈、交渉力がある人が向く。

　第二の法令執行機能、第三の予算執行機能は、いずれもルールが文書化された仕事を間違いなく実行する業務である。この機能を担う人は、真面目で堅実な人が向く。クレーマーや反社会的勢力と相対することもあり、容易な仕事ではない。生活弱者と向き合うことも多く、人間力が必要である。

　第四の地域経済振興機能は、**地元の雇用と利益を獲得する機能**である。**地方創生の担い手**として注目されている。民間と同様のビジネス感覚がある人、広い視野と専門知識を兼ね備えた人が向いている。

　公務員は、国（中央官庁）と地方公共団体（地方自治体）、警察、裁判所などで働く。一般に、公的な官の組織は民間だけでは充足されないサービス（警察・消防、道路・上下水道・公共施設などの整備・運営など）を担う役割を持っている。

　公務員の採用は、試験の合格者の中から面接で選考されるケースが多い。

[図Ⅰ-14] 国の行政機関の組織図（令和4年7月1日時点）

出所：内閣官房⁵⁰⁾

　独立行政法人、社団法人、財団法人など、利益ではなく社会のために働く組織・団体がある。中央官庁や地方自治体と同様に公的な業務を行うが、組織としては企業のような形式を取っていることが多い。近年は、「民間でできることは民間に任せる」という考え方が進んでおり、中央官庁や地方自治体の業務を受託する組織が増えている[51]。

　公務員は解雇されず安定しているという評価があるが、人口が減ると、公務員・公的組織も、顧客と収入が減る。

　民間企業（0.5%[52]）よりも、うつ病になる地方公務員が多い（2.3%[53]）。その原因として、①研修が不備で、人事異動が多く、異動するとまったく異なる業務になるため仕事のストレスが大きい。②業務量が多い、仕事時間が長い。ずるい人がさぼるので真面目な人に業務が集中する。税収の低下から、仕事が多くても職員を増やせない。③住民、議員からクレームや罵声などのパワハラがある。④公務員から民間企業への転職が、条件面やスキルの面で難しいため、民間企業のように嫌だから転職することが難しいなどの原因が指摘[54]されている。一方で、地域貢献のためなどに活き活きと働いている公務員も多い。

> ［課題４］業界研究（公務）
>
> 　リクナビの業界ナビ[55]、マイナビの業界研究[56]から、公務について調べてみよう。行政組織から一つ企業を選んで調べてみよう。

［注］
6）　https://aoifarm-gr.com/　（2020/09/10取得）
7）　http://www.kyushu-pancake.jp/　（2020/09/10取得）
8）　農林水産省 https://www.maff.go.jp/j/heya/sodan/1202/a04.html　（2023/6/28取得）
9）　小学館デジタル大辞泉
10）　リクナビ業界研究
11）　帝国データバンク https://www.tdb.co.jp/report/watching/press/pdf/p190802.pdf
　　　（2020年6月5日取得）

12）リクナビ業界研究

13）リクナビ業界研究

14）リクナビ業界研究

15）日本経済新聞 https://www.nikkei.com/article/DGXNASGD1902G_Z10C12A9MM0000/　（2020/6/6取得）

16）ピーチ・アビエーション㈱　https://corporate.flypeach.com/about/　（2020/6/6取得）

17）ジェットスター・ジャパン株式会社　https://www.jetstar.com/jp/ja/about-us/jetstar-group/jetstar-japan　（2020/6/6取得）

18）有斐閣 経済辞典 第5版

19）小学館デジタル大辞泉

20）https://gyokai-search.com/　（2023/5/28取得）

21）https://gyokai-search.com/　（2023/5/28取得）

22）精選版 日本国語大辞典

23）https://gyokai-search.com/　（2023/5/28取得）

24）ニッセイ基礎研究所 生活研究部 上席研究員 久我 尚子　2018年08月07日『変容する消費構造－モノからサービス、デパートからネット、ＢｔｏＣからＣｔｏＣへ～消費者の今を知る』（経済産業省「商業動態統計」、Ｅコマースは「平成29年度我が国におけるデータ駆動型社会に係る基盤整備（電子商取引に関する市場調査）」より作成。）　https://www.nli-research.co.jp/report/detail/id=59284?pno=2&site=nli　（2023/6/28取得）

25）小学館　日本大百科全書(ニッポニカ)

26）経済産業省 専門量販店販売統計

27）https://gyokai-search.com/　（2023/5/28取得）

28）https://www.38-8931.com/pharma-labo/　（2023/5/28取得）

29）https://gyokai-search.com/　（2023/5/28取得）

30）https://gyokai-search.com/　（2023/5/28取得）

31）https://job.rikunabi.com/contents/industry/881/　（2020/05/20取得）

32）https://job.mynavi.jp/conts/2021/keyword/gyoukai/　（2020/05/20取得）

33）有斐閣 経済辞典 第5版

34）有斐閣 経済辞典 第5版

35）経済産業省（2016）

36）https://gyokai-search.com/　（2023/5/28取得）

37）https://gyokai-search.com/　（2023/5/28取得）

38）有斐閣 経済辞典 第5版

39）有斐閣 経済辞典 第5版

40）https://gyokai-search.com/　（2023/5/28取得）

41）https://gyokai-search.com/　（2023/5/28取得）

42）リクナビ業界研究

43）https://gyokai-search.com/　（2023/5/28取得）

44）https://mynavi-agent.jp/knowledge/finance/706.html　（2023/6/30取得）

45）https://job.rikunabi.com/contents/industry/881/　（2020/05/20取得）

46）https://job.mynavi.jp/conts/2021/keyword/gyoukai/　（2020/05/20取得）

47）https://job.rikunabi.com/contents/industry/881/　（2020/05/20取得）

48）https://job.mynavi.jp/conts/2021/keyword/gyoukai/　（2020/05/20取得）

49）神奈川県 https://www.pref.kanagawa.jp/documents/82633/03_r2_shikutyouson.pdf（2023/7/11取得）

50）https://www.cas.go.jp/jp/gaiyou/jimu/jinjikyoku/satei_01_05.html　（2023/6/6取得）

51）リクナビ業界研究

52）厚生労働省 https://www.mhlw.go.jp/toukei/list/r03-46-50b.html　（2023/5/26取得）

53）総　務　省 https://www.soumu.go.jp/menu_news/s-news/01gyosei13_02000095.html（2023/5/26取得）

54）https://local-manlife.com/2019/12/07/koumuin-utu-reason/, https://osamu-barista.com/depression/（2023/5/26取得）

55）https://job.rikunabi.com/contents/industry/881/　（2020/05/20取得）

56）https://job.mynavi.jp/conts/2021/keyword/gyoukai/　（2020/05/20取得）

第3節 企業研究

（1） 企業研究

　業界が同じであれば、例えば、鉄鋼業界が鉄鋼を生産、加工するなどの共通点はある。しかし、同じ業界でも、企業には個性があり、生産する製品や得意な加工方法などが様々に異なっていたり、企業理念や社風も企業ごとに異なる。したがって、業界研究と企業研究は両方とも必要であり、業界と企業を研究すると両方の理解を深めることができる。

　企業研究の方法は、業界研究をし、企業の Web サイトで、売上げ、利益、従業員数など会社の規模や事業内容を調べ、沿革で会社の歴史、事業の移り変わりを調べる。ＩＲ資料や株主総会資料を見ると、経営方針や最近の業績を知ることができる。説明会やインターンシップに行けば、直接、会社を知ることができ、社員の雰囲気なども感じられる。

　IR（Investor Relations：インベスター・リレーションズ）は、企業が株主や投資家向けに経営状態や財務状況、業績の実績、今後の見通しなどを広報するための活動をいう。具体的には、Web サイトでの情報開示（ディスクロージャー，財務内容、業務内容などの経営内容の情報開示）、決算説明会、工場見学会などを行っている。

（2） 企業理念

　企業理念は、会社の根幹となる考え方・価値観をいう[57]。

[図Ⅰ-15]　企業理念

企業思想の言語化は、企業により様々な構成により表現されています。
例）ビジョン・ミッション・バリュー、パーパス、経営理念、クレド、フィロソフィー…

（3）会社の企業理念と自身の価値観

　会社の規模や事業内容を調査することが企業研究の基本だが、企業理念や社風も大事である。それを体験してみよう。

思考実験1

　あなたは5,000人の社員を有するアパレルメーカーの経営者だ。現在会社は業界3位のポジションにあり、100億円を投資して業績を2倍に伸ばす施策を考えている。会社が投資する施策として、以下の4つの選択肢のうち、どれを選ぶか？　なお、1〜4を実行したとき、すべての施策で業績が2倍となる見込みである。

1．だれもが使いやすいシンプルなデザインかつ品質の高い低価格ラインを強化。店舗数を拡大し生産拠点を増設することで、販売量業界トップを目指す。

2．高所得者をターゲットとしたハイブランドを新設。最高品質の素材によ

る高価格帯商品の販売を強化し客単価倍増させる。

3．価値観の多様化に対応するためブランドラインナップを拡大。潜在顧客
　の幅を広げ、より多くの多様な顧客を獲得することで売上を50%拡大す
　る。

4．現在の生産工程を見直し、温室効果ガス輩出を大幅に削減。地球環境に
　配慮した次世代生産工程の確立により他社からの OEM 生産の受注を国内
　トップに引き上げる。

選んだ選択肢は、**自身の価値観を反映した選択**になっている。

①～③の会社の企業理念、ビジョンが、以下のものだとする。

①「一人ひとりの多様な価値観を自由に表現し、尊重できる世界を創造す
　る」

②「世界中の人たちが手に取り満足できる服を届け続ける」

③「持続可能な社会の実現に向けたアパレル業界のトップランナーとなる」

上の①～③の会社が、企業理念に基づいて行動するとすると、以下1～4の
選択肢のうち、どれが正解に見えるか？　なお、1～4を実行したときに、す
べての施策で業績が2倍となる見込みである（解答例は章末の注[59]）。

1．だれもが使いやすいシンプルなデザインかつ品質の高い低価格ラインを
　強化。店舗数を拡大し生産拠点を増設することで、販売量業界トップを目
　指す。

2．高所得者をターゲットとしたハイブランドを新設。最高品質の素材によ
　る高価格帯商品の販売を強化し客単価倍増させる。

3．価値観の多様化に対応するためブランドラインナップを拡大。潜在顧客
　の幅を広げ、より多くの多様な顧客を獲得することで売上を50%拡大す
　る。

4．現在の生産工程を見直し、温室効果ガス輩出を大幅に削減。地球環境に
　配慮した次世代生産工程の確立により他社からの OEM 生産の受注を国内

　　トップに引き上げる。

　　ＯＥＭ (original equipment manufacturer) は、受託企業が、委託者のブランド（商標）で販売する条件で、製品・部品を受託生産することをいう。相手先商標による生産、納入先ブランドによる受託製造などと訳される[58]。

　　会社の企業理念、ビジョンが違うと、同じ業界でも、会社の行動が違うことがわかる[59]。あなたの自身の価値観と合う価値観の会社はあっただろうか。希望する業界でも、企業理念、ビジョンが自分と合わない会社があることがわかる。

思考実験２
　　[図Ⅰ-16] は、2023年現在の日本の売上げ大手５社である。あなたは、５社の内定を得たとしたらどこに行くだろうか？

[図Ⅰ-16] 2023年現在の日本の売上げ大手５社

	売上高（百万円）	業　種	決算期
トヨタ	37,154,298	自動車	2023/3I
三菱商事	21,571,973	商社	2023/3I
ホンダ	16,907,725	自動車	2023/3I
ＥＮＥＯＳ	15,016,554	石油	2023/3I
三井物産	14,306,402	商社	2023/3I

出所：日本経済新聞[60]

注：2023/3I は2023年３月期▲ /FRS（国際会計基準）の意味

以下の５社の企業理念のうち、あなたは、どれに共感するだろうか？

企業Ａ　わたしたちは、地球的視野に立ち、世界中の顧客の満足のために、
　　　　質の高い商品を適正な価格で供給することに全力を尽くす[61]。

企業B　我が社は、事業を通じ、企業価値の向上を図るとともに、有用な
　　　　サービス・商品を安全性にも配慮して創出・提供し、物心共に豊かな
　　　　社会の実現に努める[62]。

企業C　幸せを量産する。可動性を社会の可能性に変える[63]。

企業D　世界中の未来をつくる　大切な地球と人びとの、豊かで夢あふれる
　　　　明日を実現します[64]。

企業E　地球の力を、社会の力に、そして人々の暮らしの力に。エネルギ
　　　　ー・資源・素材における創造と革新を通じて、社会の発展と活力ある
　　　　未来づくりに貢献します[65]。

　企業の業種と売上高で選んだ会社と、企業理念に共感した会社は同じだった
だろうか？（どの会社の企業理念かは章末の注[62～65]）

思考実験3

　下記は、大手アパレル会社4社の概要[66]である。あなたは、4社の内定を
得たとしたらどこに行くだろうか？

株式会社ファーストリテイリング

　業界1位。ユニクロやGUを展開するファストファッションの世界的大手。
連結売上高は2兆円を超える[67]。

株式会社ユナイテッドアローズ

　BEAMS、SHIPSとともにセレクトショップ御三家と呼ばれる同業態最大手
[68]。売上高は1,200億円超で業界14位。ユナイテッドアローズを中心に多角的
アパレル事業を展開[69]。

株式会社ワークマン

　作業服販売日本最大手。法人だけでなく女性向けの商品開発、ブランディング
により近年は個人消費も拡大し急成長。チェーン全店の売上高1800億円超[70]。

株式会社アダストリア

　SPA（製造小売）ブランドを展開する業界 3 位の大手。GLOBAL WORK、nikoand…、LOWRYS FARM など多様なブランドを展開。売上高は2,400億円超[71]。

　下記は、企業 A ～ D の企業理念を示している[72]。あなたは、どの企業理念に共感するだろうか。

　　企業 A　真心と美意識をこめてお客様の明日を創り、生活文化のスタンダー
　　　　　　ドを創造し続ける。
　　企業 B　一人ひとりの毎日に「もっと楽しい」選択肢を
　　企業 C　服を変え、常識を変え、世界を変えていく
　　企業 D　「声のする方に、進化する。」

　企業の事業内容と売上高で選んだ会社と、企業理念に共感した会社は同じだっただろうか？（どの会社の企業理念かは章末の注[73]）

（4）企業と自身の価値観の一致・不一致

　企業と自身の価値観の一致・不一致により生じる、その後のキャリアの違いを事例で見てみよう。

　A さん、B さんが就職した会社は、大手 IT サービス業、従業員数2,000人、年商1,000億円。IT 業界では比較的歴史もある大手企業で、企業基盤を支えるシステムを多く抱え、主力サービスは国内シェア 1 位も獲得している。営業、コンサルティング、システム開発からサポートまで、企業の経営を支えるサービスをワンストップで提供している。経営理念は『人と社会に寄り添い支え続けるインフラとなる』である。

［図Ⅰ-17］Aさん、Bさんの価値観とキャリア満足度

年齢	22歳	25歳	28歳	31歳
Aさん	入社・メンバー職	リーダー職 チーム10名	マネジャー職 チーム50名	幹部候補へ
Bさん	入社 メンバー職	転職 メンバー職	転職 メンバー職	リーダー職 チーム10名

Aさんの価値観は、

- ・ITサービスを通じて多くの企業の成長を支えたい。

- ・過去の体験から、ITへの興味と自身が誰かの支えになることを価値として認識。

- ・大きなチームを担い、広範囲へ価値を届けられる人材になりたいと思い入社。

Bさんの価値観は、

- ・大手企業でやりがいのある仕事をしたい

- ・安定やブランド意識から大手志向。ITやコンサルタント職は響きがいいしはたらいている人もスマートに見える。就活で見た先輩社員や社風に憧れて入社。

Aさん、Bさんの入社後のキャリアは、［図Ⅰ-17］のように異なる経過にな

った。

　Ａさんの場合：20代半ばまで順調にキャリア形成でき、管理職になった。
部下の管理の難しさに悩んできつい時期があったが、会社の思想や伴う風土文
化への共感度が高かったことと、自身の「誰かの支えになりたい」という価値
観も自覚していため、どんな仕事でもやりがいや価値を見いだせ、キャリアが
ブレなかった。このため、管理職としても壁を乗り越えることができ評価され
た。
　Ｂさんの場合：入社してすぐに「思っていた仕事と違う」と感じて転職した
ため、仕事のやり方の基礎が身につかなかった。「思っていた仕事」に転職し
たが付いていけず、キャリアが積みあがらなかった。20代後期に、最初の会社
でやり直すことにしたが、社会に出てから20代半ばまでのキャリア形成につま
ずいたため、30代以降のキャリアの満足度は高くない結果となっている。

　この事例からわかることは、**企業の価値観を意識し、自身の価値観を自覚す
ることが大事**である。**企業と自身の価値観の結節（つながり）を持つことがで
き**れば、会社の方針に高い共感度を持つことができる。入社１年目の仕事内容や
環境が、思っていたイメージと少し違っていても、仕事にやりがいや価値を見
いだすことができる。自分のキャリアデザイン（人生の中で仕事では何をするのか
自分で考え、設計すること）に合う価値観の会社を選ぶことが大事である。

　［図Ⅰ-18］では、３人のレンガ職人とも、作業は同じレンガを積むことであ
る。
　左のレンガ職人は、"レンガを積むため"にレンガを積んでいる。モチベー
ションは低いので、作業はつらい。
　真ん中のレンガ職人は、"家族を養うため"に大きなレンガの壁を作ってい
る。働いて収入を得るというモチベーションはあるが、レンガを積む作業はつ
らい。
　右のレンガ職人は、"歴史に残る偉大な大聖堂を造るため"にレンガを積ん

[図Ⅰ-18] 何のために仕事をする？

レンガ職人の話

作業
レンガを積み上げている

目的
家族を養うために
大きなレンガの壁を造っている

大義
歴史に残る
偉大な大聖堂を造っている

出所：イラスト AC

でいると思っている。モチベーションは高く、レンガを積むことにワクワクしている。

　このように、同じレンガを積む作業でも、モチベーション、大義、使命、目的の有無により、仕事への共感が生まれたり、生まれなかったりする。**人もチームも、モチベーションが高ければパフォーマンスが向上する。**これは、仕事だけでなく、人の行動のすべてに同じことが言える。

（5）離職の理由

　[図Ⅰ-19] は、会社へ伝えた退職理由と本当の退職理由である。
　"表向きの退職理由" は、「新たな職種にチャレンジしたい」「別の業界」にチャレンジしたい「家庭の事情」が多いが、
　"本当の退職理由" は、「組織の人間関係が悪い」「給与が低い」「会社の将来性の不安」「社風・風土が合わない」
　と、"企業と自身の価値観が合わない"、"社風や社員の雰囲気が合わない"ことが離職の原因になっている。

［図Ⅰ-19］会社へ伝えた退職理由と本当の退職理由

会社に伝えた退職理由
（複数回答）

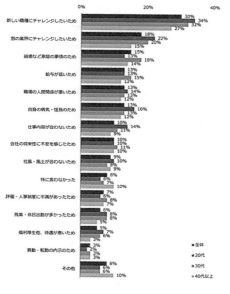

退職する際に「本当の
理由を伝えなかった」
と回答した人の「会社
に伝えなかった本当の
退職理由」（複数回答）

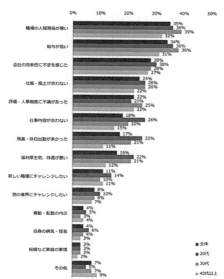

出所：エン・ジャパン㈱[74]

　コンサルタントに転職相談をする人が質問する内容で多いものは、仕事内容に関することよりも、「自分の価値観や仕事観、目指すものと合うかどうか？」が多い。特に、20代〜30代は「自分が成長できるかどうか？　入社後、どのように働きがいを感じて、成長していくか？」が多い。**新卒採用で入社する機会は一生に1回しかない。20代で仕事の基礎を覚えることは、人生の楽しさや生涯年収にかかわる。**就職の際には、自分の軸（価値観）を明確にすることが大切になる。

　日本の企業数は350万社以上ある。しかし、新卒で就職できる機会は1度しかない。ビジネスパーソンの実例から学び、共感できる会社を見つけることが大事である。終身雇用制度は過去のものとなり、**転職が当たり前と言われる時代になった。それでも新卒での就職は、個人にとっても企業にとっても重視されている。**企業を、事業内容や規模、企業理念や社風ともに分析し、自身の価値観に向き合って、自分の価値観と企業理念を接続する（合わせる）ことが大事である。仕事選びの自由度が上がるのと比例して、自身のキャリアへの自己責任が大きくなっている。企業理念や社風という視点から企業を見ることで、今まで気づかなかったことに気づけるかもしれない。

　自分の価値観を自覚して、目標を持っている人は強い。**すぐにはできないかもしれないが、時間をかけ、自分の内面と向き合うことで、価値観、目標を持って"より良く生きる"ことができる。**

［注］
57）HR プロ
58）小学館　日本大百科全書 (ニッポニカ)
59）解答例
　　　企業理念①「一人ひとりの多様な価値観を自由に表現し、尊重できる世界を創造する」は、選択肢3. 価値観の多様化に対応するためブランドラインナップを拡大。潜在顧客の幅を広げ、より多くの多様な顧客を獲得することで売上を50%拡大する。
　　　企業理念②「世界中の人たちが手に取り満足できる服を届け続ける」は、選択肢1. だ

れもが使いやすいシンプルなデザインかつ品質の高い低価格ラインを強化。店舗数を拡大し生産拠点を増設することで、販売量業界トップを目指す。
企業理念③「持続可能な社会の実現に向けたアパレル業界のトップランナーとなる」は、選択肢4. 現在の生産工程を見直し、温室効果ガス輩出を大幅に削減。地球環境に配慮した次世代生産工程の確立により他社からのOEM生産の受注を国内トップに引き上げる。

60) 日本経済新聞社https://www.nikkei.com/markets/ranking/page/?bd=uriage　(2023/11/15取得)

61) ホンダ　https://global.honda/jp/brand/philosophy/　(2023/11/15取得)

62) 三菱商事　https://www.mitsubishicorp.com/jp/ja/about/philosophy/standards.html　(2023/11/15取得)

63) トヨタ https://global.toyota/jp/company/vision-and-philosophy/philosophy/?padid=ag478_from_right_side　(2023/11/15取得)

64) 三井物産　https://www.mitsui.com/jp/ja/company/outline/idea/index.html　(2023/11/15取得)

65) ENEOS　https://www.eneos.co.jp/company/about/philosophy.html　(2023/11/15取得)

66) 業界順位は、業界サーチ（2021-22年）https://gyokai-search.com/3-apparel.htm　(2023/11/20取得)

67) https://www.fastretailing.com/jp/about/　(2023/11/20取得)

68) https://mlr.jp/shop-brand/select-shop/summarize-shop/　(2023/11/20取得)

69) https://www.united-arrows.co.jp/ir/finance/ ，https://www.united-arrows.co.jp/ir/business/ (2023/11/20取得)

70) https://www.workman.co.jp/　(2023/11/20取得)

71) https://www.adastria.co.jp/brands/，https://www.adastria.co.jp/ir/highlights/ (2023/11/20取得)

72) 各社Webサイトより。https://www.fastretailing.com/jp/，https://www.united-arrows.co.jp/about/，https://www.workman.co.jp/，https://www.adastria.co.jp/aboutus/identity/ (2023/11/20取得)

73) 株式会社ファーストリテイリング　企業C　服を変え、常識を変え、世界を変えていく
株式会社ユナイテッドアローズ　企業A　真心と美意識をこめてお客様の明日を創り、生活文化のスタンダードを創造し続ける。
株式会社ワークマン　企業D　「声のする方に、進化する。」
株式会社アダストリア　企業B　一人ひとりの毎日に「もっと楽しい」選択肢を

74) https://corp.en-japan.com/newsrelease/2022/31043.html　(2023/11/20取得)

第 **II** 章
バリューチェーンと職種

第1節 バリューチェーン

(1) バリューチェーンと職種

バリューチェーン（value chain, 価値連鎖）という言葉の単純な意味は、［図Ⅱ-1］（参考）のチェーン（くさり）のイメージのように、企業が価値を連鎖的なプロセスで生むことをいう。バリューチェーンの各段階の一連の努力が、イノベーションを含む価値の創造、全体の結果としての企業の利益をもたらしていることを示している。

バリューチェーンの各段階には、担当部署などの組織や、その機能を担っている人たちの集団である職種が存在する。各段階を担当する主な職種には、**経理、人事・労務、経営企画、総務、営業、設計、製造、購買・調達、品質管理、メンテナンス、中古ビジネス・リサイクル**がある。

［図Ⅱ-1］製造業（ものづくり）のバリューチェーンと職種の例

（参考）チェーン（くさり）のイメージ

出所：Publicdomainvectors.org

著名な経営学者であるポーター（M.Porter）は、バリューチェーンという概念を［図Ⅱ-2］のように提示した。

［図Ⅱ-2］ ポーターのバリューチェーン図

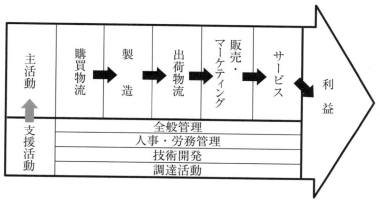

出所：Porter（1980）（土岐ほか訳〈1985〉）（p.49）から著者作成

　バリューチェーンの要素には、**主活動としての購買物流、製造、出荷物流、販売・マーケティング、アフターサービスなどのサービス**と、**その支援活動としての全般管理・企業内インフラ、人事・労務管理、技術開発、調達活動など**がある[1]。

　その上で、［図Ⅱ-2］のような、企業が価値を作る各段階の活動と、その相互関係を検討する必要がある。なぜなら、同じ業界の企業でも、バリューチェーンは会社ごとに異なっており、したがって、企業の競争力を考える際には、会社全体をひとまとめにして付加価値分析やコスト分析をするだけでは足りず、会社ごとに、その会社のバリューチェーンがどのようになっているか分析しなければならないとした。

（2）バリューチェーンを担う職種集団が企業の利益を生む

　バリューチェーンは、企業が価値を生み出す重要な各段階を順に追っていく概念であるので、その重要な各段階には、社内であれば、それぞれに**該当する機能を担う人たちの集団である職種**が存在し、その機能を社外に委託する場合には、その機能に特化して業務を受託する企業が存在する。

　企業は、顧客から対価を受け取り、利益を得ることで持続可能となる。製造業は、バリューチェーンのどこで顧客から対価を受け取っているであろうか？

　まず、**生産して品質をチェックした製品**（新品）**を販売**する際に、コストより高い対価を得て、従業員の給料を支払ったり、工場設備の借金を返済したり、研究費用をまかなったりできれば利益が出る。

　売れた製品が壊れて補修を求められたり、消耗品を補充する必要があれば、**補修部品や修繕サービス、消耗品**が売れ、さらにその対価を得ることができる。プリンタのインクのように、消耗品の利益がメインの利益となる商品もある。

　中古品が売れれば、新品の販売拡大に結びついたり、新品の価格を高くできたりする可能性がある。

　このように、企業は、バリューチェーンのいくつかの段階で顧客から対価を受け取り、バリューチェーン全体で顧客から利益を得る力を維持・強化することで、持続可能な経営を目指している。

　企業は価値のある商品を供給して利益を得る。商品は財とサービスに分けられる。財は形のある "もの" で、サービスは形がなく、何か価値のあることをしてもらうことをいう。

　顧客の立場からは、購入して使用することで、購入しないよりも**高い満足感**（経済学では「**効用（utility）**」という）を得られるなら対価を払って購入する。経済学では効用という概念で、消費者の満足度と購入の関係を分析する。一般的な経済学では、消費者は、一定の予算制約（限られたお金しか持っていないこと）のもとで、各自の主観的判断に基づいて効用を最大にするように、各種の財・サービスへの支出を配分する（限られたお金で、できるだけ満足できるように、何をいくら買うか考えて決める）ものと仮定して様々な分析をする[2]。

　以下では、バリューチェーンを "もの" と "サービス" に分けて解説する。

［注］
　1）Porter（1980）（土岐ほか訳（1985））（第2章）
　2）有斐閣 経済辞典 第5版

第 **2** 節　バリューチェーンの例

（1）製造業のバリューチェーン

　"もの"を気に入って購入すると、買った人は、中古品として売り払ったり、廃棄したりするまで満足感を得ることができる。使用や経年による劣化により、保有することの満足感よりも持っている費用が高くつくと考えた場合には、顧客は中古品として売り払ったり、廃棄したりする。

　経済学の効用の考え方を使うと、購入や廃棄の意思決定は、[表Ⅱ-1]のように表現できる。

　部屋に置いておくと"じゃま"なものをメルカリなどで売るのは、持っていることの効用が、部屋が狭くなって"じゃま"になるといった保有費用より小さくなったからである。売って後悔した場合は、持っていることの効用が、本当は保有費用よりも大きかったということである。

[表Ⅱ-1] 経済学の効用の考え方と "もの" の購入・保有の決定

保有していない	効用＞価格	→	買う
	効用＜価格	→	買わない
保有している	効用＞保有費用	→	保有し続ける
	効用＜保有費用	→	売却するか廃棄する

　"もの"は、企業は生産して在庫することができる。したがって、例えば、平日の8時から17時まで生産して在庫しておいて、週末を含め毎日販売することができる。

（2）サービス業のバリューチェーン

サービスには、次のような特徴がある[3]。
　⑴　無 形 性：“もの”のようには形がない
　⑵　不可分性：生産と消費が同時に行われる。消費者も生産に関与している
　　　　　　　　る
　⑶　異質性・変異性：厳密には同じサービスはない
　⑷　消滅性：在庫が不可能

　⑴の「“もの”のようには形がない」は、例えば、医療サービスには“もの”のような形はないことである。

　⑵の「生産と消費が同時に行われる、消費者も生産に関与している」は、医師が注射をするときは、同時に、患者は腕に注射針を刺され、体内に薬を注入されているといったことである。

[図Ⅱ-3] サービスは、形がない。生産と消費が同時。同じものはない。在庫できない

提供：イラストAC

［図Ⅱ - 4］サービス業のバリューチェーンの例

　(3)の「厳密には同じサービスはない」は、医師により診察、診断、処方は異なりうるし、同じ医師に同じ患者がかかっても、患者の体調は日によって違い、医師の対処も違うといったことである。

　(4)の「在庫が不可能」は、医師は医療サービスを在庫しておくことはできない。患者は医師がいなければ診察を受けることはできないということである。"もの"の場合のように、作り置きして、工場が休みの日でも売ることができるのとは異なる。

　サービス業の経営は、企業が顧客にサービスを提供し、人件費、研修費、設備費などの諸経費を上回る対価を得ることができれば利益が出る。顧客は、効用が価格を上回ればサービスを受ける。

（3）バリューチェーンとICT

　ポーター[4]は、バリューチェーンにICTが利用されている状況を、次ページの［図Ⅱ - 5］のように整理している。

　企画、人事など間接部門、技術開発、物流・保管、生産技術、マーケティング・営業、アフターサービスなどのバリューチェーンの各段階の生産性を上げるために、ICTは有用なツール・道具として使われている。

［図Ⅱ-5］ バリューチェーンの各プロセスに利用される ICT

支援活動	企業インフラ	戦略プランニングモデル				
	人材マネジメント	人員配置の自動化				
	技術開発	CAD（コンピュータ支援設計）デジタル市場調査				
	調達	部品のオンライン調達				
		倉庫の自動化	FMS（フレキシブル生産システム）	注文処理の自動化	電話営業　営業担当者用の携帯端末	機器の遠隔管理サービス　コンピュータによる出張修理用トラックの配置計画とルート指定
		購買	オペレーション	出荷	マーケティングや営業	サービス

主要活動　利益

出所：Porter（2003）（竹内訳（2018））（Ⅰ, p.156）

（4）エネルギー産業のバリューチェーン

エネルギー産業にもバリューチェーンが存在する。

［図Ⅱ-6］エネルギー産業のバリューチェーン例

石炭で蒸気機関車を動かす研究・設計をジョージ・スチーブンソンが行い、1814年、石炭輸送のための実用的な蒸気機関車を開発した[5]。エネルギー資源である石炭は当時発見されていたので、

石炭　→　エネルギー発生　→　蒸気機関車を動かす　→　何かを運んで儲ける

というバリューチェーンが完成した。石油で暖房、鉄道の気動車、自動車などのエネルギーを得る研究がなされ、油田を資源探査し、原油を得て、エネルギー源とするバリューチェーンが完成した。ウラン鉱石からエネルギーを得る原子力のバリューチェーンも完成した。

生活、工業生産、農業生産など人間の活動にはエネルギーが不可欠であり、**エネルギーの生産・供給・消費のビジネスモデルが必要**となる。

電力は水力、石炭、石油、原子力、地熱、太陽光などのエネルギー源から加工でき、消費者としては使い勝手のよいエネルギーである。電気事業[6] は、電気事業法により、地域独占の一般電気事業者（東京電力、九州電力など）と、これに電気を供給する卸電気事業者（電源開発、公営電気事業者、日本原子力発電株式会社、共同火力発電事業者など）によって営まれてきた。1995年に電気事業法が改正され、特定電気事業と卸供給事業などが新たに認められ、1999年の改正では、電力市場の一部が自由化された。これにより、日本の電気供給のエネルギーバリューチェーンは［図Ⅱ-7］のように制度変更された。

従来の電力制度の下では、発電・送電・配電を行う事業は規制に守られて独

占で営まれてきた。エネルギーバリューチェーンのうち、燃料を調達して発電する、小売りする部分は自由化され、送電線で発電所から街まで送電したり、変電所から各家庭に配電したりする部分は規制・独占が維持された。この規制緩和によって、ガス会社や商社などが電力の小売りに参入したり、電力会社の送電線や配電システムを使って需要家に電気を売る事業を始めたり、中部電力が東京電力の送電線や配電システムを使って首都圏の需要家に電気を供給するなどの競争が起こっている。

　このように、政府に規制されている業界では、規制緩和などの制度変更で、企業の意思とは別に、バリューチェーンの変更を求められることがある。

［図Ⅱ-7］電力市場自由化による変化

従来のエネルギーバリューチェーン

	従来の電力事業者				
燃料供給	発電	送電	配電	小売	需要家

新しいエネルギーバリューチェーン

自由化		規制継続		自由化	
燃料供給　発電		送電　配電		小売	需要家
電力会社（燃料・発電）、ガス会社、石油会社、新電力、IPP、商社		電力会社（送配電）、広域的運営推進機関		電力会社（小売）、新電力、IT／通信会社	

提供：日立評論2015年1・2月合併号[7]

［注］
　3）　現代用語の基礎知識 2019
　4）　Porter（2003）（竹内訳（2018））
　5）　小学館デジタル大辞泉
　6）　有斐閣 経済辞典 第5版
　7）　日立評論（2015）

第3節 職種
── 企業内のバリューチェーンの機能分担 ──

（1）職種の概要

　企業は、バリューチェーンの中で価値を生み出し、顧客から対価を受け取り、利益を得ることができるように、それぞれの職種の機能を果たす専門人材を育成したり、採用したりする。企業内の各機能を担う領域・分野は、現場では「畑（はたけ）[8]」という。例えば、「彼女は設計畑（せっけいばたけ）の人」、「彼は営業畑（えいぎょうばたけ）を歩いてきている」などの表現を用いる。

　職業（Occupation）は、日常従事する業務。生計を立てるための仕事、生業、なりわいをいう[9]。職業という言葉は、企業内ではあまり使わず、同じ意味では、職務（ジョブ）を使用する。企業を超えた同じ業務（職種）の集合を、社会的なレベルで指すときに職業という。

　職業分類表［表Ⅱ-2］では、職業を大分類11、中分類73[10]、小分類369、細分類892に分類している。職業分類表の大分類では、職業を、管理的職業、専門的・技術的職業、事務的職業、販売の職業、サービスの職業、保安の職業、農林漁業の職業、生産工程の職業、輸送・機械運転の職業、建設・採掘の職業、運搬・清掃・包装等の職業に分類している。

　業務（タスク，Task）は、割り当てられた具体的な作業、最も狭い意味での仕事をいう。

　職務（ジョブ，Job）は、Task がまとまったもの（集合）をいう。

　職種は、職業の種類、職務（Job）がまとまったもの（集合）をいう[11]。同じ会社の中でも多様な職種の人がいて、それぞれに専門性を発揮して協力して仕事を進めている。バリューチェーンの各プロセスを担当する主な職種には、経理、人事・労務、経営企画、総務、営業、設計、製造、購買・調達、品質管

理、メンテナンス、中古ビジネス・リサイクルがある。

　仕事をやり遂げる能力を**スキル**（Skill）という。

　専門的・技術的職業の中には、企業での内部育成よりも教育機関での育成が一般的な職種、例えば、研究者、医師、歯科医師、獣医師、薬剤師、保健師、助産師、看護師、法務の職業（弁護士、裁判官、検事）、その他の専門的職業などがある。これらの専門的・技術的職業を志す人は、必要な教育機関での専門分野の学修や資格取得などが必要で、その上で、現場での経験を積むことが必要となる。

　文系卒業生は、人事、経理、営業や販売などの職務に就くことが多く、仕事力をつけ、経験を積むとともに管理的職業に就く人もいるかもしれない。起業すれば企業の役員となる。

　大規模製造業の内部では、出身教育機関によって、開発、設計、生産技術職は工学系、生産管理職は経済・経営学系、営業職は経済・経営系、国際営業職は語学系の出身者が多いなどの傾向がある。ただし、教育機関で工学系を学んだことがない多くの人たちが、社会に出てから学修して工学を必要とする職種に従事しているなど、教育機

［表Ⅱ－2］職業分類表（大分類、中分類）

分類番号	項　目　名
A	**管理的職業**
01	管理的公務員
02	法人・団体の役員
03	法人・団体の管理職員
04	その他の管理的職業
B	**専門的・技術的職業**
05	研究者
06	農林水産技術者
07	開発技術者
08	製造技術者
09	建築・土木・測量技術者
10	情報処理・通信技術者
11	その他の技術者
12	医師、歯科医師、獣医師、薬剤師
13	保健師、助産師、看護師
14	医療技術者
15	その他の保健医療の職業
16	社会福祉の専門的職業
17	法務の職業
18	経営・金融・保険の専門的職業
19	教育の職業
20	宗教家
21	著述家、記者、編集者
22	美術家、デザイナー、写真家、映像撮影者
23	音楽家、舞台芸術家
24	その他の専門的職業
C	**事務的職業**
25	一般事務の職業
26	会計事務の職業
27	生産関連事務の職業
28	営業・販売関連事務の職業
29	外勤事務の職業

分類番号	項目名
30	運輸・郵便事務の職業
31	事務用機器操作の職業
D	**販売の職業**
32	商品販売の職業
33	販売類似の職業
34	営業の職業
E	**サービスの職業**
35	家庭生活支援サービスの職業
36	介護サービスの職業
37	保健医療サービスの職業
38	生活衛生サービスの職業
39	飲食物調理の職業
40	接客・給仕の職業
41	居住施設・ビル等の管理の職業
42	その他のサービスの職業
F	**保安の職業**
43	自衛官
44	司法警察職員
45	その他の保安の職業
G	**農林漁業の職業**
46	農業の職業
47	林業の職業
48	漁業の職業
H	**生産工程の職業**
49	生産設備制御・監視の職業（金属材料製造、金属加工、金属溶接・溶断）
50	生産設備制御・監視の職業（金属材料製造、金属加工、金属溶接・溶断を除く）
51	生産設備制御・監視の職業（機械組立）
52	金属材料製造、金属加工、金属溶接・溶断の職業
54	製品製造・加工処理の職業（金属材料製造、金属加工、金属溶接・溶断を除く）

分類番号	項目名
57	機械組立の職業
60	機械整備・修理の職業
61	製品検査の職業（金属材料製造、金属加工、金属溶接・溶断）
62	製品検査の職業（金属材料製造、金属加工、金属溶接・溶断を除く）
63	機械検査の職業
64	生産関連・生産類似の職業
I	**輸送・機械運転の職業**
65	鉄道運転の職業
66	自動車運転の職業
67	船舶・航空機運転の職業
68	その他の輸送の職業
69	定置・建設機械運転の職業
J	**建設・採掘の職業**
70	建設躯体工事の職業
71	建設の職業（建設躯体工事の職業を除く）
72	電気工事の職業
73	土木の職業
74	採掘の職業
K	**運搬・清掃・包装等の職業**
75	運搬の職業
76	清掃の職業
77	包装の職業
78	その他の運搬・清掃・包装等の職業

出所：(独) 労働政策研究・研修機構 (2011)

注：中分類53、55、56、58、59は前の中分類に統合されて欠番となっている。

関で学んだこととは無関係の職業・職種に就いている人は多い。

　専門的な技術・技能的職業、特に資格を持たないとできないといった規制がある職業を除くと、教育機関で学んだことと、実際に就く職種との関係は多様である。

（2）経　理

　経理は、会計に関する事務、また、その処理をいう[12]。すべての企業で経理は必要である。

　どの企業でも、日々の部署ごとの経理事務から、決算書・財務諸表を作成する。このような経理の業務を**財務会計**という。財務会計は、企業外部の利害関係者に対して企業の経営成績および財政状態に関する情報を伝えるための会計をいう。外部の人に根拠をもって説明する必要があるため、会計基準に基づいて作成する[13]。

　製造業では、例えば、A工場のB生産ラインの、日々、月次の収支が赤字か黒字かを見極めるための経理も行う。このような経営に有用な情報を社内に提供するための経理業務を**管理会計**という。管理会計は、設備投資計画や新製品開発計画などの意思決定や、利益管理、予算管理、原価計算などの経営評価・管理にも貢献する[14]。

　大規模製造業の経理畑の人材育成、キャリア・パスは、例えば、マザー工場や本社、支社などに新入社員として配属され、5年間くらい現場の経理を習う。

　マザー工場（mother factory, 母工場）は、企業の中心となる工場が母体となって、他の内外の工場をバックアップする工場をいう。マザー工場は、製品開発・設計、製造技術の開発、品質管理技術など他の内外の工場が必要とする人材、資源や能力を持ち、他の国内外の工場に技術者や従業員を派遣して教育したり、受け入れて教育したりする。教育・訓練を通じて生産ノウハウを企業内で共有し、他の内外の工場の操業を支援する[15]。ものづくり企業の中枢である設計部門はマザー工場に集中して置かれ、他の工場では、図面を受け取って生

産することが多い。

　初任で本社を経験していなければ本社の経理部署に異動し、各工場、各部門の経理を統合して全社の財務諸表や、グループ企業との連結決算を作成する業務を習い、四半期決算や株主総会の対応に5年くらいで習熟する。

　連結決算（accounting for consolidation）は、支配従属関係にある企業集団を一体とした連結財務諸表を作成するために行う決算である。日本では、金融商品取引法および会社法上の大会社などの企業集団に対して連結決算が要求される。その決算手続きは、連結財務諸表基準と連結財務諸表規則に準拠して行われる[16]。

　その後、海外工場・海外支社の総務に異動し、現地の経理や本社との連結決算業務などの経理業務だけでなく、人事や総務も担当し、現地社長の右腕として5年くらい視野を広げる。その後、マザー工場や本社の経理畑の管理職を経験する。海外新規工場を建設するかどうか経営判断するため、収支見通しを細かく計算してトップに示すこともある。

　人によっては、全社の運転資金の調達や投資資金調達のため、銀行から融資を受けたり、社債を海外で発行したりするなどの財務業務も経験する。最終的には財務・経理担当執行役員、取締役になるなどのキャリア・パスがある。

　このように、経理畑の人は、**簡単な仕事から難しい仕事へと経験を重ね、少しずつ深く修得し、経理を中心に関連のある業務にも幅を広げながら、高度な仕事を素早く解決できる技能を身に着ける。**ひとつの専門（経理）の中で幅広く（本社、工場、複数の事業部、海外、財務など）経験させることで、未経験者では考えられないような高い生産性をあげることができる[17]。

　製造業以外では人事異動がもっと頻繁になったり、中小企業では人事異動しなかったりと、業種、企業規模などにより人材育成の方法は多様である。

　退職しても、経理ができる人は世間で重宝され、中小企業の経理職として第2の職業人生についたり、NPOの経理をボランティアで手伝ったりと、引く手あまたであることが多い。

コラム1

20代の仕事力の身に着け方

（1）簡単な仕事から難しい仕事へと経験を重ね、少しずつ深く、幅を広げる

　「日本企業はゼネラリストを育成するので、いろいろな仕事を経験させる」という誤った情報が時々見られるが、実際は上記のように**機能ごとに計画的に育成している**。少なくとも3年くらいかけて、一定の職種を少しずつ深く仕事を修得させ、その後、徐々に幅を広げていく育成プロセスを採る。

　若い人で、「とにかく様々な仕事を早く経験しなければ仕事ができるようにならない」「いろいろな経験をすることがキャリアアップになる」と焦って、配属先を選（よ）り好（ごの）みしたり、短期で人事異動を希望したり、転職したりする人がいる。これらは、誤った情報に踊らされており逆効果である。社会人のスタートで、このような考えで浅く広く仕事をした結果、**20代を終えたときに仕事力の基礎が身についておらず、一生、仕事ができない人になってしまった**例を多数見てきた。小池和男教授が、著書『仕事の経済学』で、現場での手厚い調査を根拠に指摘しているように、社会人になって3年目まで、あるいは20代のうちは、**簡単な仕事から難しい仕事へと経験を重ね、少しずつ深く、幅を広げながら、高度な仕事を素早く解決できる技能を身に着ける**ことが大事である。

　なお、実家が事業をしていたり、学生までに起業したりして、社会人になるまでに仕事ができるようになっている人もいる。その場合でも、T型、π型人材の考え方は、参考になるであろう。

（2）T型人材を目指す

　ビジネスパーソンの人材タイプの分類として、I型・T型・π型などがある。

　I型人材は、ひとつの専門分野に特化したスペシャリストで、技術職に多い。

　T型人材は、ひとつの専門分野の専門知識、スキル、経験を軸に、専門外でも幅広く知見がある。現在の多様でグローバルな時代にはT型人材やπ型人材が求められているとされる。

　π型人材は、2種類以上の専門知識を究め、専門外でも幅広く知見がある。

　T型人材を目指すには、まず、専門領域に特化した研修とオンザジョブト

[図Ⅱ-8] Ⅰ型・Ｔ型・π型人材

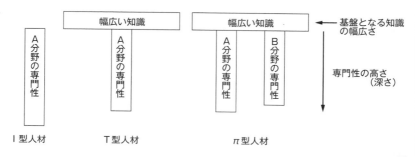

Ⅰ型人材　　　　Ｔ型人材　　　　　　　π型人材

出所：文部科学省[18]

レーニング（OJT）で、Ⅰ型人材を究める必要がある。そのうえで、ジョブローテーションで、他分野の実務を磨くとされている[19]。

　新入社員は、最初に配属された部署で、その専門分野の仕事ができるようになるために、研修やオンザジョブトレーニングを受ける。その訓練の中には、専門知識だけでなく、納期に間に合わせるための仕事の段取り、責任者と部下の組織内コミュニケーションの手順など、**どの仕事にも必要な基礎も含まれる。**

　新入社員が「とにかく様々な仕事を早く経験しなければ仕事ができるようにならない」「いろいろな経験をすることがキャリアアップになる」と焦って、配属先を選り好みしたり、短期で人事異動を希望したり、転職したりすると、Ⅰ型・Ｔ型・π型人材のどの人材にもなれない。**どの仕事にも必要な基礎を学ばず、どの仕事にも専門性がなく、横棒だけの浅い知識、しかも、何かの専門性に裏打ちされた幅広い知識ではないものになる。**これでは、仕事ができる人にはなれない。その状態で20代を終えてしまうと、それ以降は、頭が固くなったり、周りが教えてくれなくなったりして仕事ができるようになるのはますます困難になる。

　民間企業に比べて、自治体の若手人材育成、人的資源管理が長期的視点で考えられていないという指摘がある。**地方自治体では、人材育成の長期計画なしに関連のない仕事に転々と人事異動させるために、生産性があがらないケースが多く見られる。**これは、個人の責任ではなく、組織の不見識によっ

て若者の人材育成が損なわれていて、深刻な問題である。

　他方、長年、独自の都市政策、産業政策、観光政策を実施してきた一部の自治体では、長期の人材育成が見られる。国の行政機関は、専門で組織が分かれていて、専門家を育てる。例えば、経済産業省は、組織として貿易と産業を担当し、内部人材として、通商、エネルギー、情報産業など、政策分野ごとの専門家を、数十年かけて計画的に育成している。

（3）大量に内定・採用して若い人を育てない企業がある

　会社の従業員の数に比較して大量に内定・採用する企業がある。その理由は、第一に、営業力がある学生を見極めるのが難しいので、大量に内定・採用して、営業力がない新入社員は自然に仕事がきつくて辞めていくのに任せるタイプ。第二に、幹部世代が古い感覚で採用し、新入社員の感覚を理解しないので、結果として新入社員がすぐに辞めてしまうタイプである。

　いずれにしても、会社の従業員の数に比較して大量に内定・採用する企業は避けた方が良い。見分け方は、新人採用数と全社員数を比較する。例えば20歳から60歳まで社員が均等にいるとすると、新人採用数は全社員の約40分の1になるはずである。100人採用して60歳まで全員残れば、全社員数は4000人になるはずであると考える。例えば、全従業員が1000人の企業が、毎年100人くらい新人採用していたとしたら、4000人のはずなのに1000人しかいない。新人の3／4は中途で辞めていると推測できる。

　　[推薦図書2]『仕事の経済学』小池 和男（2005）東洋経済新報社

（3）人　事

　人事管理は、採用や配置など組織における個人の地位や処遇などの管理をいう[20]。

　例えば、大規模製造業の人事畑の人材育成、キャリア・パスは、マザー工場や本社、支社の人事部署に新入社員として配属され、人事の業務を習う。5年単位くらいで、国内工場・支社や海外工場・海外支社の総務に異動し、人事業務だけでなく、経理や総務も担当し、現地社長の右腕として視野を広げる。そ

の後、マザー工場や本社の人事畑の管理職を経験し、最終的には人事担当執行役員、取締役になるなどのキャリア・パスがある。

　この職種でも、製造業以外では人事異動がもっと頻繁になったり、中小企業では経理や総務を兼務したり人事異動しなかったりと、業種、企業規模などにより人材育成の方法は多様である。

　退職後は、人事コンサルタントなどの職がある。

（4）経営企画、総務

　経営企画は、社長、トップの経営構想を助け、社内の各部署と連絡・調整して、その経営構想を実行していく。**経営企画部門は、中期計画・ビジョンの策定、設定、管理、単年度予算の編成・管理、特命プロジェクト推進**が主な業務であり、多くの企業の経営企画部門が、組織構造の見直し・拠点再配置、新規事業推進、M&A推進、グループ会社管理、資本政策、組織・風土改革、取締役会等の会議体事務局、コーポレートガバナンス、中長期要員計画、海外展開推進、コンプライアンス推進、CSR推進の業務にも関与しており、経営企画部門の守備範囲は極めて広範かつ多様である[21]。

　新入社員から経営企画部署だけで人材育成されることは少なく、経理、生産管理、営業などの畑で育った人で、視野の広い、経営感覚のある、海外支社経験もある人が集められることが多い。

　総務は、経営には必要だが専門的に担当できる部署がない仕事を担当している。大企業では、営業、経理、人事、法務、広報など多くの間接部門（バリューチェーンの支援活動を担う部門。対して、バリューチェーンの主活動を担う部門は直接部門という）の部署があって役割を分担しているため、総務の仕事は、社長秘書業務、会社で使用される"もの"の管理、オフィス・建物の管理、株主総会の企画・運営のサポート、入社式・社員旅行などの社内イベントの企画・運営、冠婚葬祭・トラブルへの対応などとされている。

　中小、ベンチャー企業では、人事部や法務部、広報部などを独立して持つほど人員に余裕がないのが一般的なので、人事・労務関係、契約書の作成・管

理、コンプライアンス体制の整備なども総務部の仕事となるなど、**会社の規模によって総務の仕事は異なる**[22]とされている。

（5）営　業

営業は、顧客や市場を対象とした販売促進業務[23]をいう。

　個人向け営業、法人向け営業といった顧客の違いや、新規顧客を開拓するのか、既存の顧客との信頼関係の中での取引なのかなどで内容は異なるが、自社の商品知識と顧客のニーズをマッチングさせて、両方が満足するようコミュニケーションをとることが仕事の基本となる。

　本社の営業本部や営業企画部などの中核部署では、マーケティングの考え方で、自社製品が売れる戦略を立て、国内外の営業スタッフが力を発揮できるようにマネジメントする。中小企業、ベンチャー企業では、社長や営業担当が1人でこれらの業務を行っていることもある。

　海外営業では、海外市場を調査したうえで、海外の商社、個人などと契約して自社製品を海外市場で売る販売経路（販売チャネル）を作ったり、海外販売会社を設立したりする。現地の消費者動向、商慣行、関係法令などの知識も必要となる。語学ができるだけでは海外営業はできない。日本語ができる人が日本で営業ができるとは限らないのと同じである。営業に限らず、一般論として、語学ができるだけでは仕事はできない。

　営業部門は顧客と常に接しているため、クレームや感謝の言葉などにより、自社製品の顧客の評価が最初に企業に入ってくる部門である。そのため、営業部門から設計部門、生産技術部門に自社製品の不具合を報告して改善を求めたり、社内の会議で問題提起したりする。新製品の設計にも営業部門が集めた顧客の評価が活かされていく。

　営業機能に特化した企業として商社・卸売業がある。総合商社は多様な商品を扱うが、就職すると1つの部門、例えば、鉄鋼部門、食品部門などに配属され、ずっと同じ部門で専門性を高めるというキャリア・パスが多い。専門商社、卸売業は、特定の取扱品目を専門的に取り扱っている。このように、営業

職が特定の商品に特化することが多いのは、商品知識、業界知識、人脈などで専門性を上げていく必要があるためと考えられる。これらの知識習得のための工業技術の基礎知識は第Ⅲ章以降に詳しく述べる。

（6）設　計

　設計部門では、どのような製品を作るのか構想を練り、収支がプラスになるように考え、CADシステムを使って設計し、図面を作成していく。これまでの製品の長所・短所や顧客の評価・クレームを考慮し、世の中の新技術を取り入れるか考え、生産のしやすさ、補修のしやすさも考慮し、市場の変化にも対応できるよう考える。

　製造業にとって、根幹となる仕事である。工学系教育機関で学んだ「設計畑」の人材が担うことが多い。

　ただし、文系卒業生も、顧客からの使用方法の問い合わせ、クレームや、補修部品の注文を受けるなどの際に、自社の製品がどのように製造されているかを知っておく必要があったり、次の新商品の開発に向けて顧客の声を設計部門に届ける必要があるので、製造業や商社に勤めたら、設計の概要は理解しておく必要がある。

　設計に深く関連する知的財産、工業デザイン、図面については、第Ⅲ章で詳しく述べる。

（7）製　造

　設計部門で設計された設計図にしたがって製品を製造する。原料（鋼材、プラスチックなど）を購入して、自社で加工して部品を自ら作ったり（内製）、協力企業に図面を渡して部品を製造してもらって購入したり（外注）して、部品を組み立てて製品を完成させる。自らは設計だけ行い、製造はすべて外注するファブレス（fabless）というビジネスモデルもある。

　工業高校や大学の工学部などで学んだ「生産技術畑」の人材は、工場の製造

ラインでの工作機械の不具合を解決することや、新規機械設備の導入、工場レイアウトの変更、工場建屋の増築、新工場の設計・施工、海外工場の立ち上げ・マネジメントなどを担っている。

　それに対して、「生産管理畑」の人材は、就職前に経営学、経済学、法学などを学んだ文系の人材が任務に当たっていることが多い。営業、購買・調達、生産技術など社内や、調達先などの社外の関係者とコミュニケーションを取りながら、年間生産計画、月次生産計画、日々の生産計画を作り、遅れが出た場合には挽回する対策を作り、目標どおり生産がされていくようにマネジメントする。

　製造現場を支えるスタッフは、現場で製造技術を学んだ社員、パート従業員、派遣社員、臨時社員、外国人労働者など多様な人材からなることが多い。海外工場であれば、日本人の正社員の人数は限られる。製造現場のリーダーは、すべての関係者に、製造技術、納期管理の仕組み、安全確保のための知識、生産計画などを共有するコミュニケーション能力、チームワーク力が求められる。

（8）購買・調達

　購買・調達部門は、原料の購入、部品の外注などを担当する。理系人材と文系人材の両方が任務に当たっていることが多い。工業技術の基礎知識がない場合、自社の扱う原料、部品に係る科学的、技術的知識を学ぶ必要がある。外注している場合は、外注先の協力企業に出向いて、品質に結びつく製造の状況についてチェックする必要がある。

　協力企業との購入、支払いなどに係る金銭のやりとりのため「口座」を開設するのも購買・調達部門の仕事の1つである。口座といっても、銀行口座の開設とは異なり、企業間の継続的な購入と支払いを行うための包括的な売買契約である。大企業にとっては「口座」を開いて、商社などを介在させずに協力企業と金銭のやりとりをするには、協力企業の資金繰りなど信用調査を自ら行うことが必要となる。中小企業の側からは、大企業に「口座」を開くことができ

れば、介在する商社などに手数料を払うことなく取引できることや、大企業に
口座を開設してもらっているという信用を、他の企業にアピールできる。

　多くの購買・調達には卸売業、専門商社が介在している。**商社・卸売業は、
取引を仲介したり、納品を管理したりするほか、信用代位機能を持っている。
商社金融**（finance by general trading firm）は、商社が仕入先、販売先、系列会社
に対して行う貸付、債務保証などをいう。銀行借入が困難な取引先の育成や、
系列化による商圏拡大を目的として行っている[24]。

（9）品質管理

　品質管理（quality control；QC）は、製品の**品質の維持と不良品の発生防止**等
のため、検査を行い不良品発生の原因を分析する統計的管理手法[25]をいう。
品質管理部門は、製造部門とは別に、製品の品質の最終検査などを請け負い、
不良品を出荷することにより顧客に迷惑をかけたり、**リコール**によって自社に
損失をもたらすことがないように務めている。工業高校や大学の工学部で学ん
だ人が務めていることが多い。

　リコール（recall）は、設計・製造上の誤りなどによる製品の欠陥が判明した
場合、販売した製品を、製造者が、無料で回収、点検、修理、返金等を行うこ
とをいう。法令によるリコールと製造者・販売者による自主的なリコールがあ
る。例えば、自動車やオートバイの場合は、道路運送車両法に基づきメーカー
や輸入業者が無料で対応を行っている[26]。

　品質管理の手法は、第Ⅵ章で詳しく述べる。

（10）メンテナンス

　顧客に販売した製品の修理や消耗品の販売を行うのがメンテナンス部門であ
る。製品販売時には同業他社との競争があるので製品価格は抑えられるが、メ
ンテナンスには競争が働きにくいため、メーカーとしては収益部門となり、顧
客としては割高感が出ることがある。自動車、工作機械、建設機械などは不具

合があればメンテナンスすることがふつうであるが、家電製品など単価が安い
ものは、修理するより新品を購入する方が安い場合がある。景気が悪いときに
は新製品は売れにくくなるが、メンテナンスは景気の良い悪いにかかわらず需
要があり、不況に強いと言われる。

　工業高校や大学の工学部などで学んだ人や、会社に入ってから製品技術を学
んだ人が就くことが多い。

(11) 中古ビジネス、リサイクル、廃棄

　**中古製品を売買する中古ビジネスは多様な製品で存在する。中古品相場は企
業の商品競争力に影響する。**自動車、建設機械などでは、自社製品の中古ビジ
ネスを行っている企業がある。自社の製品の中古価格が高ければ、新製品の競
争力が上がり、売れ行きが良くなることが期待される。

　例えば、[表II-3]のように、A社、B社の200万円の同等機能の自動車
a、bがあるとする。3年後の中古価格がaは100万円、bは50万円になった
とする。消費者が3年後に中古車として売れば、自動車aは100万円で、自動
車bは150万円で3年間使用できたことになる。このような中古車価格が続く
場合、消費者はA社の新製品a'の方がB社の新製品b'よりも、将来、中古に
なったときの価格が高いと予想する。その結果、A社の新製品a'はB社の新
製品b'よりも売れると見込まれる。B社は新製品を値引きしないと売れない
かもしれない。

　[推薦図書3]『ストーリーとしての競争戦略 優れた戦略の条件』楠木 建
　　　　　　(2010) 東洋経済新報社
　　　　　　　※中古自動車業界におけるビジネスモデルのイノベーションは、楠木 (2010)
　　　　　　　　に活き活きと描かれているので一読をお奨めする。

　リサイクル、廃棄についても、新たな取り組みが求められている。以前の車
にはなかったハイブリッド車の蓄電池をリサイクルしたり、廃棄物を溶解して
鉄、アルミニウム、金、白金などの物質を取り出したりしている。

［表Ⅱ-3］中古品相場と商品競争力

①過去の実績

	新品の値段	3年後の中古値段	3年後に中古で売った場合の3年間の負担額
A社自動車 a	200万円	100万円	100万円
B社自動車 b	200万円	50万円	150万円

②3年後の消費者の予測と購買行動

	新品の値段	客の考え・予想	客の購買行動
A社新製品 a'	200万円	3年間の負担額は100万円で買い得。	B社製品より50万円まで高くてもA社を選ぶ。
B社新製品 b'	200万円	3年間の負担額は150万円で買い損。	A社製品より50万円以上値引きしないと買わない。

　現在の製品には様々な原料が使用されており、その中には**有害なもの**、**自然環境に戻らないもの**などがある。特に、化学物質は次々と新しい化合物が生み出されており、過去にはPCBなどの有害物質により健康被害を起こした事件も発生した。PCB（polychlorinated biphenyl）は、人工の有機塩素化合物であり、ノーカーボン紙、トランスやコンデンサの絶縁体、プラスチック類の可塑剤などとして使用されていたが、変異原性やがん原性が指摘され、日本では1972年に生産禁止に、74年に使用・販売禁止となった[27]。

　現在では、「化学物質の審査及び製造等の規制に関する法律」（化審法）に基づき、**新規化学物質の事前審査**を行って、**分解されにくいか**、**人体や食物連鎖の動植物に蓄積**されないか、**毒性**がないかなど、人の健康への影響や、生態影響へのリスクを管理している[28]。

　ハイブリッド車など、新しい製品を世に出す際には、例えば、ハイブリッドカー用ニッケル水素バッテリー等のリサイクル、廃棄についても準備するなども企業に求められる。

［課題5（学生への課題）］自分が就きたい職種

（2）経理から（11）中古ビジネス、リサイクル、廃棄までの10
の職種のうち、自分が就きたい職種を2つ選んで、なぜ就きたいと考
えるのか理由を考えてみよう。

［注］
8）デジタル大辞泉
9）広辞苑 第七版
10）中分類は78まであるが、5つの欠番があるため計73。
11）国際標準職業分類（ISCO）で、Task, Job, Occupation の用語の意味が定義されている。
12）広辞苑 第七版
13）有斐閣 経済辞典 第5版
14）有斐閣 経済辞典 第5版
15）有斐閣 経済辞典 第5版
16）有斐閣 経済辞典 第5版
17）小池（2005）（p.13,p.29, p.59, p.61, p.63 ）
18）https://www.mext.go.jp/b_menu/shingi/gijyutu/gijyutu10/siryo/attach/1335213.htm
19）マイナビ https://saponet.mynavi.jp/column/detail/20211025192846.html （2023/7/18取得）
20）有斐閣 経済辞典 第5版
21）㈱日本総合研究所（2016）（p.1）
22）㈱マイナビワークス https://mynavi-cr.jp/office-work/admin/ （2020/04/16取得）
23）広辞苑 第七版
24）有斐閣 経済辞典 第5版
25）有斐閣 経済辞典 第5版
26）有斐閣 経済辞典 第5版
27）有斐閣 経済辞典 第5版
28）経済産業省 https://www.meti.go.jp/policy/chemical_management/kasinhou/about/about_index.html （2019/4/7取得）

第**4**節 バリューチェーンの一部に特化したビジネスを行う業種

　大企業でもバリューチェーンの各段階をすべて自ら行っている会社はまれであり、様々な業務を外注している。

　したがって、企業によっては、バリューチェーンの一部の機能に特化して、他の企業の外注を受けるという経営戦略でビジネスモデルを実現している。[表Ⅱ-4] は、そのような業種・企業の例で、全社を挙げて特定の職種に特化し、部品を販売したり、サービスを提供したりして利益を得ている。

業界研究9　広告・出版・マスコミ

　広告は、不特定多数の人々に、商品、サービスの存在、特徴、便益性などを知らせ、理解、納得をもとに購買させたり信用させたりするための有料のコミュニケーションをいう。生産者と消費者とを橋渡しする。17世紀、英国の週刊紙に最初の広告が掲載され、18世紀、新聞広告が全盛となった。広告媒体（広告を載せるもの）は、新聞、雑誌、ラジオ、テレビなどのマス・メディア、看板、ネオンサイン（電気サイン）、ダイレクトメール、ちらし・折込広告、ノベルティ（景品やオマケ）などがある。

　テレビ、ラジオ番組を提供する広告主をスポンサーという。広告主はマーケティングを行い、ターゲット層が支持する媒体を選んで広告を掲載する。広告会社（広告代理店）は広告主と媒体との仲介や、コピーライター、デザイナーなどと組んで広告制作業務を行う[29]。

　2019年、インターネット広告費が約2兆円となり、テレビの広告費を超えた[30]。2022年の広告費は、全体で約7兆円、うち、インターネット広告費は約3兆円である[31]。主な広告企業は、電通、博報堂、サイバーエージェント、デジタル、東急がある。

[課題６] 業界研究（広告・出版・マスコミ）

　リクナビの業界ナビ[32]、マイナビの業界研究[33] から、広告・出版・マスコミについて調べてみよう。広告・出版・マスコミから一つ企業を選んで調べてみよう。

[表Ⅱ-4] バリューチェーンの一部に特化したビジネスを行う業種の例

特化した機能	業　種　の　例
経　理	経理代行サービス業、税理士事務所、公認会計事務所
財　務	銀行業、証券金融業、保険業
総　務	総務代行サービス業、不動産業
人　事	人事コンサルタント業、就職活動支援業、職業紹介業
情報システム	ＩＴ企業
広　報	広告・出版・マスコミ業
研　究	民間研究機関
設　計	設計請負業、設計者人材派遣業
試　作	試作請負業
生　産	他社が設計したものを製造する製造業、OEM（相手先ブランドによる製造）請負業、ファブレス（自ら生産は行わない製造業）請負製造業など
営　業	商社、卸売業、レンタル業
補　修	電気器具修理業、車修理業
中古販売	中古車販売業
廃　棄	リサイクル業、廃棄物処理業
専門的サービス	フリーランスの情報処理・通信技術者、医師、弁護士、経営コンサルタント、著述家、記者、編集者、美術家、デザイナー、写真家、映像撮影者、音楽家、舞台芸術家など
公共財の供給	官公庁・公社・団体

注：公共財は、その便益を多くの個人が同時に享受でき、しかも対価の支払者だけにその享受を限定できないような財やサービス。公園・消防・警察など[34]。

[図Ⅱ-9] 2019年、インターネット広告費がテレビを超えた

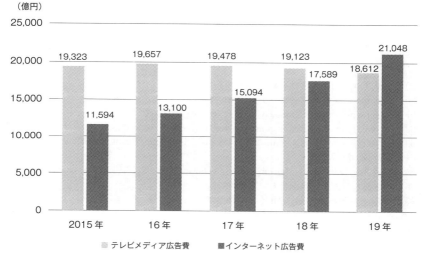

出所：電通[35]

　出版は、販売、配布の目的で文書や写真、絵画などの著作物を複製、刊行することをいう。出版物の種類は、書籍、雑誌、教科書、電子書籍がある[36]。出版業界の売上げは約1兆円（2021年）。主な企業に、集英社、講談社、KADOKAWA、小学館、ゼンリンがある[37]。

　マスコミは、高速輪転機で印刷された新聞や雑誌、ラジオ、テレビ、映画などで、大量（マス）の情報を大衆（マス）に伝達するコミュニケーションをいう。情報を生産する送り手の新聞社、出版社、放送局などをさしてマスコミともいう[38]。

　テレビ広告の売上げは、2016年をピークに長期に減少傾向にあり、2022年は約1.3兆円であった。主な企業は、フジ・メディア、日本テレビ、TBS、テレビ朝日、テレビ東京がある[39]。

　新聞の売上げは、約1.4兆円（2021年）。2016年から減少傾向で、日経新聞は横ばい、朝日、読売、毎日の3社は2019年から急速に下落し、厳しい状況にあ

る。主な企業に、日本経済新聞社、朝日新聞社、読売、毎日新聞、中日新聞社がある。

［注］
29）ブリタニカ国際大百科事典 小項目事典
30）電通 https://www.dentsu.co.jp/news/release/2020/0311-010027.html　（2023/5/29取得）
31）電通 https://www.dentsu.co.jp/news/release/2023/0224-010586.html　（2023/5/29取得）
32）https://job.rikunabi.com/contents/industry/881/　（2020/05/20取得）
33）https://job.mynavi.jp/conts/2021/keyword/gyoukai/　（2020/05/20取得）
34）広辞苑 第七版
35）電通 https://www.dentsu.co.jp/news/release/2020/0311-010027.html　（2023/5/29取得）
36）小学館　日本大百科全書 (ニッポニカ)
37）https://gyokai-search.com/　（2023/5/28取得）
38）平凡社世界大百科事典 第 2 版
39）https://gyokai-search.com/　（2023/5/28取得）

第**5**節 日本の主要企業とバリューチェーン

（1）日経225

　日本の主要企業の例として、日経平均採用銘柄企業が使われる。日経平均株価（別名：日経平均、日経225）は、日本経済新聞社が、東京証券取引所第一部に上場する約2200銘柄の株式の中から225銘柄を選定し、ダウ式平均株価として算出している株価指標をいう。

　日経平均株価に選定されている企業を産業分類（大分類）でみると、鉱業が1社、建設業が9社、電気・ガスが5社、商社・卸売・小売業が15社、金融・保険業が21社、不動産業が5社、運輸業が15社、情報通信業が6社、サービス業が12社、水産加工、食品加工、医薬品、石油を含む製造業が多数（2020年4月現在）となっている。

［課題7］日経225企業

　日経225企業はどのような企業か、日本経済新聞社の Web サイトで調べてみよう。その中から、気になる企業を1つ選び、何をしている会社か、Web サイトを調べてみよう。

　バリューチェーンと企業との関係は、第一に、製造業（ものづくり）のバリューチェーンの機能全体を社内にもつものとして、水産加工、食品加工、医薬品、石油を含む製造業のほか、鉱業、建設業、電気・ガス、運輸業、情報通信業、サービス業の一部がある。

　第二に、他社のバリューチェーンの主活動の機能の一部に特化したビジネスを行う業種として、商社・卸売・小売業がある。また、日経225企業にはない

が、中小製造業の中には、生産などの機能に特化した企業もある。

　第三に、他社のバリューチェーンの支援活動の機能に特化したビジネスを行う業種として、金融・保険業、不動産業、サービス業の一部がある。

　就職、転職を考える人にとっては、バリューチェーンのどの機能で働いてみたいのかについて自分の志望があれば、考える助けになる。例えば、財務の機能の仕事がしたいならば、財務機能に特化しているビジネスである金融機関で働いたり、大規模製造業に入社して財務部門で働くことを希望したりする（希望が通るかはわからないが）などの方法が考えられる。また、営業の機能の仕事がしたいならば、営業機能に特化しているビジネスである商社や卸売業に就職したり、中小企業を含めた製造業の営業部門で働いたりする方法が考えられる。

［課題8］バリューチェーンの機能と企業

　製造業（ものづくり）のバリューチェーンの機能全体を社内にもつ企業、バリューチェーンの主活動の機能の一部に特化したビジネスを行う企業、バリューチェーンの支援活動の機能に特化したビジネスを行う企業、この3つのタイプのうち、どれが気になるか選び、気になる理由を考えてみよう。

（2）就職活動のための業界研究の基本

　これから就職活動を行う学生は、企業のWebサイトや、リクナビ、マイナビなどの就職活動支援サイト、書籍、日本経済新聞、経済誌などを活用して、業界研究・企業研究をしてみよう。本書は、工業技術などの項目ごとに、特定の業界の「業界研究」を紹介したり、企業研究の課題を出している。本書を読了すると、すべての主要産業について、業界研究、企業研究を完了できるように構成している。

　学生の読者は、その中で、自分の好きな業界を再確認したり、意外に気になる企業、業界が見つかったりするであろう。最初は「行くことはないな」と思

った業界も、工業技術全体や産業全体を見渡した後には、別の景色が見えるかもしれない。**学生が業界研究、企業研究をする際に、いくつか、避けてほしいことを挙げる。**

第一に、例えば、自分は、理科は嫌いなので、機械や情報技術や工業技術が関係する企業、業界には行きたくないといった思考停止のマインドセット（心持ち）はやめてほしい。就職活動や社会人になってからの知識習得は、学校の理科、物理などのように、全範囲を勉強する必要もなく、文系出身者に数学で解析することを求めたりはしない。製造業や商社であれば、取扱品目、分野は特定されるので、仕事の中で触れて自然に覚えて詳しくなっていく。本書の基礎知識があれば、理解もいっそう早いと考えられる。**マインドセットをオープン**（心持ちを伸びやか）**にして業界研究、企業研究をしてほしい。**

第二に、**ネット情報・口コミサイトなどのSNSに惑わされないように注意**してほしい。その企業に勤めている人たち（と自称している人たち）や、以前勤めていた人たち（と自称している人たち）が書き込んで評価する口コミサイトやSNSの口コミ情報がある。良い口コミよりも悪い口コミが目立つことが多く、学生や転職希望者で、悪い書き込みを見ると、気になることが多いようだ。

しかし、一般論として、自分が幸せな人は、口コミサイトに投稿したり、SNSで人を批判したりすることはせず、自分が不幸せな人が、そういうことをする傾向がある。SNSでは、会社について不満を言っているふうで、アイドルや芸能人、有名人を叩いているふうで、投稿している人が嫌なことは本当は別にあって、SNSに自分の不満をぶつけているのかもしれない。また、会社側の人が、あえて良い情報を書き込んでいるかもしれない。そういったことがあるかもしれないということを考えたうえで、口コミサイトやSNSを評価する必要がある。

口コミサイトの主催者が、有名な就職支援企業である場合は、あまりにもおかしな情報を載せていたら、その会社の責任問題になる。1つひとつの口コミが正しいかは別にして、傾向を見て参考にするのは良いだろう。一方で、責任のありかがわからないようなWebサイトや、裏アカウントでの投稿であったら、投稿者は言いたい放題だと推測される。悪く言われている会社があって

も、会社と投稿者のどちらが悪いのか、ネット情報を見るだけでは判断はできない。

　インターネットの時代、**ネットで簡単に多くの情報（ニセ情報も）が手に入る便利さと引き換えに、情報の信頼度や質を確認する手間は増えている。**このことを自覚して、判断、行動するべきである。就職活動は、人生の大きな岐路のひとつである。ニセ情報で、自分の人生を誤らないようにしよう。

コラム2

ジャンク情報

　誰が書いたかわからない情報は、ジャンク情報（junk、がらくた、くず物、くだらないもの）と言い、信頼度が低い。このような情報を、自分にとって大事な決断の根拠にしてはいけない。

　誰が書いたかわかる情報については、書いた人がどのような経歴、背景の人か調べよう。その情報の質がどうなのかを自分で判断することを習慣づけよう。知りたいことに関して、専門家であり、評価されている人であれば、その情報の信頼度は高い。専門家でもなく、経験もない分野に対して意見を言っている人であれば、情報の信頼度は低く見積もる必要がある。その人に著書があれば、目次、概要、評価や、どのような出版社から出版しているかを見ることも目安になる。専門性や権威の高い出版社から出版しているのか、中身のない本をあざといキャッチコピーで売るような出版社なのかなどで、情報の質を推測できる。中には、経歴、背景を調べてもネットで出てこない人もいる。その場合は、ジャンク情報であり、詐欺まがいであることを疑う必要がある。

第 Ⅲ 章
工業技術の概要

第 **1** 節　企業と工業技術

　第Ⅲ～Ⅵ章では、製造業やB to B（Business to Business, 企業間の商取引[1]）をする商社など、工業技術によってビジネスモデルが成り立っている業界・企業を学ぶために、**文系学生・卒業生に必要な工業技術の基礎知識を紹介する。**

　リクナビの業界ナビ[2]、マイナビの業界研究[3]では、企業を［**表Ⅲ-1**］のように分類している。それぞれの業界について、本書で関連するバリューチェーンや工業技術を紹介している章等を付記したので参考にしてほしい。

［**表Ⅲ-1**］リクナビ、マイナビの業界分類と本書で紹介の章等

リクナビ		マイナビ		本書の章等
大分類	小分類	大分類	小分類	
－	－	サービス	医療機関	Ⅰ：2の(11)
銀行・証券・保険・金融業界	都市銀行・信託銀行、地方銀行、信用金庫、損害保険、生命保険、証券	金融	銀行・証券・信金・労金・信組クレジット・信販・リース・その他金融生保・損保	Ⅰ：2の(9)
百貨店・専門店・流通・小売業界	ファッション・服飾雑貨・繊維、ドラッグストア・医薬品・化粧品・調剤薬局	流通・小売	百貨店・スーパー・コンビニ・専門店、調剤薬局	Ⅰ：2の(8)
－	－		コンサルティング・シンクタンク・調査	Ⅰ：2の(6)
サービス・インフラ	人材サービス（人材紹介・人材派遣）、教育、福祉・介護、鉄道、航空・空港、レジャー・アミューズメント・パチンコ、	サービス	人材サービス（派遣・紹介）、不動産、鉄道・航空・陸運・海運・物流、レストラン・給食・フードサービス、ホテル・旅行、	Ⅰ：2

	ホテル、旅行、外食・レストラン・フードサービス、不動産その他サービス		福祉サービス、アミューズメント・レジャー、フィットネスクラブ・エステ・理美容冠婚葬祭専門、その他サービス	
情報（広告・通信・マスコミ）業界	出版・雑誌 放送・テレビ・ラジオ 広告	広告・出版・マスコミ	マスコミ（放送・新聞）、マスコミ（出版・広告）、芸能・映画・音楽	II：4
サービス・インフラ	公社・官庁	官公庁・公社・団体		I：2の(12)
メーカー	食品	メーカー、専門商社	農林・水産、食品	III：2の(1)
百貨店等	ファッション・服飾雑貨		アパレル・服飾	IV：2の(3)
－	－		住宅・インテリア、プラント・エンジニアリング、印刷・事務機器、日用品、建設・設備、スポーツ・玩具・ゲーム	IV：2の(2)
－	－	サービス	電力・ガス・エネルギー	III：2の(4)
メーカー	自動車		自動車・輸送用機器	IV：3
IT・ソフトウェア・情報処理業界	ソフトウェア 情報処理	ソフトウェア・通信	ソフトウェア・情報処理・ネット関連 ゲームソフト通信	I：2の(6) V
商社	総合商社	メーカー全般、総合商社		I：2の(8)
メーカー	鉄鋼	メーカー、専門商社	鉄鋼、金属・鉱業	IV：2の(1)
－	－		木材	IV：2の(2)
百貨店等	繊維		繊維・紙パルプ	IV：2の(3)
メーカー	化粧品、医薬品		化学、ゴム、ガラス、セラミックス、薬品・化粧品	IV：2の(4)(5)

| – | – | メーカー、専門商社 | 機械、精密・医療機器 | Ⅳ：3 |
| – | – | | 電気 | Ⅳ：4 |

出所：リクナビ、マイナビの Web サイト（2020年5月）から著者作成

[業界研究目次]

業界研究 1　IT 産業（Part 1）……………………………………… 33
業界研究 2　運輸、宿泊業 ………………………………………… 37
業界研究 3　小売業 ………………………………………………… 40
業界研究 4　卸・商社 ……………………………………………… 43
業界研究 5　銀行、保険 …………………………………………… 45
業界研究 6　教育、学習支援業 …………………………………… 46
業界研究 7　介護 …………………………………………………… 47
業界研究 8　公務員・公的組織 …………………………………… 48
業界研究 9　広告・出版・マスコミ ……………………………… 93
業界研究10　食品・外食 …………………………………………… 110
業界研究11　建設業、不動産業 …………………………………… 119
業界研究12　エネルギー産業 ……………………………………… 124
業界研究13　鉄鋼業界・金属業界 ………………………………… 149
業界研究14　木材・住宅・家具 …………………………………… 160
業界研究15　繊維産業 ……………………………………………… 162
業界研究16　石油精製、化学、ゴム、薬品・化粧品業界 ……… 169
業界研究17　ガラス、セラミックス、セメント ………………… 172
業界研究18　自動車、機械産業 …………………………………… 180
業界研究19　電気機械産業 ………………………………………… 211
業界研究20　IT 産業（Part2）……………………………………… 275
業界研究21　エンタテインメント、ゲーム、レジャー施設、映画、音楽 ………… 278

［課題 9（学生への課題）］自分が就職を検討する業界

　［表Ⅲ－1］の業界で、自分が就職する可能性があるかもしれないと思うものすべてに丸印を付けてみよう。

［注]
1）現代用語の基礎知識 2019
2）https://job.rikunabi.com/contents/industry/881/　（2020/05/20取得）
3）https://job.mynavi.jp/conts/2021/keyword/gyoukai/　（2020/05/20取得）

第2節 工業技術の歴史
── 工業技術の概要を知るために ──

　現在の複雑な事象を学ぶときに、目の前の多様なものをいちどきに理解しようとするよりも、歴史をたどって単純なものが複雑に進化・分化して現状に至ったことを学ぶ方が理解しやすいことがある。ここでは、工業技術の歴史を年表風に学ぶことを目的とせず、現在の多様な工業技術を直感的に理解することを助ける“ものがたり”を提供することを目的として、工業技術の歴史をたどり、その概要を知ることとしたい。

（1）食料を得る

　人間にまず必要とされるのは衣食住といわれる。中でも、**食料を得ることは生存に直結する。**

　石器は、獣を槍で突く、弓矢で射る、皮をはぐ、肉を切ることや、なわばりをめぐる部族間の戦いなどに使われた。生では食べにくいものを火で煮焼きして加工するために、かまど、土器を作った。

　農耕するために農具を作り、田んぼ、あぜ道を作り、石器のくわよりも効率の良い青銅器、鉄器のくわを作るなど、道具や技術が進化・分化してきた。

　例えば、現在は、**食品加工機器**は、家庭内のシステムキッチン、冷蔵庫、コンビニエンスストア用の惣菜を作るスチーム機械（写真Ⅲ-1）、外食チェーンのセントラルキッチン工場の機器類などに進化・分化している。

　田作りは、用水、耕地整理、河川の付け替え、干拓など多様な**土木技術**に進化・分化している。海でも養殖漁業のための道具、施設が作られている。

[写真Ⅲ‐1] コンビニエンスストア惣菜用の蒸気オーブン

提供：清本鐵工株式会社[4]

(1)‐1　石　器

　人類は、約260万年前には、日常的に石器製作をするようになったと、エチオピアの遺跡の調査から考えられている[5]。

　[写真Ⅲ‐2] は、**長野県諏訪地域の最古級（3万年以上前）の黒曜石の石器**で、諏訪地域で黒曜石が産出する場所に近い遺跡から発掘されたものである。

　また、静岡の遺跡の調査から、**紀元前3万6000年ころから伊豆七島の神津島に黒曜石を取りに行っていたことがわかっており**、航海をして黒曜石の石材を取りに行った行為は世界最古級と考えられている[6]。

　諏訪地域では、旧石器時代の蛇紋岩製の局部磨製石斧 [写真Ⅲ‐3] も発見されている。

　石器のうち、磨く技術によって作られた石器を磨製石器という。磨製の技術

[写真Ⅲ-2]
諏訪の最古級の
石器

提供：諏訪市
教育委員会7)

[写真Ⅲ-3]
諏訪の蛇紋岩製
局部磨製石斧

提供：諏訪市
教育委員会8)

は打ち欠く技術より遅れて開発された[9]。新石器時代になってから磨製技術は世界各地に普及した。日本の磨製石器は、オーストラリアのものと並んで世界最古級である。日本で発明されたのか、大陸に起源があるのか、まだわからないとされている[10]。

　長野県は精密機械産業が盛んで、例えば、カメラのレンズの磨き技術は有名である。その職人技は石器時代の磨製技術からの伝統かもしれない。著者は、2000年ころ、長野県諏訪地域の工場で、「軍手をして金属の表面をなでるとミクロン（1/1000ミリメートル）単位の凹凸がわかる」という名人に会ったことがある。

（1）- 2　鉄　器

　鉄器は、紀元前1500～2000年ころヒッタイト（現在のトルコ）で生まれた製鉄技術が、燃料源である森林資源を枯渇させながら、主にインド～中国江南～朝鮮半島南部を経て、6世紀ころ（古墳時代後期）日本へ伝えられたと考えられている。

　日本の出雲地方では、原料の砂鉄は「鉄穴流し」という技法により、中国山地の山々を切り崩して採取した。砂鉄を採取した跡地は整備されて水田となり、現在は「仁多米」を生産している。

　ユーラシア大陸各地の森林を燃料源として伐採し、枯渇させてきた製鉄技術であるが、出雲地方では持続可能な産業となった。燃料となる木炭を得るためには山林を伐採する必要があるが、他の地域とは異なり、出雲では森林資源の枯渇は起きなかった。その理由は、"出雲"は雲が出ずる、すなわち、日本海で湿気を含んだ空気が中国山地にぶつかって雨・雪の降水に恵まれているので、森林が豊かに育つという自然の恵み。そして、およそ30年周期で、計画的に違う山の森林を順番に伐採（輪伐）することで、残された切株から新しい木が育つ（萌芽更新）を期待して森林の再生を図る"人の知恵"によって、伐採と再生を繰り返す持続可能な森林資源の保全管理を連綿と続けてきた。このようにして、出雲のたたら製鉄は1400年以上にわたり（西暦600年以前から）持続可能性をもって行われてきた。

　エネルギー源の持続的な確保が、製鉄の持続可能性の鍵だったのである。な

[図Ⅲ-1] 奥出雲のたたら製鉄と農業システム

提供：奥出雲町11)

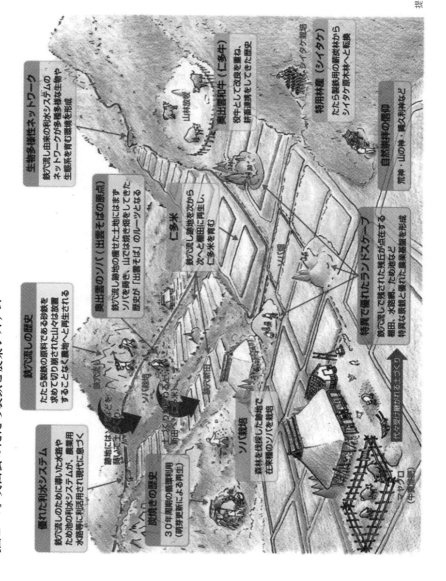

お、ヒッタイト国以来、製鉄の原料は鉄鉱石であったが、出雲では鉄鉱石は取れなかったので、砂鉄から製鋼する技術革新が行われた。

　このような持続的可能な製鉄と農業・林業の組み合わせは、2019年「たたら製鉄に由来する奥出雲の資源循環型農業」として日本農業遺産に認定され、今後、世界農業遺産の認定も目指している。

　1901（明治34）年、官営八幡製鉄所が建設され、近代鉄鋼業が始まった。しかし、順調に進むようになったのは1905（明治38）年、黒字に転換したのは1910（明治43）年になってからと言われ、1925（大正14）年まで産業としての "たたら製鉄" は継続した。現在は伝統技術保存、日本刀の原料の玉鋼の生産などとして行われている[12]。

業界研究 10　食品・外食

　消費者が食品を購入したり、外食をする経路は、①飲食業での**外食**、②デパート、スーパー、コンビニで、デリバリーで、調理済み食品、弁当、惣菜など、加工された食品を買って家で食べる**中食**、③野菜などの食材を買って家で素材から調理する**内食**がある。

　飲食業は、2019年には約6兆円の売上げがあったが、COVID-19（新型コロナ）で2020年以降は売上げが約5兆円に減少し、2023年は回復しつつある。大手飲食業には、ゼンショー、日本マクドナルド、すかいらーく、FOOD&LIFECOMPANIES（スシロー）、コロワイドなどがある[13]。

　中食は、2022年売上げは、約14兆円[14] であった。中食企業には、プレナス（ほっともっと）、オリジン東秀（オリジン弁当）などのお弁当系中食、百貨店やエキナカなどに展開するRF1、柿安などのお惣菜系中食企業や、食品スーパーのキッチンで加工した総菜などの販売、コンビニのセントラルキッチン（加工工場）で製造した総菜、弁当など販売がある。

> ### ［課題10］業界研究（食品・外食）
> 　リクナビの業界ナビ[15]、マイナビの業界研究[16] から、食品・外食について調べてみよう。食品・外食から一つ企業を選んで調べてみよう。

（2）衣服を着る

　体温を保持する、けがを防ぐ、人に良い印象を与えるなどのため、衣服はありがたい。人は古くから衣服を着て、靴を履き、装飾品を身につけていた。衣服は様々な素材から作られているが、植物繊維、毛皮などは歴史が古い。

（2）- 1　植物繊維

　植物繊維は、植物原料から繊維を取り出し、からませてねじって（撚って紡いで）糸にして、糸を織って布にして、布を切って（裁断して）、糸と針で縫って衣服にする。

　この工程の1つひとつに古代から伝わる道具、機械があり、現在では化学工場、紡績工場、縫製工場などの機械に進化・分化している。

　日本の伝統的工芸品は法令で232品目が指定されている[17] が、そのうち54品目は繊維製品である[18]。このことは、江戸時代以前の工業技術の中で衣服関連が重要な地位を占めてきたことを表している。

　沖縄県の八重山ミンサーは、国指定の伝統的工芸品（織物）である。通い婚の時代に女性から意中の男性に贈る習わしがあり、5つ4つの模様は「いつの世までも変わらぬ愛を誓ったもの」と言われている[19]。

　かつて日本にあったこれらの衣服関連の繊維産業のうち、繊維生地から衣類を作る裁断、縫製といった人手がかかる工程は海外移転したため、日本の繊維業は全体として縮小［図Ⅲ-2］し、日本の衣料品はほとんどが輸入［図Ⅲ-3］となった。衣料品生産は、中国、ベトナム、ミャンマー、バングラデシュ、アフリカ諸国など、その時々の人件費が安い国に順次移転している。

　一方で、ポリエステルやナイロン、アクリルなどの繊維の糸、生地の生産や、染色加工などの日本の繊維業には依然として国際競争力があり、繊維の生地輸出額は2018年で世界第8位である[20]。

［写真Ⅲ‐4］吉野ヶ里遺跡の衣服

注：吉野ヶ里遺跡出土の布から推定した当時の服装（貫頭衣）。
　　材料は、一般の人には麻など、上層人の衣装には絹が使われていたようだ。

[**写真Ⅲ-5**] 八重山ミンサー

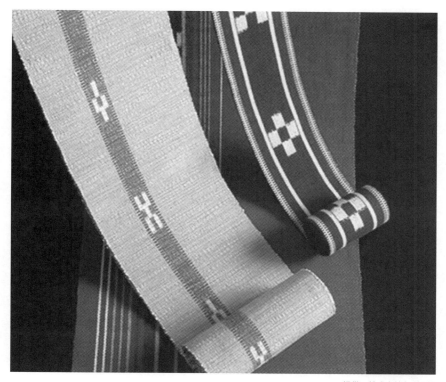

提供：株式会社あざみ屋

[図Ⅲ-2] 日本の繊維業の事業所数及び製造品出荷額

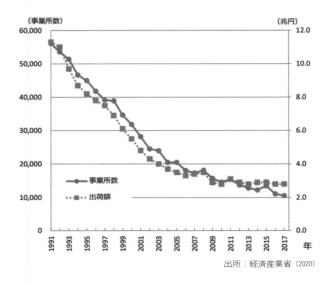

出所：経済産業省（2020）

[図Ⅲ-3] 日本のアパレル市場における衣類の輸入率

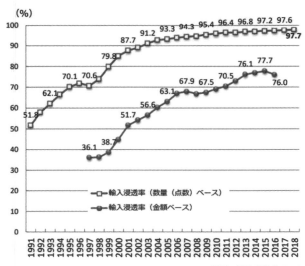

出所：経済産業省（2020）

[写真Ⅲ-6]
炭素繊維

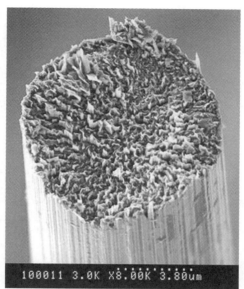

提供：三菱ケミカル
株式会社[22]

（2）-2　炭素繊維

　日本が強い競争力を持っている新しい繊維産業には、航空機の部材など航空宇宙用を中心に、産業用、スポーツ用などに使用される炭素繊維がある。

　炭素繊維は、ほとんど炭素だけからできている繊維であり、微細な黒鉛結晶構造をもつ繊維状の炭素物質である。製造方法は、衣料の原料などにも使用されるアクリル樹脂や石油、石炭からとれるピッチ等の有機物を繊維化して、その後、特殊な熱処理工程を経る。

　炭素繊維は単独で使用されることはまれで、通常は樹脂・セラミックス・金属などを母材とする複合材料の強化および機能性付与材料として利用される。その優れた機械的性能（高比強度、高比弾性率）と、炭素質であることから得られる特徴（低密度、低熱膨張率、耐熱性、化学的安定性、自己潤滑性など）を併せ持つため、いろいろな用途に幅広く使われている[23]。

　2009年に初飛行した最新式のボーイング787型機は、機体構造の50％（重量ベース）に炭素繊維複合材を使用している。軽くて強度が強い炭素繊維は、大

［写真Ⅲ-7］炭素繊維製のスポーツカーとルーフ

提供：日産自動車株式会社

型ジェット旅客機並みの航続距離を可能とし、同様の航空機と比べて燃料効率を20〜25％向上、客室1階に通路が2本あるワイドボディ機の最高速であるマッハ0.85での巡航が可能、貨物搭載スペースも増加といった性能向上に貢献している[24]。

　埼玉県狭山市の㈱チャレンヂは、日産のスポーツカーGT-R用の炭素繊維製のルーフ（屋根）を開発し、従来品よりも約4kgの軽量化と高い外観品質を両立させた[25]。

［写真Ⅲ-8］ベンベルグ生地の伝統衣装

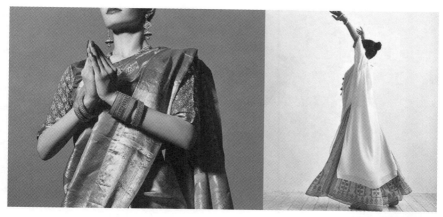

提供：旭化成株式会社

（2）-3　キュプラ繊維

　日本でしか生産されていない繊維もある。キュプラ繊維は、綿花のうち、綿糸として使用されないコットンリンター（綿花の種子の周りのうぶ毛）を原料とする再生繊維である。独自の技術により、繊維の断面が真円に近いため表面もなめらかとなる。高級背広の裏地やインドの女性用民族衣装のサリーなどに使用されている。

　旭化成㈱は、現在、世界で唯一のキュプラ繊維メーカー（宮崎県延岡市で製造）で、ベンベルグという商標で販売している。ベンベルグは、シルクのような輝きを持ち、レーヨンや綿よりも、美しい光沢で深い色で染め上がり、なめらかな肌ざわり、湿気を吸い取りはき出す機能に優れており、高く評価されている[26]。

（3）住　む

　三内丸山遺跡（縄文時代前期〜中期〈紀元前約3900〜2200年ごろ〉）[27]、吉野ケ里遺

[写真Ⅲ-9] 三内丸山遺跡

提供：写真 AC

跡（紀元前3世紀から）[28] などを訪れると、縄文、弥生時代の住居跡がある。建
物を建てる**建築技術**、その基礎を作ったり、集落への道や集落を守る環濠を作
る**土木技術**がある。

　伝統的建造物群保存地区[29] に行くと、江戸、明治期の家が現存している[**写
真Ⅲ-10**]。

　これらの伝統的建造物は、すべて**自然素材**でできており、**メンテナンス、リ
サイクルの方法も確立**していて、利便性と持続可能性のひとつの完成形を見る
ことができる。

　現在の住宅、宅地は、利便性については進化・分化しているが、持続可能性
の技術は途上かもしれない。伝統的建造物は、さまざまに利活用されながら究
極は土に帰る。現在の住宅、インテリアはどうであろうか。

[写真Ⅲ-10] 美々津の伝統的建造物群

業界研究 11　建設業、不動産業

　建設・不動産業界は、①設計、建設・施工、②販売、③賃貸、④管理に従事する企業の４つに大別できる。

[図Ⅲ-4]
建設・不動産
業界の仕組み

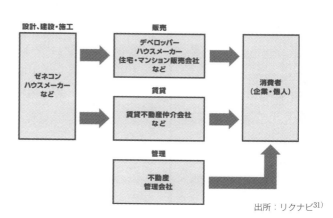

　建設業は、マンションやビルなどを建設する総合建設企業（ゼネコン）や、個人住宅を建設する工務店、職種に特化した建設業などがある。建設業の売上げは、約16兆円（2021年）[32]。大手ゼネコンは、鹿島建設、大林組、大成建設、清水建設、竹中工務店などがある[33]。

　建設業の現場では、現場監督や建築士の指示のもと、さまざまな職種の職人が工事工程を分担して完成させる。典型的な工事工程は、着工、基礎工事（とび・土工・コンクリート工事）、躯体（くたい）工事、外装工事、内装工事、設備工事、外構工事、完成である。

　文系学生が建設業の企業に就職すると、工事現場の施工管理の段取りを支援する業務、本社や支社の、営業、経理、人事などの仕事に就くことが多い。

　不動産は、土地や建物などにかかわる。商業施設やビル、マンション、リゾート施設などを開発するデベロッパー（開発業者）、注文住宅や、建売住宅などを手がけるハウスメーカー、物件の売買・賃貸を仲介する不動産仲介業者、マンションや一戸建ての販売を手がける住宅販売会社、そして、不動産物件を管理する管理会社などがある。不動産の売上げは、約17兆円（2021年）[34]。大手不動産会社は、三井不動産リアルティ、住友不動産販売、東急リバブル、野村不動産グループ、三井住友トラスト不動産、三菱UFJ不動産販売、みずほ不動産販売、積水ハウスグループ、オープンハウス、三菱地所リアルエステートサービスがある[35]。

　不動産業と不動産の消費者をITシステムやWebサイトで支援するIT企業がある。例えば、不動産賃情報を提供するWebサイト（IT企業）は、SUUMO（リクルート）、アットホーム（アットホーム）、Yahoo！不動産（ヤフー）、いい部屋ネット（大東建託リーシング）、アパマンショップ（Apaman Network）、スマイティ（カカクコム）、E-LIFE（イーライフ）、goo住宅・不動産（エヌ・ティ・ティ レゾナント）、オウチーノ（オウチーノ）などがある。

　不動産は、扱う商品の金額が大きいので、大きな利益を得られる可能性がある。国内産業や人口が減ると、不動産業の顧客が減る。

> **［課題11］業界研究（建設業、不動産業）**
> 　マイナビの業界研究[36] から、建設業、不動産業業界の中から、気になる業界について調べてみよう。

（4）エネルギー源から動力を得る

　第一次産業革命は、18世紀の英国で、石炭のエネルギーから動力を得る蒸気機関を、鉱山の排水機械や鉄道の機関車などとして利用したことから始まった。

　石炭、石油などの化石燃料から動力を得る技術は、コンパクト・高出力な自動車用ガソリンエンジンや、トラック、重機、船舶などで広く使われる、重油を使用し、燃費の良いディーゼルエンジンなどに進化・分化した。飛行機の動力は初期のエンジンとプロペラの組み合わせから、ジェットエンジンなどに進化・分化した。

　現代社会は、電気に生活基盤を依存している。**1977年のニューヨーク大停電**では、当時のニューヨーク市の財政難から治安が悪化していたことと相まって、1600以上の店舗が略奪され、3700人以上が略奪の容疑で逮捕された。

　2003年のニューヨーク大停電では、真夏のアメリカ北東部とカナダ南東部で、次々と電力供給が停止しはじめ、最終的に電力供給支障が約6180万 kw、停電人口約5000万人、被害額40億〜60億ドルと、北米史上最大の停電となった。米国オハイオ州北部ファーストエナジー（FE）社の発電所で送電線に障害が発生したのをきっかけとして、送電線の樹木との接触による遮断などで、電力系統内で電力動揺が発生し、送電線や発電所の停止を連続的に引き起こした。

　電力系統内で電力動揺が起こる原因は、**電気は、光と同じ速度で移動する特性と、大きなコストをかけないと貯蔵しておくことができないという特性を持つ**ためである。

　発電所で発電された電気は、その瞬間に電力系統内の消費者によって消費される。したがって、電力を安定して消費者に供給するには、電力の消費量（需要）と発電量（供給）のバランスが常に保たれる必要がある。また、電気は送電線内の電圧の高い場所から低い場所に流れようとする特性を持つ。電気はこの特性によって送電線を枝分かれしながら流れる。そのため**電力消費地の消費量**

[図Ⅲ-5]　ワットの蒸気機関

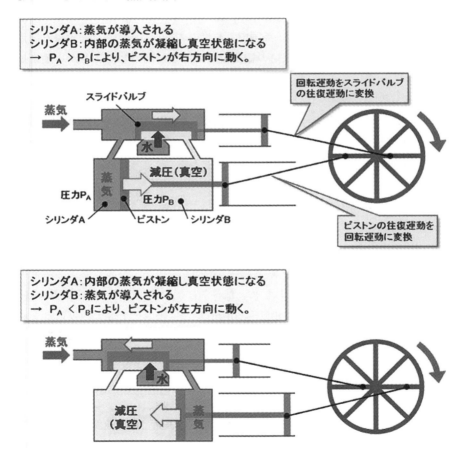

提供：アイ・アール・エス[37]

[写真Ⅲ-11] 現代の自動車ガソリンエンジン

提供：Garage-MOTORHEAD

が急増すると、電力消費地で電圧が低下し、電力の流れ込みが発生し、付近一帯に電力動揺を引き起こす。その電力動揺が一定レベルを超えると、送電線は保護のため他線から遮断され、発電所も発電を停止する[38]。

[課題12] 1977年当時の報道から大停電の混乱の様子を見てみよう

ワシントンポスト「How the 1977 blackout unleashed New York City's tough-on-crime politics」[39]

タイム誌「Why the 1977 Blackout Was One of New York's Darkest Hours」[40]

業界研究12 エネルギー産業

　エネルギー産業には、電力会社、ガス会社、ガソリンスタンドなどの業界がある。

　日本のエネルギー消費は、産業・業務部門61.9%、家庭部門15.8%、運輸部門22.3%（2020年度）となっている。

[図Ⅲ-6] 日本のエネルギー消費

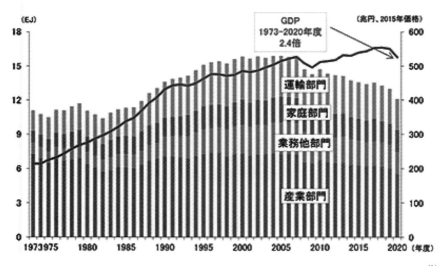

出所：経済産業省[41]

　電力業界は、電力を生産、輸送して需要家に販売する事業をいう。送電線の整備など広域的に運営する利点が大きく、企業活動の自由に任せると独占になってしまう（自然独占）ことと、公共性が高いため、自由経済国でも規制されている場合が多い[42]。電力の売上げは、約19兆円（2021年）[43]。日本では9電力会社（北海道、東北、東京、中部、北陸、関西、中国、四国、九州）が、送電を地域独占している。一方で、発電、小売りは規制緩和・自由化されて競争が起きている。

　ガス業界は、気体燃料を生産、輸送、供給する。都市ガス産業は、天然ガス

などを精製混合して所定の発熱量に調整したものを、ガス管で需要者に供給する。ガスの売上げは、約５兆円（2021年）[44]。大手３社（東京瓦斯、大阪瓦斯、東邦瓦斯）で全需要量の７割以上を占めている[45]。

　液化石油ガス（ＬＰガス）は、LP ガスが入ったボンベを事業者が需要者に配送する[46]。

［課題13］業界研究（エネルギー産業)

　リクナビの業界ナビ[47]、マイナビの業界研究[48] から、エネルギー産業について調べてみよう。エネルギー産業から一つ企業を選んで調べてみよう。

（5）情報を処理する

　計算をする道具としては、そろばん、計算尺などが古くから存在する。ローマ時代には、そろばんや歯車を使った計算機があったという。

［写真Ⅲ -12］雲州そろばん

提供：雲州算盤協同組合[49]

[写真Ⅲ -13] 計算尺

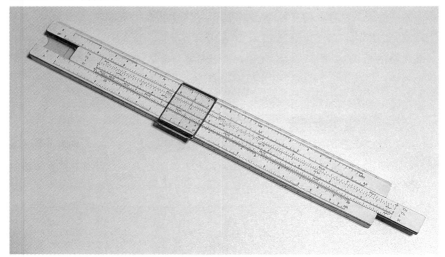

提供：写真 AC

（6）兵器・軍事のための工業技術

　ギリシャ時代の数学者・賢人アルキメデス（シチリア島のシラクサの人）は、攻撃兵器としてねじりバネを利用した投石機を開発したり、紀元前212年、ローマ軍からシラクサを防衛するために、壁越しに巨石を放り出して敵艦に落とす装置、壁越しに腕を伸ばす破城槌や、攻城用の小屋の上に丸太を落とす兵器などを開発したりしたと伝えられている。

　1543年、鉄砲が日本に伝来した際に、日本人は製法を教えてもらわずにリバース・エンジニアリングで独自に製法を考案したと伝えられている[50]。1600年ころの鉄砲生産量・保有量は、日本が世界一といわれている。

　リバース・エンジニアリング（reverse-engineering）は、一般の製造手順とは逆（リバース）に、完成品を分解・分析してその仕組み、構造、性能を調べ、新製品に取り入れる手法をいう。互換性のある製品や周辺機器を開発する目的で、産業界ではエレクトロニクス製品や自動車、医薬品などの工業製品に幅広

く用いられている[51]。

　缶詰は、ナポレオンの要請で軍用食糧の研究開発に懸賞金がかけられ、1804年、ガラスびんの中に食物を入れ密封し加熱殺菌して保存する新食糧貯蔵法が発明されたことが元になっている[52]。

　世界初のコンピュータは、1942年、米陸軍が「砲撃射表」の複雑な計算を機械的にできるようにするために作られた[53]。

　1942年、核兵器開発を目的とする計画が米国で開始され[54]、1945年8月6日に広島市に、8月9日に長崎市に原子爆弾が投下された。現在は、原子力発電に技術が応用されている。

　1939年、ドイツ人技師のハインケルは世界初のジェット機を開発した[55]。ジェット戦闘機が本格的に実戦投入されたのは、1950年からの朝鮮戦争からである[56]。現在は、旅客機の多くがジェット機である。

　これらの例のほかにも、工業技術が兵器・軍事のために生まれたり、発達した事例は多い。シリコンバレーの半導体開発の発展も、軍事費が寄与しているといわれる。兵器・軍事は、高性能を求め、開発予算を多く出し、他国と競争する傾向があり、工業技術の発展を推進する一面を有していると考えられる。

［表Ⅲ‐2］ 本節の工業技術年表

西暦	時代	で き ご と
紀元前3万6000年ころ	石器時代	伊豆七島の神津島で黒曜石を採取。
紀元前3万年ころ	石器時代	諏訪地域最古級の磨製された黒曜石の石器。
紀元前約3900～2200年ころ	縄文時代前期～中期	三内丸山遺跡。
紀元前1500～2000年ころ		ヒッタイト（現在のトルコ）で製鉄技術が生まれる。
紀元前8世紀から4世紀	ローマ時代	そろばんや歯車を使った計算機があった。
紀元前3世紀から	弥生時代	吉野ケ里遺跡、貫頭衣。
紀元前212年		アルキメデスが兵器を開発。
6世紀頃	古墳時代後期	製鉄技術が日本へ伝えられた。
西暦600年ころ以前	古墳時代後期	出雲のたたら製鉄が持続可能性をもって行われ始める。
1543年	室町時代～安土桃山時代	鉄砲が日本に伝来した。
1600年ころ		鉄砲生産量・保有量は、日本が世界一。
1603～1912年	江戸、明治期	伝統的建造物群保存地区 の古民家。
18世紀		第一次産業革命が英国で始まる。
1901年	明治34年	官営八幡製鉄所が建設され、近代鉄鋼業が始まった。
1910年	明治43年	官営八幡製鉄所が黒字に転換。

西暦	時代	で き ご と
1925年	大正14年	この年まで産業として、たたら製鉄が継続。
1939年	昭和14年	ドイツ人技師のハインケルは世界初のジェット機を開発した。
1942年	昭和17年	核兵器開発を目的とする計画が米国で開始。
1943年	昭和18年	初のコンピュータが作られる。電磁石を使ってスイッチを閉じたり開いたりする計算機。
1945年	昭和20年	1945年8月6日に広島市に、8月9日に長崎市に原子爆弾が投下。
1946年	昭和21年	真空管を使用したコンピュータが作られる。
1950年	昭和25年	朝鮮戦争始まる。ジェット戦闘機が本格的に実戦投入。
1958年	昭和33年	トランジスタを使用したコンピュータが作られる。
1964年	昭和39年	IC（多くのトランジスタを一つにまとめた電子部品）を使用したコンピュータが作られる。
1969年	昭和44年	インターネットの元になる通信技術が開発された。
1971年	昭和46年	LSI（ICより大規模な回路を一つにまとめた電子部品）を使用したコンピュータが作られる。
1980年代		VLSI（LSIより大規模）を使用したコンピュータへと進化した。
1982年	昭和57年	PC-9800シリーズ発売。
1984年	昭和59年	五島列島の黄島で太陽光発電による海水の淡水化施設が世界で初めて設置された。
1995年	平成7年	windows95が発売された。
2007年	平成19年	初代iPhoneが発売された。
2019年	令和元年	「たたら製鉄に由来する奥出雲の資源循環型農業」A1：C35が世界農業遺産に認定。

［注］
4）清本鐵工株式会社 https://www.kiyomoto.co.jp/product/food/ （2021/3/1取得）
5）東京大学 http://www.um.u-tokyo.ac.jp/web_museum/ouroboros/v22n2/v22n2_sano.html （2021/3/4取得）
6）ナショナル ジオグラフィックWeb ナショジオ https://natgeo.nikkeibp.co.jp/nng/article/20130604/352966/?P=3 （2019/3/22取得）
7）諏訪市 Web サイト（No. 12遺跡 諏訪市博物館収蔵）https://www.city.suwa.lg.jp/www/info/detail.jsp?id=10907 （2019/3/23取得）
8）諏訪市 Web サイト（茶臼山遺跡 諏訪市博物館収蔵）https://www.city.suwa.lg.jp/www/info/detail.jsp?id=10907 （2019/3/23取得）
9）平凡社世界大百科事典 第2版
10）ナショナル ジオグラフィックWeb ナショジオ https://natgeo.nikkeibp.co.jp/nng/article/20130604/352966/?P=3 （2019/3/22取得）
11）奥出雲町 https://tatara-iron-making-okuizumo.jp/product （2021/5/18取得）
12）日立金属 http://www.hitachi-metals.co.jp/tatara/index.htm （2019/3/22取得）
13）https://gyokai-search.com/ （2023/5/28取得）
14）https://www.npdjapan.com/press-releases/pr_20230221/ （2023/5/28取 得 ）の 外食・中食計　約19兆円から、上記の外食約5兆円を引いた数字。
15）https://job.rikunabi.com/contents/industry/881/ （2020/05/20取得）
16）https://job.mynavi.jp/conts/2021/keyword/gyoukai/ （2020/05/20取得）
17）2018年11月 現 在。経 済 産 業 省 https://www.meti.go.jp/policy/mono_info_service/mono/nichiyo-densan/pdf/181107.pdf （2019/3/25取得）
18）伝 統 的 工 芸 品 産 業 振 興 協 会 https://kougeihin.jp/system-manager/wp-content/uploads/20181107_1.pdf （2019/3/25取得）
19）一般財団法人 伝統的工芸品産業振興協会
20）経済産業省（2020）
21）https://www.pref.saga.lg.jp/kiji00372745/index.html （2021/2/5取得）
22）炭素繊維協会 https://www.carbonfiber.gr.jp/material/index.html （2019/3/25取得）
23）炭素繊維協会 https://www.carbonfiber.gr.jp/material/index.html （2019/3/25取得）
24）ボ ー イ ン グ https://www.boeing.jp/ （2021/3/8取得）
25）チャレンヂ http://www.challenge.co.jp/globalsupplieraward.html （2021/3/8取得）
26）旭化成 https://www.asahi-kasei.co.jp/fibers/bemberg/bemberg-world/ （2021/3/8取得）
27）三 内 丸 山 遺 跡・縄 文 時 遊 館 https://sannaimaruyama.pref.aomori.jp/welcome/ （2019/4/7取得）
28）吉野ケ里歴史公園 http://www.yoshinogari.jp/contents3/?categoryId=23 （2019/4/7取得）
29）制度等は文化庁 http://www.bunka.go.jp/seisaku/bunkazai/shokai/hozonchiku/ （2019/3/25取得）
30）日向市 http://www.hyugacity.jp/sp/display.php?cont=140317183128 （2019/3/22取得）
31）https://job.rikunabi.com/contents/industry/1034/?isc=r9rcnz00943 （2022/9/24取得）
32）https://gyokai-search.com/ （2023/5/28取得）
33）アーキ・ジャパン https://conma.jp/conmaga/article/50735/ （2022/9/24取得）

34）https://gyokai-search.com/　（2023/5/28取得）
35）アシロ https://fudosan-pro.asiro.co.jp/columns/baikyaku/122/　（2022/9/24取得）
36）https://job.mynavi.jp/conts/2021/keyword/gyoukai/　（2020/05/20取得）
37）アイ・アール・エス http://www.irs-japan.com/?p=3849（2019/4/15取得）
38）失敗学会 http://www.shippai.org/fkd/cf/CZ0200723.html　（2019/4/13取得）
39）ワシントンポスト　https://www.washingtonpost.com/news/made-by-history/wp/2017/07/13/the-1977-blackout-led-to-new-york-citys-tough-on-crime-politics/　（2019/4/13取得）
40）TIME 誌 http://time.com/3949986/1977-blackout-new-york-history/　（2019/4/13取得）
41）https://www.enecho.meti.go.jp/about/whitepaper/2022/html/2-1-1.html　（2022/9/26取得）
42）ブリタニカ国際大百科事典 小項目事典
43）https://gyokai-search.com/　（2023/5/28取得）
44）https://gyokai-search.com/　（2023/5/28取得）
45）ブリタニカ国際大百科事典 小項目事典
46）日本ガス協会 https://www.gas.or.jp/chigai/　（2022/9/27取得）
47）https://job.rikunabi.com/contents/industry/881/　（2020/05/20取得）
48）https://job.mynavi.jp/conts/2021/keyword/gyoukai/　（2020/05/20取得）
49）http://fish.miracle.ne.jp/us88/　（2021/2/5取得）
50）尚古集成館 http://www.shuseikan.jp/kaiyou/kaiyou02.html（2019/4/10取得）
51）小学館　日本大百科全書（ニッポニカ）
52）日本製缶協会 http://www.seikan-kyoukai.jp/history/index.html（2021/5/5取得）
53）キヤノン https://eset-info.canon-its.jp/malware_info/special/detail/160413_1.html（2021/5/5取得）
54）ブリタニカ国際大百科事典 小項目事典
55）槇田晴臣　http://www.nagare.or.jp/download/noauth.html?d=21-4-s01.pdf&dir=99　（2019/4/7取得）
56）https://ja.wikipedia.org/wiki/%E6%88%A6%E9%97%98%E6%A9%9F　（2019/4/7取得）

第3節 工業技術のソフトインフラ

ソフトインフラは、制度・基準、技術・運用ノウハウ、人材育成等のソフト面でハードインフラを支える基盤をいう[57]。

この節では、工業技術の発明の利益を守ることで、技術進歩を促進する知的財産制度、工業技術を良い製品に作りこむためのノウハウである工業デザイン、工業技術を他の人に伝える手段である図面を採り上げる。

（1）知的財産制度

製品設計には様々な工業技術を使用する。使用する**工業技術の中で、知的財産制度によって権利が付与され**（知的財産権）、**使用が制限されているもの**がある。

これまでの社内技術、自社で研究開発した工業技術であれば、知的財産権を自社で持っていて、自由に使用できる場合もあるが、他社の知的財産権を使用しなければならないこともある。この場合、金銭を支払ったり、自社の知的財産権を使わせるなどの利益を相手に示して交渉することになる。しかし、ライバル企業であれば、拒否されることもある。このような場合、他社が必要とするような技術を自社で研究開発して知的財産権を取得しておけば、他社に自社の知的財産を使用させる代わりに他社の知的財産を使用させてもらう契約（クロスライセンス契約）を結んだりすることができる。

クロス・ライセンス（cross licensing, 技術移転契約）は、工業所有権その他の技術の譲渡、利用権の許諾を目的とする契約のうち、権利者相互で実施許諾し合うものである[58]。

自社の知的財産を守ることは重要で、保護手段には、大きくは**権利取得と秘密保持**の二つの方法がある。

　権利取得は特許などの知的財産権を取得することであるが、権利取得するだけでは権利は保護されないので注意が必要である。例えば、外国で権利を取得しておかなければ外国で真似されても保護されない。権利を持っていても、真似されたときに裁判費用などをかけて相手にやめさせることができなければ事実上、野放しになる。逆に、権利取得をすると特許庁のWebサイトなどに技術情報が掲載されて公開される。その情報を世界中の企業が熱心に閲覧している。したがって、権利取得しても裁判費用などをかけて相手にやめさせることができないならば、特許などを取得することは、単に自分の技術を公開しているのと同じことになる。

　このようなデメリットを承知の上で、大企業などが熱心に特許など知的財産権を取得する理由のひとつは、同業他社とのクロス・ライセンスの際に有利になることである。ライバル企業の特許によって良い製品を作る方法を邪魔されてしまうと競争に負けてしまう。相手が困るような特許を持てば、交換条件として相手がもつ特許が使える契約（クロス・ライセンス）を行うことができる。ただし、日本企業どうしの激しい戦い、クロス・ライセンスの必要性のために重要な技術の特許を取ると、特許情報として公開され、外国の同業者などのライバルに閲覧されるというデメリットもある。

　秘密保持、すなわち、材料や製造法を秘密にすることは、リバース・エンジニアリング（製品を分解、分析して製造技術を知る）によって製法が解明できない場合などに有効である。有名な例ではコカ・コーラの成分・製法が秘密にされていたり、最終製品に現れない加工の中間過程でどのような製造法を用いているか秘密にしたりしている。

　リバース・エンジニアリングでわかってしまう技術は、秘密保持ができないので、特許など知的財産権でしか守ることができない。

　著者は、2004 ～ 2005年、政府模倣品・海賊版対策総合窓口室長（初代）、兼、経済産業省製造産業局模倣品対策・通商室長（初代）として、産業界、関係省庁と連携して、外国政府への働きかけなどに貢献した。

（2）工業デザイン

　工業デザインは、工業製品で使いやすさと美しさを目的とするデザイン[59]
である。デザイン[60] は、①建築・工業製品・服飾・商業美術などの分野で、
実用面などを考慮して造形作品を意匠すること。②図案や模様を考案するこ
と。また、そのもの。③目的をもって具体的に立案・設計すること[61] とされ
ている。

　意匠は、美術・工芸・工業製品などで、その形・色・模様・配置などについ
て加える装飾上の工夫、デザイン[62] とされており、狭義の意味のデザインを
いう。

　広義の意味のデザインは、例えば、「よいデザインといわれる製品は、形状
や色彩、模様など外観を構成する要素が総合的に美しく構成されている。ま
た、使用目的に応じた機能性や利便性を備えており、維持管理も容易である。
さらに、材料を有効に活用しており、品質基準を満たしている。安全性を確保
し、量産に適し合理的な価格設定がされているなど、意匠・設計・計画が相互
に関連づけられて考えられている[63]」とされている。

　広義の意味の工業デザインは限りなく設計そのものに近い概念となってしま
うが、このことについて、公益財団法人日本デザイン振興会は、「デザインと
いう言葉の語源はラテン語の Designare、すなわち、計画を記号に表す、つま
り図面に書き表すという意味であったといわれている。このことから、当初デ
ザインという言葉は「設計」という意味で用いられていたことが想像できると
している。中国では、デザインを「設計」と漢字で表記する。

　設計とデザインの違いは、デザインは、発想の中心にヒト、ユーザー、社会
という人間の要素を特に考えることである[64]。

　以上から、工業デザインの意味は、以下のように整理できる。

　狭義の工業デザイン ≒ 意匠
　　　　　　　　　　　＝美術・工芸・工業製品などで、その形・色・模様・
　　　　　　　　　　　　配置などについて加える装飾上の工夫[65]。
　広義の工業デザイン ≒ 設計。ただし、人間の要素を中心に考える。

　さらに、デザインという言葉は、ビジネスデザイン、組織デザインなど、設計という意味で概念が拡張されている。

（3）図　面

　図面は、土木・建築・機械の構造・設計など、事物の関係を明らかにした画図[66]をいう。

　製品の立体的な形状を平面で表す方法は、正投影法の第三角法が用いられる。正投影法は、投影図法の一つで、立体図形を、互いに直交する三平面に正射影して平面に表現する方法である[67]。第三角法は、製図で用いられる正投影図法の一つで、通常は、正面・平面・側面の三面図で構成される[68]。

[写真Ⅲ-14] 加工部品の完成品

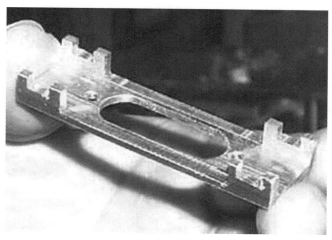

提供：海上・港湾・航空
技術研究所 平田宏一氏[69]

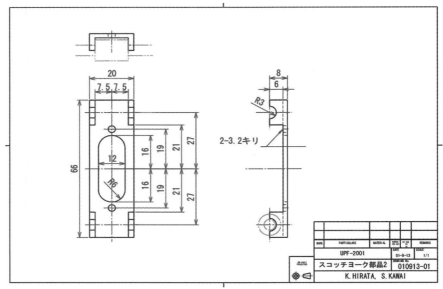

提供：海上・港湾・航空技術研究所 平田宏一氏[70]

［図Ⅲ-8］立体形状を平面図にする仕組み

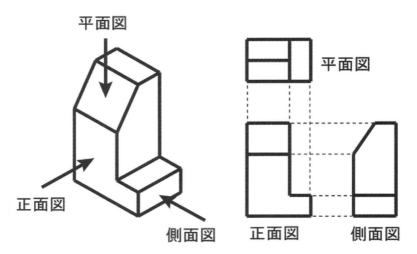

提供：海上・港湾・航空技術研究所 平田宏一氏[71]

[注]

57）内閣官房（2018）（p.1）
58）有斐閣 経済辞典 第5版
59）デジタル大辞泉（小学館）
60）デジタル大辞泉（小学館）
61）デジタル大辞泉（小学館）
62）デジタル大辞泉（小学館）
63）山下（2014）（p.210）
64）https://www.jidp.or.jp/ja/about/firsttime/whatsdesign　（2019/3/29取得）
65）広辞苑 第七版
66）広辞苑 第七版
67）小学館デジタル大辞泉
68）武蔵野美術大学　http://zokeifile.musabi.ac.jp/（2019/4/1取得）
69）国立研究開発法人 海上・港湾・航空技術研究所 https://www.nmri.go.jp/oldpages/eng/khirata/mechdesign/　（2019/4/1取得）
70）国立研究開発法人 海上・港湾・航空技術研究所 https://www.nmri.go.jp/oldpages/eng/khirata/mechdesign/　（2019/4/1取得）
71）国立研究開発法人 海上・港湾・航空技術研究所 https://www.nmri.go.jp/oldpages/eng/khirata/mechdesign/　（2019/4/1取得）

第 IV 章
生産技術

第**1**節　作業工具

　　前章では、現在の多様な工業技術を直感的に理解することを
助ける "ものがたり" を提供することを目的として、工業技術
の歴史をたどってきた。本節では、工業技術のうち、生産技術
（ものを生産する設計、開発、製造などの技術[1]）を幅広く、体系的
に紹介する。

（1）計測工具

　ノギスは、計測工具の代表である。主尺と副尺とがあり、両方にある<ruby>嘴<rt>くちばし</rt></ruby>で物
を挟んだり物の内側に当てたりして、外径・内径、幅、深さなどを測定する。
　計測工具には、ほかにハイトゲージ、マイクロメータ、ダイヤルゲージなど
がある[2]。

［写真Ⅳ‑1］ノギス

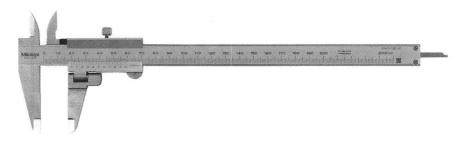

外側測定

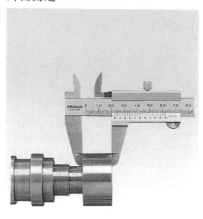

内側測定

深さ測定

段差測定

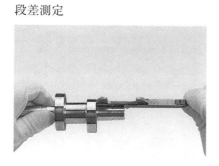

提供：ミツトヨ

（2）作業工具

　作業工具には、ハンマ、ねじ回し（ドライバ）、ペンチ、ニッパ、スパナ、万力（vice）、定規（scale）、直角定規（square）、のみ、のこぎり、きり、かんな、などがある。

［写真Ⅳ-2］のこぎりと万力

提供：トップマン[3]

注：万力で木材を固定してのこぎりで引いている様子

（3）電動工具

　電気グラインダは、砥石、ワイヤブラシなどを取り付け、高速回転させることで切削、研磨をする電動工具である。電動工具には、ほかに、ボルト、ナットの締め付けや緩め作業をするインパクトドライバ、穴あけ作業をする電気ドリルなどがある[4]。

[写真Ⅳ-3]　電気グラインダ

提供：マキタ[5]

［注］
1）有斐閣 経済辞典 第5版
2）山下（2014）（pp.45-48）
3）トップマン https://www.topman.co.jp/ky/material/tool/tool_05.html　（2019/4/8取得）
4）山下（2014）（p.55）
5）マキタ https://ecatalog.makita.co.jp/html/administrator/284/#118（2019/4/8取得）

第2節 材料と材料加工

　工業製品は、何らかの材料で作られる。材料には、金属、木材、繊維、プラスチック、ガラスなどが用いられる。ある工業製品について、どのような材料が用いられるかは、費用、強度、耐久性、比重、美観、リサイクル・廃棄の容易さなど様々な観点から検討される。

　例えば、自動車の材料は、鋼板（こうはん）が中心であったが、燃費向上のため、強度を保ちながら軽量化するために、アルミニウム、プラスチックが多用されるようになっている。一方で、美観や高級感を出すために、運転席まわりに高級木材を使用したりもしている。

　身の回りでよく使用される材料は、さびに強い鋼鉄であるステンレス、強度が強いので薄く軽量化して自動車などに使用できるハイテンション鋼、パソコンやカメラなど費用がかかっても軽量化が求められる際に使用されるアルミニウム、マグネシウムや高性能プラスチックなどがある。

（1）金　属

　金属の加工には、鋳造（ちゅうぞう）、溶接、プレス加工、切削加工（せっさく）、メッキなどの表面加工などがある。

　鋳物（いもの）は、高温に熱して液体化した銑鉄（せんてつ）を鋳型（いがた）に流し込み、鋳型の形に冷えて固まった銑鉄を鋳型から取り出して製造する。鋳型の形どおりの製品を作ることができるので、溶接、プレス加工、切削加工などに比べて安い費用で製造できるのが長所である。ただし銑鉄（せんてつ）なので、鋼鉄（こうてつ）よりももろく強度が強くないという欠点がある。

（1）－1　鋳　造

[写真Ⅳ-4]　鋳造工程

1　鋳型作り

製品と同じ形状の金型に砂を突き固めて形状や模様を写し取り、鋳型の中に製品と同じ空洞を作る。

2　注　湯

溶解炉で約1,500℃に溶かされた鉄を湯といい、鋳型内にできた空洞部分がいっぱいになるまで湯を注ぎ込む。

3　型こわし・型だし

鋳型内の鉄が固まったら、鋳型を壊す。取り出された直後の製品には、まだ一部に鋳型の砂が残っている。

4　研　磨

鋳型から取り出された製品には、鋳バリという突起物が付いているためグラインダーで研磨し除去して、表面をなめらかに仕上げる。

5　ホーロー塗り

急須の内面には防錆処理としてガラスと同じ性質のホーローを塗布し、高温で焼成する。

6　着　色

芋肌（いもはだ）が際（きわ）だつ重厚な伝統色や、海外評価の高いカラフルなカラーバリエーションなど、職人自らの手で1つひとつ着色する。

7　検査・梱包

表面に塗装が施された製品は、最終検査で合格したものが箱詰めされる。

8　完　成

完成した製品は、客先へと運ばれていく。

提供：株式会社岩鋳⑹

（1）- 2　溶　接

　溶接(ようせつ)は、金属と金属を高温で溶かして接合させる。きちんと溶接すると、強度も耐久性も得ることができる。溶接をする技能者の熟練度によって品質がばらつくのが欠点である。このため、定型的な溶接には溶接ロボットが導入される傾向にある。

[写真Ⅳ - 5] 溶接工程

提供：森山工業[7]

　[推薦図書４]『トコトンやさしい溶接の本』安田　克彦（2009）日刊工業新聞社

(1)-3 プレス加工

プレス加工は、金属に大きな圧力をかけて曲げたり、延ばしたり、切断したりする。

[写真Ⅳ-6] プレス加工機械

提供：アイダエンジニアリング株式会社

[推薦図書5]『トコトンやさしいプレス加工の本』山口 文雄（2012）日刊工業新聞社

（1）- 4　切削加工

切削加工は、材料となる金属の余分な部分を切削して図面どおりの部品を作る。原材料費、加工費は高くなるが、金属材料に熱などを加えないので原材料の強度そのままの部品を作ることができる。航空機部品など、費用よりも強度が求められる製品に多用される。

[写真Ⅳ-7]　切削加工による航空機部品

提供：ミツワハガネ・宮崎県[8]

業界研究 13　鉄鋼業界・金属業界

高炉は、製鉄用の溶鉱炉で、高い円筒形の炉で、上部から原料鉱石とコークス・石灰石を入れて溶錬し、下方にたまった銑鉄を取り出す[9]。高炉を持つのは、日本製鉄、JFE スチール、神戸製鋼所、日鉄日新製鋼の４社である[10]。

電炉、電気炉は、電気を熱源とした炉で、金属工業や化学工業に広く利用されている。電気炉は燃料炉に比べ、非常な高温に到達させることができ、操業が容

[図Ⅳ‑1] 鉄鋼産業の概要 (2015年)

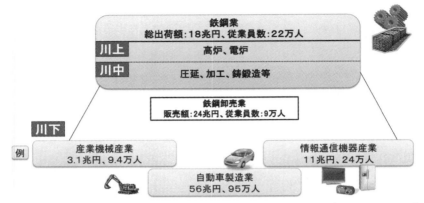

出所：経済産業省[11]

易である[12]。電炉メーカーは、東京製鉄や、高炉メーカーの関連会社がある[13]。
　鉄鋼業界の売上げは約19兆円 (2021年)[14]。鉄鋼は、板や棒状に加工されて、自動車メーカー、家電メーカーなどに販売される。

　アルミニウムは、ボーキサイトという鉱石を電気分解して作る。日本は電気料金が高いので、海外の電気料金が安い国で生産されたアルミニウムを輸入している。アルミ缶などをリサイクルした原料も使用している。
　アルミニウムも、板や棒状に加工して、アルミ缶、アルミホイル、住宅用アルミサッシ、飛行機や自動車の素材などに使用される。アルミニウム業界の売上げは約2兆円 (2021年)。主な企業は、UACJ、日本軽金属、大紀アルミニウム工業所、神戸製鋼所、三菱マテリアルがある[15]。

　　┌─ [課題14] 業界研究 (鉄鋼業界・金属業界) ──────
　　│　リクナビの業界ナビ[16]、マイナビの業界研究[17] から、鉄鋼業界・
　　│　金属業界について調べてみよう。鉄鋼業界・金属業界から一つ企業を
　　│　選んで調べてみよう。

［推薦図書６］『トコトンやさしい鉄の本』鉄と生活研究会、菅野　照造（2008）
　　　　　　　日刊工業新聞社

（2）木　材

（2）- 1　素材としての木材

　木材は、髄、心材、辺材、樹皮などで構成されている。

　木目（もくめ、grain）は、板を製材したときに現れる年輪などの模様である。木理のこと。板目、柾目、杢目に大別される。

　板目（いため、flat grain）は、丸太の中心からずれて挽くと、年輪が平行ではなく山形や筍形の木目が現れる。この木目を板目という。

　柾目（まさめ、straight grain）は、丸太の中心に向かって挽いたときに現れる、年輪が平行な木目を柾目という。板目と比べ歩留まりが悪くコスト高になるが、反りや収縮などの狂いが少ない。

［写真Ⅳ - 8］木製弁当箱（曲げわっぱ）の木目

提供：写真 AC

　杢目（もくめ、figured grain）は、木目などの紋様のことで、特に装飾価値が高い紋様を「杢（もく）」という。ブナ科の虎斑杢やメープル等に現れる鳥眼杢、トチ、シカモア等の縮み杢の他、縞杢、葡萄杢、牡丹杢、鶉杢、如鱗杢などがある[18]。

［図Ⅳ-2］木材の組織と木目

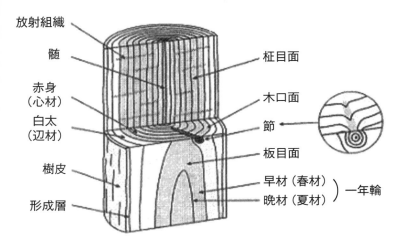

- 放射組織
- 髄
- 赤身（心材）
- 白太（辺材）
- 樹皮
- 形成層
- 柾目面
- 木口面
- 節
- 板目面
- 早材（春材）／晩材（夏材）｝一年輪

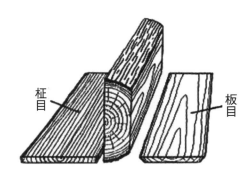

- 柾目
- 板目

提供：府中家具工業協同組合[19]

（2）-2　合　板

　合板は、木材を大根のかつらむきのように薄くスライスして、それを繊維方向が直交するように互い違いに奇数枚（3枚や5枚のケースが多い）貼り合わせる。原料の使用率（歩留まり）が高く、大量生産に向いており、安価に生産できる。また、高い寸法精度（使用中に膨張・収縮などを起こしにくい）がある。木は太いものでも直径1mを超えることはまれで、無垢材で板状のものは幅1mが限界だが、合板は大きいものも生産可能である。

　無垢材は、合板や集成材ではなく、使用する形状で丸太から切り出した木材をいう。割れやひびなどが入りやすいが、天然木本来の風合いを持ち、室内の湿度を調整する働きもある[20]。

[写真Ⅳ-9] 合板

提供：写真AC

［図Ⅳ-3］合板の製造過程

①丸太をかつらむきして、
　ベニア（単板）を製造する。

②奇数のベニア（単板）を繊
　維方向が直交するように
　貼り合わせる。

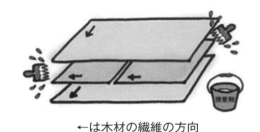

←は木材の繊維の方向

③強固に接着するよう圧力
　をかける。

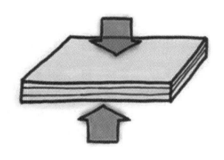

提供：東京木材問屋協同組合[21]

（2）- 3　集成材

　集成材は、木材を小片に（一般に幅2～3cm程度、長さ30cm程度、厚さ2～3cm程度のことが多い）切断し、不良部分を削除し、乾燥させたのち再度接着することで柱や板などの形状につくったものである。

　木材は節や腐った部分などがある場合があり、強度や見た目で問題がある場合は使用できない。使用できない部分を削除すればよいが、単に削除しただけでは小片に分断されてしまう。木材をなるべくそのまま使って問題となる部分のみを排除する技法として集成材が生まれた。また、小片であれば、短期間で無理なく乾燥させることができるという長所もある。

[図Ⅳ- 4]　**集成材の製造過程**

①丸太を小さな断面にカット
　する。

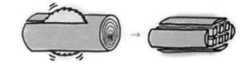

②できた角材を乾燥する。

③集成材に適さない部分を
　カットする。

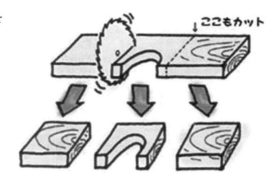

④できた小片を長さ方向に接着する。

⑤強固に接着するように圧力をかける。

　このとき、接着強度が増すようフィンガー加工とよばれる加工を行う。比較
的短い木材材料を、その繊維方向（長手方向）に接ぎ合わせて長尺材を作る加工
法を縦接ぎ加工という。フィンガージョイントは、木の端をカッターで手の指
状に加工し、加工部に接着剤を塗ってはめ合わせ、圧着接着して長い材料を作
る方法である[22]。

⑥小片を長さ方向に接着してできた棒状のものを何本か合わせて幅方向に接着
　する。

⑦板状のものをきれいに仕上げる。　⑧強固に接着するように圧力をかける。

⑨所定の性能などを満たしているか
　出荷検査して梱包出荷する。

提供：東京木材問屋協同組合[23)]

（2）- 4　木材の加工法

　木材の加工法には、のこぎりで切断する、かんなで木の表面を薄く削って美しく仕上げる、「たたきのみ」と「げんのう」で穴をあける、ほぞを作って接合するなどがある。

[図Ⅳ - 5]　たたきのみとげんのう

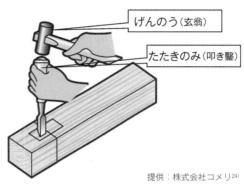

げんのう（玄翁）

たたきのみ（叩き鑿）

提供：株式会社コメリ[24]

[写真Ⅳ -10]　ほぞによる接合

提供：中国木材[25]

（2）- 5　木材の表面仕上げ

　木材の表面仕上げは、何も塗布せずに無垢（むく）のままという製品もあるが、通常は表面保護や美観のため表面仕上げを行う。木材の表面仕上げには、下記のような種類がある。

［表Ⅳ - 1］木材の表面仕上げ

区分（表示用語）	内　　　　　容
漆仕上げ	精製漆を塗って仕上げたもの。ただし、精製漆の量（顔料が含まれている場合は顔料の量を含まない）に対して更に10％以内の量の硬化剤（樹脂である硬化剤を含む）並びに所要の機能を得るために必要な量を超えない量の添加剤、顔料及び溶剤を加えたものも含む。
漆・樹脂混合仕上げ	精製漆及び樹脂の混合塗料の量に対して50％以上の量の精製漆を含む塗料を塗って仕上げたもの
カシュー仕上げ	カシューかく油等を樹脂化した塗料で仕上げたもの
ウレタン仕上げ	ポリウレタン樹脂塗料で仕上げたもの
樹脂・漆混合仕上げ	樹脂及び精製漆の混合塗料の量に対して50％未満の量の精製漆を含む塗料を塗って仕上げたもの
セルロースラッカー仕上げ	セルロースラッカー塗料で仕上げたもの
ポリエステル仕上げ	ポリエステル樹脂塗料で仕上げたもの
オイル仕上げ	油性塗料を含浸させて仕上げたもの

出所：仏壇公正取引協議会[26]

　著者は、2010年から、経済産業省製造産業局参事官として、景品表示法に基づいて仏壇の公正な表示方法を決める規約作成、その一環として木材の表面仕上げの表示と内容、漆塗りの定義の決定に貢献した。

| 業界研究 14　木材・住宅・家具 |

　林業[27] は、木を育て、森を作り、育った木を切って売る産業をいう。山に苗木を植え、50年〜60年、大切に世話をしながら育てる。植えた木の中から、成長が遅い木、曲がった木、枯れた木、病気の木などを選んで間伐をする。木が大きくなったら伐採し、また新しい苗木なえぎを植える。このくりかえしが林業である。

　住宅業界の売上げは約15兆円（2021年）[28]。新築一戸建てを建築するメーカーをハウスメーカーという。売り上げが大きい企業は、ダイワハウス、積水ハウス、飯田グループ、住友林業、ヘーベルハウス、セキスイハイム、ミサワホーム、一条工務店、パナソニックホームズ（パナホーム）、三井ホームなどがある[29]。

　カリモク家具は、1940年創業の日本を代表する木製家具メーカーで、世界的に評価され、国内各地にショールームを持っている[30]。

　仏壇製造業は、家庭の仏壇を製造、販売するほか、寺院の仏具、内装工事なども行っている[31]。

　　　［課題15］ 業界研究（木材・住宅・家具）

　　　　リクナビの業界ナビ[32]、マイナビの業界研究[33] から、木材・住宅・家具について調べてみよう。木材・住宅・家具から一つ企業を選んで調べてみよう。

［推薦図書７］『図解 木と木材がわかる本』岩本 恵三、小澤 普照（2008）日本実業出版社

（3）繊　維

（3）- 1　繊維の種類

　天然繊維のうち、**綿**は、吸水性、耐熱性、耐洗濯性がよいが、縮みやすく、しわになりやすく、長時間太陽光に当たると黄変しやすい。**ウール**（羊毛、獣毛）は、風合いが良く、弾力にすぐれてしわになりにくく、空気を多く含み保温力に優れているが、虫がつきやすく、水分を含むと収縮して硬くなる。**シルク**（絹）は、軽くて美しい光沢があり、風合いが良く、美しい発色性があり、保温力も良いが、虫がつきやすく、長時間太陽光に当たると劣化する[34]。

　化学繊維のうち、**ナイロン**は、弾力性に富み、丈夫で軽いため、スポーツウェアや靴下などに使われている。**ポリエステル**は、しわになりにくく、速乾性があるので、Ｔシャツやフリースなど幅広い用途で使われている。**アクリル**は、保温性があり、毛に似た風合いで暖かいので、セーターやカーディガンなど、冬物に多く使われている。また、発色性がいいので、鮮やかな色彩の服を作り出すことがでる。**ポリウレタン**は、ゴムのような伸縮性があるので、他の繊維と混ぜて、水着やストッキングなどに多く使われている[35]。

[写真Ⅳ -11] 天然繊維と製品の例

〈綿〉

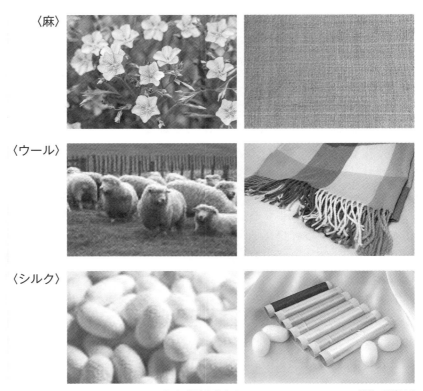

〈麻〉

〈ウール〉

〈シルク〉

出所：経済産業省[36]　　　　　　　提供：写真 AC

（3）- 2　繊維の加工法

　繊維の加工法には、染料で繊維を染める染色、縦糸と横糸を直角に組み合わせる織物、糸でループを作り、そのループに引っかけながら連続して編む編み物、機械加工、熱処理、接着剤などの加工で織ったり編んだりしないで布状にした不織布などがある[37]。

業界研究 15　繊維産業

　江戸時代からの伝統的な日本の繊維業界の構造は、メーカー（川上）→卸売業（川中）多段階→小売業（川下）という3段階から成っていた。これは、リス

ク分散、分業のためで、問屋（商社）がコーディネート役を果たしてきた。「そうは問屋が卸さない」（物事はそう簡単には運ばないというたとえ。そんな安値では問屋は卸してくれないという意味の表現[38]。）という慣用句の語源である。

[図Ⅳ-6] 繊維業界の構造

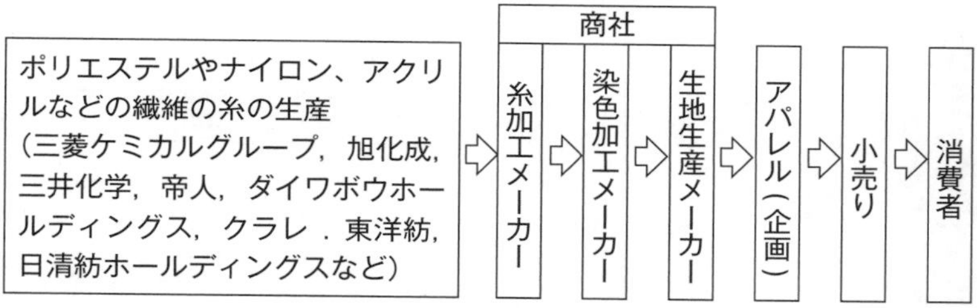

出所：経済産業省[39]から著者作成。糸の生産メーカーは日本経済新聞[40]

　近年は、製造小売業（SPA, Specialty store retailer of Private label Apparel）と呼ばれる、アパレルの企画、製造、販売を1社ですべて行う「ZARA」（インディテックス社）、「ユニクロ」（ファーストリテイリング社）など[41]が、売上げを伸ばしている。

[課題16] 業界研究（ファッション、アパレル・服飾業界）
　リクナビの業界ナビ[42]、マイナビの業界研究[43]から、ファッション、アパレル・服飾業界について調べてみよう。

[推薦図書8]『繊維の種類と加工が一番わかる』日本繊維技術士センター
　　　　　（2012）技術評論社

[表Ⅳ-2] プラスチックの種類、特長、用途

	JIS略語	樹脂名		常用耐熱温度(℃)	酸に対して	アルカリに対して	アルコールに対して
熱可塑性樹脂 / 汎用プラスチック	PE	ポリエチレン	低密度ポリエチレン	70〜90	良	良	良
			高密度ポリエチレン	90〜110	良	良	良
	EVAC		EVA樹脂	70〜90	多少おかされるものもある	多少おかされるものもある	良
	PP	ポリプロピレン		100〜140	良	良	良
	PVC	塩化ビニル樹脂(ポリ塩化ビニル)		60〜80	良	良	良
	PS	ポリスチレン(スチロール樹脂)	ポリスチレン	70〜90	良	良	長時間入れておくと内容物の味が変わる
			発泡ポリスチレン	70〜90	良	良	長時間入れておくと内容物の味が変わる
	SAN	AS樹脂		80〜100	良	良	くり返し使用すると不透明となる
	ABS	ABS樹脂		70〜100	良	良	長時間で膨潤する
	PET	ポリエチレンテレフタレート(PET樹脂)	延伸フィルム 〜200		良	良 (強アルカリを除く)	良
			無延伸シート 〜60				
			耐熱ボトル 〜85				
	PMMA	メタクリル樹脂(アクリル樹脂)		70〜90	良	良	僅かに内容物に異臭を生じる
	PVAL	ポリビニルアルコール		40〜80	軟化又は溶解	軟化又は溶解	低ケン化は溶解
	PVDC	塩化ビニリデン樹脂(ポリ塩化ビニリデン)		130〜150	良	良	良
エンジニアリングプラスチック	PC	ポリカーボネート		120〜130	良	多少おかされるものもある(洗剤等)	良
	PA	ポリアミド(ナイロン)		80〜140	多少おかされるものもある	良	浸透のおそれあり
	POM	アセタール樹脂(ポリアセタール)		80〜120	おかされるものもある	良	良
	PBT	ポリブチレンテレフタレート(PBT樹脂)		60〜140	良	良	良
	PTFE	ふっ素樹脂		260	良	良	良
熱硬化性樹脂	PF	フェノール樹脂		150	良	良	良
	MF	メラミン樹脂		110〜130	良	良	良
	UF	ユリア樹脂		90	不変又はわずかに変化	わずかに変化する	良
	PUR	ポリウレタン		90〜130	多少おかされる	多少おかされる	良
	EP	エポキシ樹脂		150〜200	良	良	良
	UP	不飽和ポリエステル樹脂		130 〜150	良	良	良

食用油に対して	特 長	主な用途
良	水より軽く（比重<0.94）、電気絶縁性、耐水性、耐薬品性、環境適性に優れるが耐熱性は乏しい。機械的に強靭だが柔らかく低温でももろくならない。	包装材（袋、ラップフィルム、食品チューブ用途）、農業用フィルム、電線被覆、牛乳パックの内張りフィルム
良	低密度ポリエチレンよりやや重い（比重>0.94）が水より軽い。電気絶縁性、耐水性、耐薬品性に優れ、低密度ポリエチレンより耐熱性、剛性が高い。白っぽく不透明。	包装材（フィルム、袋、食品容器）、シャンプー・リンス容器、バケツ、ガソリンタンク、灯油かん、コンテナ、パイプ
良	透明で柔軟性があり、ゴム的弾性に優れ低温特性に富んでいる。接着性に優れるものもある。耐熱性は乏しい。	農業用フィルム、ストレッチフィルム
良	最も比重（0.9～0.91）が小さい。耐熱性が比較的高い。機械的強度に優れる。	自動車部品、家電部品、包装フィルム、食品容器、キャップ、トレイ、コンテナ、パレット、衣装函、繊維、医療器具、日用品、ごみ容器
良	燃えにくい。軟質と硬質がある。水に沈む（比重1.4）。表面の艶・光沢が優れ、印刷適性が良い。	上・下水道管、継手、雨樋、波板、サッシ、床材、壁紙、ビニルレザー、ホース、農業用フィルム、ラップフィルム、電線被覆
柑橘類に含まれるテンペル油や、エゴマ油等の一部の油脂に侵されることがある	透明で剛性があるGPグレードと、乳白色で耐衝撃性をもつHIグレードがある。着色が容易。ベンジン、シンナーに溶ける。	OA・TVのハウジング、CDケース、食品容器
柑橘類に含まれるテンペル油や、エゴマ油等の一部の油脂に侵されることがある	軽くて剛性がある。断熱保温性に優れている。ベンジン、シンナーに溶ける。	梱包緩衝材、魚箱、食品用トレイ、カップ麺容器、畳の芯
良	透明性、耐熱性に優れている。	食卓用品、使い捨てライター、電気製品（扇風機のはね、ジューサー）、食品保存容器、玩具、化粧品容器
良	光沢、外観、耐衝撃性に優れている。	OA機器、自動車部品（内外装品）、ゲーム機、建築部材（室内用）、電気製品（エアコン、冷蔵庫）
良	透明性に優れ、強靭で、ガスバリア性に優れている。	絶縁材料、光学用機能性フィルム、磁気テープ、写真フィルム、包装フィルム
良	透明性に優れ、耐油性、成形加工性、耐薬品性に優れている。	惣菜・佃煮・フルーツ・サラダ・ケーキの容器、飲料カップ、クリアホルダー、各種透明包装（APET）
	透明で、強靭で、ガスバリア性に優れている。	飲料・醤油・酒類・茶類・飲料水などの容器（ペットボトル）
良	無色透明で光沢がある。ベンジン、シンナーに侵される。	自動車リアランプレンズ、食卓容器、照明板、水槽プレート、コンタクトレンズ
良	水溶性、造膜性、接着性、耐薬品性、酸素バリア性に優れる。	ビニロン繊維、フィルム、紙加工剤、接着、塩ビ懸濁重合安定剤、自動車安全ガラス
良	無色透明で、耐薬品性が良く、ガスバリア性に優れている。	食品用ラップフィルム、ハム・ソーセージケーシング、フィルムコート
良	無色透明で、酸には強いが、アルカリに弱い。特に耐衝撃性に優れ、耐熱性も優れている。	DVD・CDディスク、電子部品ハウジング（携帯電話他）、自動車ヘッドランプレンズ、カメラレンズ・ハウジング、透明屋根材
良	乳白色で、耐摩耗性、耐寒冷性、耐衝撃性が良い。	自動車部品（吸気管、ラジエタータンク、冷却ファン他）、食品フィルム、魚網・テグス、各種歯車、ファスナー
良	白色、不透明で、耐衝撃性に優れ耐摩耗性が良い。	各種歯車（DVD他）、自動車部品（燃料ポンプ他）、各種ファスナー・クリップ
良	白色、不透明で、電気特性その他物性のバランスがいい。	電気部品、自動車電装部品
良	乳白色で耐熱性、耐薬品性が高く非粘着性を有する。	フライパン内面コーティング、絶縁材料、軸受、ガスケット、各種パッキン、フィルター、半導体工業分野、電線被覆
良	電気絶縁性、耐酸性、耐熱性、耐水性が良い。燃えにくい。	プリント配線基板、アイロンハンドル、配電盤ブレーカー、鍋・やかんのとって・つまみ、合板接着剤
良	耐水性が良い。陶器に似ている。表面は硬い。	食卓用品、化粧板、合板接着剤、塗料
良	メラミン樹脂に似ているが、安価で燃えにくい。	ボタン、キャップ、電気製品（配線器具）、合板接着剤
良	柔軟～剛直まで広い物性の樹脂が得られる。接着性・耐摩耗性に優れ、発泡させても多様な物性を示す。	発泡体はクッション、自動車シート、断熱材が主用途。非発泡体は工業用ロール・パッキン・ベルト、塗料、防水材、スパンデックス繊維
良	物理的特性、化学的特性、電気的特性などに優れている。炭素繊維で補強したものは強い。	電気製品（IC封止材、プリント配線基板）、塗料、接着剤、各種積層板
良	電気絶縁性、耐熱性、耐薬品性が良い。ガラス繊維で補強したものは強い。	浴槽、波板、クーリングタワー、漁船、ボタン、ヘルメット、釣り竿、塗料、浄化槽

出所：日本プラスチック工業連盟 http://www.jpif.gr.jp/2hello/conts/youto_c.htm （2021/8/21取得）

（4）プラスチック

（4）-1　プラスチックの種類

　プラスチックの種類、特長、用途は、[表Ⅳ-2] のとおりである。熱可塑性樹脂（ねっか そせい）は、熱を加えると溶け、冷やすと固まる。熱硬化性樹脂（じゅし）（こうか）は、熱を加えると固まる[44]。

　プラスチックが材料として選ばれる理由は、費用、耐熱、耐酸性、耐アルカリ性、耐アルコール、耐食用油、美観、光沢、比重、耐衝撃性、電気絶縁性、電導性、柔軟性など多様である。プラスチックが材料として多く選択される理由は、その性質の多様性にあると言え、様々な機能をねらってプラスチックが開発されてきた。

　一方で、使用済みのプラスチック製品の不適切な廃棄によって海に流出するプラスチックが世界全体で年間480万～ 1,270万トンと試算されている。プラスチックは、海の波や紫外線によって細かい「マイクロプラスチック」となり、これに有害化学物質が吸着・蓄積され、海洋生物に被害を与え、食物連鎖を通じて人や生態系にも悪影響を与えるとして、プラスチックの使用規制の動きが世界で進んでいる[45]。国際連合は、SDGs の一環として、プラスチック汚染への取組みを促している[46]。

（4）-2　プラスチックの加工

　プラスチックの加工は、プラスチック・ペレットという米粒状（こめつぶ）のプラスチック材料に熱を加えて柔らかくし、金型に押し出して製品の形とする。

　プラスチック・ペレットは、化学会社が製造したプラスチック・ペレット（樹脂）を、樹脂と樹脂を混ぜたり、樹脂と色素、添加剤などを混ぜたりして調合し、色、帯電防止、耐候性などの機能を付加する。

[写真Ⅳ-12] プラスチック原料：プラスチック・ペレット（上）と着色剤（下）

プラスチック・ペレット

着色剤

提供：トーヨーカラー株式会社[47]

[図Ⅳ-7] プラスチック射出成形機とその仕組み

射出成形機

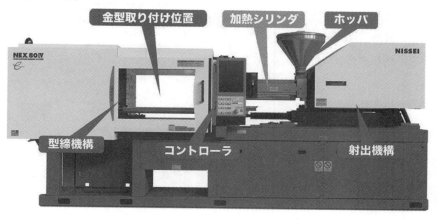

①溶かす（溶融）

　　米粒状のプラスチック・ペレットを、加熱シリンダの中で加熱（200～300℃）し、水アメ状に溶かす。

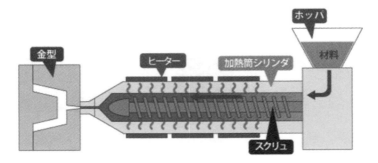

②流す（射出）

　　溶けた材料を、注射器のように圧力をかけて金型の中に流し込む。

③固める（保圧・冷却）

　　金型内に流し込まれたプラスチックが固まるまで、数秒から数分、圧力をかけたまま冷却する。

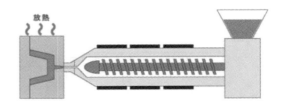

④取り出す

（型開き・製品取り出し）

　　製品が固まった後、金型を開いて成形品を取り出す。

提供：日精樹脂工業株式会社[48]

[写真Ⅳ-13] 金型とプラスチック製品

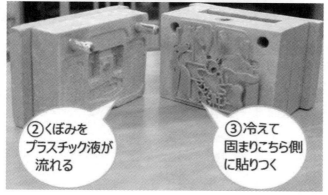

提供：秋東精工[49]

業界研究 16　石油精製、化学、ゴム、薬品・化粧品業界

　原油を加熱して気化させ、温度を下げながら液化すると、温度によって異なる成分に分かれる。最も低温で気化するものはLPガス、最も高温にしても気化しないで固形物として残るものは重油やアスファルトである。

　原油を精製すると、ガソリン・灯油・軽油・重油などの石油製品が同時に生産される。原油からは、[図Ⅳ-9]のように、ほぼ一定の比率でしか石油製品ができない。ガソリンや灯油など特定の製品だけを増産することは難しい。

[図Ⅳ-8] 原油の精製工程

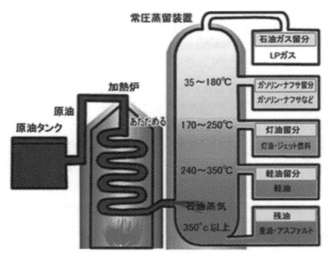

常圧蒸留装置

石油ガス留分
LPガス

35〜180℃ ガソリン・ナフサ留分
ガソリン・ナフサなど

170〜250℃ 灯油留分
灯油・ジェット燃料

240〜350℃ 軽油留分
軽油

残油
350℃以上 重油・アスファルト

加熱炉
あたためる
原油
原油タンク
石油蒸気

出所：石油情報センター 50)

[図Ⅳ-9] 原油からは、ほぼ一定の比率でしか石油製品ができない

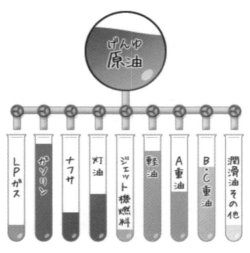

げんゆ
原油

LPガス
ガソリン
ナフサ
灯油
ジェット機燃料
軽油
A重油
B・C重油
潤滑油その他

出所：
石油情報センター 51)

[図Ⅳ-10] 化学業界の構造

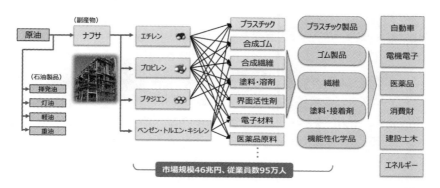

出所：経済産業省[52]

　ナフサは、粗製ガソリンともいい、ガソリンと同じ温度で気化する原油成分である。ナフサを熱分解してエチレン、プロピレン、ブタジエン、ベンゼン、トルエン、キシレンなどの石油化学原料を作る。また、ガソリン配合材にも用いられる[53]。

　エチレン、プロピレン、ブタジエン、ベンゼン、トルエン、キシレンなどの石油化学原料から、プラスチック、合成ゴム、合成繊維などを製造する。

　石油化学コンビナートは、石油精製工場を中心に、化学、鉄鋼、電力などの企業が工場を隣接させ、工場どうしを、原料、製品を輸送するパイプで結合したものをいう[54]。

　石油業界の売上げは約23兆円（2021年）[55]。原油を精製する石油元売りメーカーは、ENEOS ホールディングス、出光興産、昭和シェル石油、コスモエネルギーホールディングスなどがある。

　化学業界の売上げは約44兆円（2021年）[56]。化学メーカーは、住友化学、富士フイルム HD、旭化成、信越化学工業、三井化学、昭和電工、花王、積水化学工業、資生堂などがある。

　日本の化学産業は、フォトレジスト、CMP スラリー（化学的機械的液体研磨

剤）、リチウム電池の素材[57]、液晶ディスプレイ用偏光板・保護フィルム[58]、カーボンファイバー（炭素繊維）、シリコンウエハ[59] など、付加価値が高い機能性化学部材の競争力が強く、世界シェアが高い。

［課題17］業界研究（石油精製、化学、ゴム、薬品・化粧品業界）

リクナビの業界ナビ[60]、マイナビの業界研究[61] から、石油精製、化学、ゴム、薬品・化粧品業界について調べてみよう。石油精製、化学、ゴム、薬品・化粧品業界から一つ企業を選んで調べてみよう。

（5）ガラス

ガラスは、シリカ（SiO_2）が主成分の珪砂という砂がガラスの主原料である。これを高温にして熔かし、必要な形に成型するとガラス製品になる。一般的に、自然の固体状の物質は固有の規則的な結晶構造をもっている。しかし、ガラスは、結晶構造を持たず、網の目が不規則に連なっている構造で、ガラス状態というものであり、その性質は液体に近いと考えられている。熱を加えれば液体状になり、冷却すれば固まる。ガラスは、こうした性質を利用して造られている。

合わせガラスは、2枚のガラスの間に中間膜を貼り合わせたもので、飛散防止・安全ガラス、防犯ガラスとしての需要が拡大している[62]。

業界研究 17　ガラス、セラミックス、セメント

窯業は、窯で1000℃以上の高温で粘土などを焼成処理してセラミックス（ceramics）を製造する化学工業をいう。セラミックスは、土器・陶器・磁器・ガラス・セメントなどの窯業製品をいう。原料は、伝統的には粘土（陶器）、陶石（磁器）である。

ガラス業界の売上げは約4兆円（2021年）[63]。ガラスメーカーは、AGC（旧：旭硝子）、日本板硝子、HOYA などがある。

[図Ⅳ-11]　ガラスの構造

自然の固体状の物質構造イメージ（左）とガラスの構造イメージ（右）

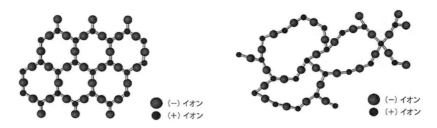

提供：AGC 株式会社

　ファインセラミックスは、アルミナ、チタン酸バリウムなどを原料とし、特殊な機能をもつ。京セラは、ファインセラミックスの技術開発、応用、製品開発を行っている。

　セメントは、石灰石原料と粘土原料を重量比で4対1の割合で混合し、微粉砕し、約1400℃で焼成する[64]。コンクリートは、セメント、水、砂利を練りまぜて硬化させたものをいう。コンクリートは圧縮力には強いが引張力には非常に弱いため、鉄筋を入れて鉄筋コンクリートなどにする[65]。セメント業界の売上げは約1兆円（2021年）[66]。主な企業に、太平洋セメント、住友大阪セメント、UBE 三菱セメントがある。

［課題18］業界研究（ガラス、セラミックス、セメント）

　リクナビの業界ナビ[67]、マイナビの業界研究[68] から、ガラス、セラミックス、セメントについて調べてみよう。ガラス、セラミックス、セメントから一つ企業を選んで調べてみよう。

［注］

6）岩鋳 https://iwachu.co.jp/iron_process/iioka/　（2019/4/8取得）

7）森山工業㈱ http://mkk-jp.jp/　（2019/4/8取得）

8）宮崎県 http://www.i-port.or.jp/platform/companies/skc_mitsuwa.html　（2019/4/8取得）

9）小学館デジタル大辞泉

10）https://www.nikkei4946.com/　（2023/6/4取得）

11）https://www.meti.go.jp/committee/kenkyukai/sansei/kaseguchikara/pdf/010_s03_02_03_01.pdf　（2022/10/18取得）

12）平凡社世界大百科事典 第2版

13）https://www.nikkei.com/compass/industry_s/0102　（2023/6/4取得）

14）https://gyokai-search.com/　（2023/5/28取得）

15）https://gyokai-search.com/　（2023/5/28取得）

16）https://job.rikunabi.com/contents/industry/881/　（2020/05/20取得）

17）https://job.mynavi.jp/conts/2021/keyword/gyoukai/　（2020/05/20取得）

18）府中家具工業協同組合 http://wp1.fuchu.jp/~kagu/siryo/mokuzai.htm　（2019/4/11取得）

19）府中家具工業協同組合 http://wp1.fuchu.jp/~kagu/siryo/mokuzai.htm　（2019/4/11取得）

20）講談社 家とインテリアの用語がわかる辞典

21）東京木材問屋協同組合 https://www.mokuzai-tonya.jp/　（2019/4/11取得）

22）（一社）日本木材総合情報センター　http://www.jawic.or.jp/kakou/05.php　（2019/4/11取得）

23）東京木材問屋協同組合 https://www.mokuzai-tonya.jp/　（2019/4/11取得）

24）https://www.komeri.com/contents/howto/html/02920.html　（2021/ 6/7取得）

25）中国木材 http://www.chugokumokuzai.co.jp/home.html（2019/4/11取得）

26）仏壇公正取引協議会 https://www.butudan-kousei.com/profile/kiyaku2015-ver0915.pdf　（2019/4/11取得）

27）三井物産 https://www.mitsui.com/jp/ja/morikids/shakai/01.html　（2022/10/18取得）

28）https://gyokai-search.com/　（2023/5/28取得）

29）https://outinonayami.com/sintiku/housemaker-rank　（2022/10/18取得）

30）カリモク家具 https://www.karimoku.co.jp/corporateinfo/　（2022/10/18取得）

31）京仏壇小堀 https://kobori.co.jp/about-kobori/kobori-technology　（2022/10/18取得）

32）https://job.rikunabi.com/contents/industry/881/　（2020/05/20取得）

33）https://job.mynavi.jp/conts/2021/keyword/gyoukai/　（2020/05/20取得）

34）山下（2014）（p.65）

35）NHK　https://www.nhk.or.jp/kokokoza/tv/katei/archive/resume032.html（2019/4/11取得）

36）経済産業省 https://www.meti.go.jp/policy/mono_info_service/mono/fiber/pdf/180620seni_kadai_torikumi_r.pdf　（2019/4/11取得）

37）山下（2014）（p.68）

38）デジタル大辞泉

39）www.meti.go.jp/committee/kenkyukai/seizou/apparel_supply/pdf/005_05_00.pdf（2022/10/1取得）

40）https://www.nikkei.com/nkd/industry/complist/?n_m_code=021　（2022/10/1取得）

41）https://diamond-rm.net/glossary/75114/　（2022/10/1取得）

42）https://job.rikunabi.com/contents/industry/881/　（2020/05/20取得）

43）https://job.mynavi.jp/conts/2021/keyword/gyoukai/　（2020/05/20取得）

44）山下（2014）（p.69）

45）日本プラスチック工業連盟 https://www.jpif.gr.jp/environment/ocean/　（2023/7/11取得）

46）国 際 連 合 https://www.unic.or.jp/activities/economic_social_development/ sustainable_development/beat_plastic_pollution/　（2023/7/11取得）

47）トーヨーカラー　https://www.toyo-color.com/ja/products/plastic_colorants/about. html（2021/6/7取得）

48）日精樹脂 https://www.nisseijushi.co.jp/plastics/plastics3.php　（2019/4/13取得）

49）秋東精工 http://www.syuto.jp/archives/1142　（2019/4/13取得）

50）https://oil-info.ieej.or.jp/whats_sekiyu/index.html　（2022/10/24取得）

51）https://oil-info.ieej.or.jp/whats_sekiyu/index.html　（2022/10/24取得）

52）https://www.meti.go.jp/shingikai/sankoshin/seizo_sangyo/pdf/010_04_00.pdf （2022/10/24取得）

53）森北出版 化学辞典（第2版）

54）平凡社百科事典マイペディア

55）https://gyokai-search.com/　（2023/5/28取得）

56）https://gyokai-search.com/　（2023/5/28取得）

57）経 済 産 業 省 https://www.meti.go.jp/shingikai/sankoshin/seizo_sangyo/ pdf/010_04_00.pdf　（2023/7/12取得）

58）アイティメディア https://eetimes.itmedia.co.jp/ee/articles/2202/04/news036.html （2023/7/12取得）

59）ディールラボ https://deallab.info/　（2023/7/12取得）

60）https://job.rikunabi.com/contents/industry/881/　（2020/05/20取得）

61）https://job.mynavi.jp/conts/2021/keyword/gyoukai/　（2020/05/20取得）

62）AGC 建築ガラス総合情報サイト「ガラスプラザ」https://www.asahiglassplaza.net/ （2021/5/25取得）

63）https://gyokai-search.com/　（2023/5/28取得）

64）小学館　日本大百科全書 (ニッポニカ)

65）森北出版 化学辞典（第2版）

66）https://gyokai-search.com/　（2023/5/28取得）

67）https://job.rikunabi.com/contents/industry/881/　（2020/05/20取得）

68）https://job.mynavi.jp/conts/2021/keyword/gyoukai/　（2020/05/20取得）

第**3**節 工作機械

（1）工作機械

　工作機械は、機械部品を、必要とする形状・精度に効率よく加工する機械をいう。あらゆる機械やその部品類は工作機械によって作られるため、工作機械はすべてのものづくりを支えている。工業製品を構成する部品は、主として素材から削ったり、穴をあけたり（切削加工）、切削加工で制作した金型による量産などで作られる。工作機械は、金属、木材、繊維・テキスタイル、プラスチック、ガラス金属などの材料を加工することができる。

（2）工作機械の種類と加工方法

　工作機械は、作業者がハンドルを回すことなどによって操作する「**汎用工作機械**」と、コンピュータ等による数値制御で自動運転を行う「**NC 工作機械**」とに大きく分けることができる[69]。工作機械の動作状況は、工作機械メーカーの Web サイトなどで見ることができる[70]。

> コラム 3
>
> ### ワーク
>
> 　**ワーク**という言葉を機械加工現場ではよく耳にする。ワークは、加工される材料のことである。
>
> 　ワーク、すなわち、金属、木材、繊維・テキスタイル、プラスチック、ガラス金属などの加工される材料を工作機械にセットして、汎用機械であればハンドル操作などで、NC 工作機械であれば工作機械付属のコンピュータにデータ入力して、ワークに図面どおりの加工を施して製品としていく。

[写真Ⅳ-14] 汎用工作機械、NC工作機械

普通旋盤

NC工作機械

複合
旋盤

タレットパンチプレス
（タレパン）

ワイヤーカット
放電加工機

提供：佐賀県立産業技術学院[71]

［表Ⅳ-3］工作機械の種類と概要

工作機械名	概　　　要
旋盤 （せんばん）	工作機械の中で数多く用いられている代表的な機種の1つで、一般に円筒または円盤状の工作物を回転させて加工する機械。この機械により行う加工には、外丸削り、面削り、テーパ削り、中ぐり、穴あけ、突切り、ねじ切りなどがある。
ボール盤	ドリル工具を回転させて穴あけ加工を行う機械で、リーマ仕上げ、ねじ立てなどの加工も行うことができる。
中ぐり盤	ドリル工具などであけられた穴の内面を、より精度よく、所定の大きさに加工（中ぐり加工）する機械で、他にドリル加工、フライス加工などもできる。
フライス盤	フライス工具という工具を回転させ平面、曲面、みぞなどを加工する機械。加工に用いる工具には、正面フライス、エンドミル、みぞフライスなど多くの種類がある。
研削盤 （けんさくばん）	バイト、フライス工具などの切削工具の代わりに砥石車を用いて加工する機械で、加工精度がよく、切削加工より優れた仕上げ面が得られるという特長を持っている。
歯切り盤 （はきりばん）	ホブカッタ、ピニオンカッタ、ラックカッタという工具を用いて歯切り加工をする機械。
マシニングセンタ	中ぐり、フライス削り、穴あけ、ねじ立て、リーマ仕上げなど多種類の加工を連続で行えるNC工作機械で、それぞれの加工に必要な工具を自動で交換できる機能を備えている。機械の軸構成によって横形、立て形、門形など各種のマシニングセンタが使われている。近年では、直交3軸と旋回2軸とを同時に制御することで、複雑形状の加工を可能にする「5軸制御マシニングセンタ」の普及が進んでいる。
ターニングセンタ	旋盤を複合化したNC工作機械。NC旋盤の機能をより高め、多くの工具を備え、旋削加工の他に工具を自動で交換できる回転工具主軸を持ち、フライス削り、穴あけ等の加工も行うことができる。更に、旋回（割出し）しながら加工が可能な回転工具主軸を備える機械を特に「（旋盤形）複合加工機」といい、近年急速に普及が進んでいる。
放電加工機	電気による放電エネルギーを利用して加工を行う機械で、放電を行う電極の形状により形彫り放電加工機とワイヤ放電加工機に分けられる。その他、レーザのエネルギーを利用して切断、

	穴あけなどをする「レーザ加工機」や、工作物と超音波で振動する工具との間に、砥粒や加工液を入れ、工具を工作物に押し付けながら除去加工する「超音波加工機」などを含め、特殊加工機と総称している。
プレス加工機	プレス機械の中に金型を取り付け、その間に金属などの素材を入れて大きな圧力（大きなものでは3,000トン以上の加圧力）を加え、素材に金型の形状を写すことにより成形するもの。プレス加工とは、押し付ける力で材料を曲げたり伸ばしたりして金型のサイズどおりに変形し、その形を永久に維持させるようにする加工技術である。
タレットパンチプレス機	タレットパンチプレス機（タレパン）の金型は上下で一組になっていて、上金型と下金型で、金属板をはさみ圧力をかけて打ち抜く。金型上下一組を複数組セットして、材料をコンピュータ制御で移動させて、材料の同じ個所を複数組の金型で連続して加工することで、汎用金型で円弧状や難しい角度などの複雑な加工が可能。
木工機械	木を加工する工作機械。かんなをかける鉋（かんな）盤や、家具・建築用部材のほぞ加工、切断、溝付加工を行う機械など。

出所：日本工作機械工業会ほか[72]

業界研究 18　自動車、機械産業

　機械産業は、一般機械（原動機、産業機械、工作機械など）、電気機械、輸送機械（自動車、鉄道車両、船など）、精密機械、兵器の5種類に分類する[73]。

　自動車産業は、機械産業の中で最も売り上げが大きく、各産業の工作機械や製造した部品を使用する総合産業である。

　自動車製造の上位国は、中国、米国、日本、ドイツ、インド、メキシコ、韓国、ブラジルである。

　自動車市場が大きい上位国は、中国、米国、日本、ドイツ、インド、ブラジルである。

　メキシコ、韓国は、自国の市場に比べて生産が多い。輸出向けに製造する比率が高いことがわかる。メキシコは、北米自由貿易協定により、米国、カナダ

[図Ⅳ-12] **自動車産業は関連産業・雇用が多い**（2014年）

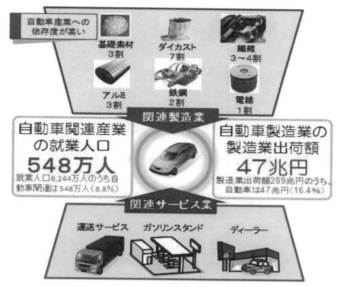

自動車産業への
依存度が高い

基礎素材
3割

ダイカスト
7割

繊維
3～4割

アルミ
3割

鉄鋼
2割

電線
1割

関連製造業

**自動車関連産業
の就業人口**
548万人
就業人口6,244万人のうち自
動車関連は548万人（8.8%）

**自動車製造業の
製造業出荷額**
47兆円
製造業出荷額289兆円のうち、
自動車は47兆円（16.4%）

関連サービス業

運送サービス　ガソリンスタンド　ディーラー

出所：経済産業省[74]

に無税で輸出できるため、米国向けの自動車産業が、安い賃金を求めて立地し
た。韓国の輸出先は、北米と欧州が多い[75]。

　自動車業界の売上げは約64兆円（2021年）[76]。日本の自動車メーカーは、トヨ
タ、日産、ホンダ、マツダ、スズキ、スバルなどがある。
　自動車部品業界の売上げは約34兆円（2021年）[77]。日本の自動車部品メーカー
は、デンソー、アイシン、豊田自動織機、日立製作所、パナソニック HD など
がある。

　工作機械の売上げは約6兆円（2021年）[78]。工作機械メーカーは、ファナッ
ク、マキタ、森精機、安川電機、アマダ、THK、不二越、コマツなどがある。

　建設機械の売上げは約10兆円（2021年）[79]。建設機械メーカーは、キャタピ

ラー、コマツ、日立建機などがある。

　精密機械の売上げは約6兆円（2021年）[80]。精密機械メーカーは、オリンパス、テルモ、HOYA、ニプロ、ニコン、島津製作所、シチズン時計、セイコーHD、日機装、トプコンなどがある。伝統的には、カメラ、医療機器、計測機器などを製造していたが、精密さを要求される多様なニーズに対応して、内容を広げている。

［課題19］業界研究（自動車、機械産業）

　リクナビの業界ナビ[81]、マイナビの業界研究[82] 自動車、機械産業から、について調べてみよう。自動車、機械産業から一つ企業を選んで調べてみよう。

［推薦図書9］『トコトンやさしい機械の本』朝比奈 奎一、三田 純義（2006）
　　　　　　日刊工業新聞社

［注］

69）日本工作機械工業会 http://www.jmtba.or.jp/machine（2019/4/14取得）

70）工作機械の動作状況動画例　汎用旋盤　沖縄県教育委員会 教育支援ビデオ https://www.youtube.com/watch?v=xjkbqmBpGPU　5軸マシニングセンタ　DMG MORI Japan　https://www.youtube.com/watch?v=gsO3CkgO4S4　タレットパンチプレス　タカチ電機工業 https://www.youtube.com/watch?v=cqb0o3Pu054 ワイヤーカット放電加工　NCネットワーク https://www.youtube.com/watch?v=Qci49mY6udw（2019/4/14取得）

71）佐賀県立産業技術学院 http://www.pref.saga.lg.jp/sangi/kiji00336280/index.html（2019/4/14取得）

72）プレス加工機はアイダエンジニアリング http://www.aida.co.jp/ir/person/pressmachine.html（2019/4/14取得）。タレットパンチプレス機はミツリ https://mitsuri.net/articles/turret-punch-press-foundation（2019/4/14取得）。木工機械は常盤工業株式会社 http://www.tokiwakk.co.jp/mokkouki.htm（2019/4/14取得）、キクカワエンタープライズ http://www.kikukawa.co.jp/product/woodworking.html（2019/4/14取得）。

73) 平凡社百科事典マイペディア

74) https://www.meti.go.jp/shingikai/sankoshin/seizo_sangyo/pdf/003_s02_02.pdf
（2022/10/25取得）

75) JETRO　　https://www.jetro.go.jp/biz/areareports/2022/182d9cfc9e1c0a09.html
（2022/10/25取得）

76) https://gyokai-search.com/　（2023/5/28取得）

77) https://gyokai-search.com/　（2023/5/28取得）

78) https://gyokai-search.com/　（2023/5/28取得）

79) https://gyokai-search.com/　（2023/5/28取得）

80) https://gyokai-search.com/　（2023/5/28取得）

81) https://job.rikunabi.com/contents/industry/881/　（2020/05/20取得）

82) https://job.mynavi.jp/conts/2021/keyword/gyoukai/　（2020/05/20取得）

第4節 電 気

（1） 電気の基本

（1）-1 直流・交流

　直流は、電気が導線の中を流れるとき、時間に対してその向きや大きさ（電流）、勢い（電圧）が変化しない電気の流れ方をいう。電池に豆電球をつないで光らせたときに流れている電気は直流で、電気は常に一方通行で変化しない。したがって、懐中電灯など電池を使う電気製品は、電池の向きに気をつけなければならない。

　交流は、時間に対して電気の流れる向き、電流、電圧が周期的に変化している流れ方をいう。同じリズムで電気が向きを交互に変えながら流れる電気の流れ方で、家庭で利用する電気はすべて交流である。コンセントから流れる電気や、電灯をつけている電気は、常に行ったり来たりをくり返している。コンセントに刺して使う電気製品がプラグをどちらの向きに刺しても使えるのは交流用の電気製品だからである。

（1）-2 電流・電圧

　電流を生ずる起電力をもつ機器を電源という。直流電源は、乾電池、蓄電池、太陽電池、直流発電機などがある。交流電源は交流発電機などがある[83]。

　電流は、電荷の流れ[84]をいう。水の分子の流れを水流とよぶのに似ている。正電荷の流れる向きを電流の向きと定めてある。電流を運ぶものは多くの場合は電子であり、電子は負電荷を帯びているから電子の動く向きと電流の向きとは反対になる[85]。電流の量記号は I、単位は A（アンペア）。アンペアは電磁気

量の基本的な実用単位で**国際単位系（SI）の７つの基本単位の１つである**重要な単位である[86]。国際単位系（SI）は第Ⅵ章で詳述する。

　電圧は、２点間の電位の差で、量記号 V、単位は V。交流電圧は、大きさが絶えず変化しているので、電圧の瞬時値の２乗の１周期間の平均をとり、この平方根の値を電圧、実効値という[87]。

[図Ⅳ-13] **直流・交流の電圧**

　直流は、電気の向きや電圧が変化しない。

　交流は、同じリズムで電気が向きを交互に変えながら流れる。

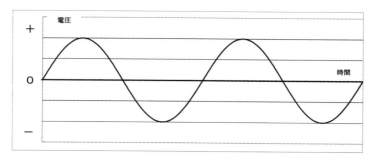

　電気工学では、真空管回路における抵抗や、機械設備が消費する動力など電気的エネルギーを消費するものを負荷という[88]。電流の強さは、導線の両端にかけられた電位差 V に比例する（オームの法則）。その比例係数を**電気抵抗**という。量記号は R、単位はΩ（オーム）。金属導体では、電流は自由電子が電位差

[写真Ⅳ-15]
パソコンの
AC（交流）
アダプタ

提供：著者撮影

に伴う電場を受けて流れるために生ずる。このとき、熱運動をしている金属原子や不純物原子と衝突して、自由電子の流れが妨げられることが電気抵抗の原因である。

　　[オームの法則]

$$電流 I = \frac{電圧 V}{電気抵抗 R}$$

（1）- 3　交流・直流の変換

①AC（交流）アダプタ

　AC（交流）アダプタは、小型の家電製品などに用いる［写真Ⅳ-15］のような装置をいう。ノートパソコン、家庭用ゲーム機、携帯電話の充電などで使われる。家庭向けの交流電流を直流電流に変換し変圧するタイプが最も普及しているため、AC（交流）-DC（直流）アダプタともいう。

②コンデンサ、変圧器、整流機

　コンデンサ（condenser）は、キャパシタ（capacitor）、蓄電器ともいい、空気または誘電体をはさんで2枚の導体板を向かい合わせ、電気をたくわえる装置をいう[89) 90]。平滑用コンデンサは、電力が強いときは電気を蓄え、電力が弱いときは放電するコンデンサの性質を利用して電気の波を平滑化している。

　パソコンの AC（交流）アダプタが、交流電力を直流電力に変換する仕組み
は、まず、家庭用電源（交流100ボルト）をパソコンに適した交流16ボルトなど
に**変圧器**で変圧する［図Ⅳ-14②］。次に、周期的に電流の向きが変わる交流の
うち、一定の向きだけの電流を**整流器**（ダイオード）で取り出して、電流の向き
を揃える［図Ⅳ-14③］。しかし、この段階では、電流の向きは揃っているもの
の、電流の強弱には波が残っている。したがって、平滑用**コンデンサ**で電圧の
変動を抑え、同じ向きに、同じ電圧で電流が流れる直流にする［図Ⅳ-14④］。

［図Ⅳ-14］交流電流を直流電流に変換する仕組み

　①全体の仕組み

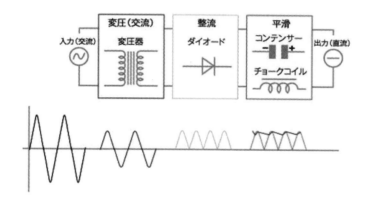

　②変圧器で家庭用電源（交流100ボルト）をパソコンに適した交流16ボルトなど
　に変圧する。

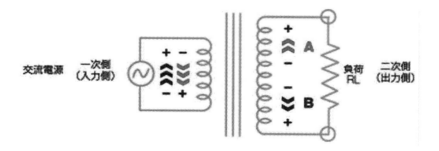

③整流器（ダイオード）を通して電気の方向を揃える。

　単純に整流器（ダイオード）を通すと反対向きの電流はカットされ右上のようになる。回路を工夫して反対向きの電流を反転させて加えると左下のようになる。

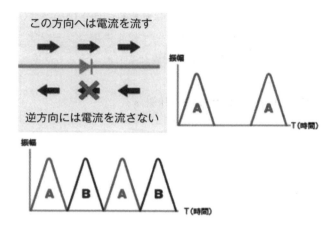

④平滑用コンデンサで
　電圧の変動を抑える。

提供：株式会社 MISAKI[91]

　太陽電池で発電された電流は直流であるので、交流を使用している電力会社に売電したり、送電線に送って利用するには、逆に、直流から交流への変換が必要になる。

[図Ⅳ-15]　太陽光発電から送電線まで

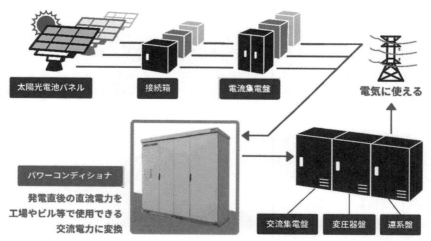

太陽光電池パネル　　　接続箱　　　　電流集電盤　　　　電気に使える

パワーコンディショナ

発電直後の直流電力を
工場やビル等で使用できる
交流電力に変換

交流集電盤　　　変圧器盤　　　連系盤

提供：株式会社 ダイヘン[92]

③インバータ

　インバータは、半導体を使った電力変換装置の1つで、直流を交流に変換する装置を DC（直流）-AC（交流）インバータという。一般には、交流を直流に変換する AC（交流）-DC（直流）コンバータと、DC（直流）-AC（交流）インバータを組み合わせ、任意の周波数と電圧に変換する回路をインバータ回路（インバータ）という。

　太陽光発電用パワーコンディショナは、インバータの一種で、太陽光発電が作った直流電力を電力会社が使用する交流電力へと変換させている。直流・交流の変換や、長距離の送電を行うとエネルギーの一部が消失する。したがって、太陽電池の利用は、発電した近くで直流のまま使用する方が効率が良い。

（2）太陽光発電

（2）- 1　太陽電池

　太陽電池は、クリーンなエネルギーとして利用が進み、宇宙空間でも利用されている。太陽の光エネルギーを吸収して電気エネルギー（電力）に変える。その仕組みには半導体の性質を利用している。光から電力への変換は直接的かつ瞬間的に行われる。このため、光が当たっているときしか発電しない。蓄電する機能はない。火力発電などのように、蒸気や化学反応や回転運動を使う必要がなく、燃料を使わず、排気ガスや燃えカスも出さない。

[図Ⅳ -16] **太陽光発電の仕組み**

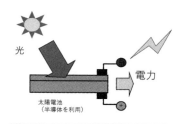

光

電力

太陽電池
（半導体を利用）

光のエネルギーを**電力**に変える

お日さまにあたると…？

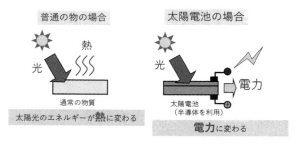

普通の物の場合

太陽電池の場合

熱

光

光

通常の物質

電力

太陽電池
（半導体を利用）

太陽光のエネルギーが**熱**に変わる

電力に変わる

提供：産業技術総合研究所

[図Ⅳ -17] 物質に光が当たると熱くなる仕組み

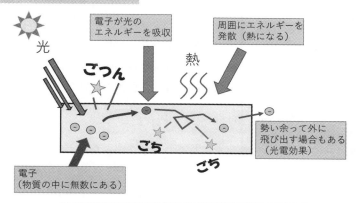

普通の物質の場合

光

ごつん

電子が光の
エネルギーを吸収

熱

周囲にエネルギーを
発散（熱になる）

ごち

ごち

電子
（物質の中に無数にある）

勢い余って外に
飛び出す場合もある
（光電効果）

**光が一瞬「電力」になってか
ら、熱に変わっている**

提供：産業技術総合研究所

[図Ⅳ -18] 太陽電池に光が当たると発電する仕組み

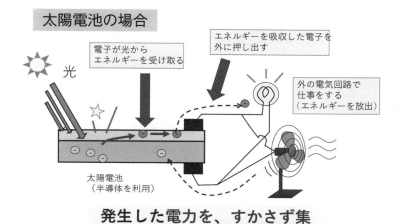

太陽電池の場合

光

電子が光から
エネルギーを受け取る

エネルギーを吸収した電子を
外に押し出す

外の電気回路で
仕事をする
（エネルギーを放出）

太陽電池
（半導体を利用）

**発生した電力を、すかさず集
めて取り出すのが太陽電池**

提供：産業技術総合研究所

　太陽電池の仕組みを解説する。物質には、無数の電子が含まれている。物質に光が当たると、物質の中の電子が光のエネルギーを吸収し、周囲にそのエネルギーをばらまいて元に戻ろうとする。ばらまかれたエネルギーが熱になり、物質全体を暖める。

　太陽電池に光が当たり、電子が光のエネルギーを吸収すると、太陽電池は、エネルギーを吸収した電子を選別して、外部の電気回路へと押し出す。エネルギーを吸収した電子を選別する仕掛けには、半導体の性質を利用している。

（2）‐2　半導体とダイオード

　半導体は、条件によって電気を通したり通さなかったりする物質をいう。半導体には**p型半導体とn型半導体**との2種類がある。p型の半導体は伝導電子が少なめで、電子が足りない場所（正孔）を持っている。n型の半導体は動きやすい電子（伝導電子）が多く、接触した材料に向かって電子が逃げ出しやすくなっている。[図Ⅳ-19左上]

　p型とn型の半導体を接合したものをダイオードという。整流、センサ、発光（LEDやレーザー）、太陽電池などに使われている[93]。**ダイオード**では、n型半導体（伝導電子が多い）からp型半導体（伝導電子が少ない）へと伝導電子が逃げ出す。接合領域では、p型半導体の接合付近では電子が足りない場所（正孔）に電子が供給され、n型半導体の接合付近では電子が逃げ出すため、電子が足りない場所（正孔）も電子もない空乏層になる。[図Ⅳ-19左下]

　電子が逃げ出した後のn型半導体の接合付近は電子が足りなくなるので、プラスに帯電する。同様に、電子をもらったp型半導体の接合付近はマイナスに帯電する。このために接合部分に電界（内部電界）が生じる。内部電界は、n型半導体から逃げ出そうとする電子の流れを妨げるように働き、n型からp型へ電子が流れようとする力と釣り合った所で安定する。[図Ⅳ-19右下]

　半導体の接合部分に光が当たると、光のエネルギーによって半導体の価電子（原子内の最外殻の電子殻をまわっている電子）が光（光子）によって励起させられ

[図Ⅳ -19] ダイオードの仕組み

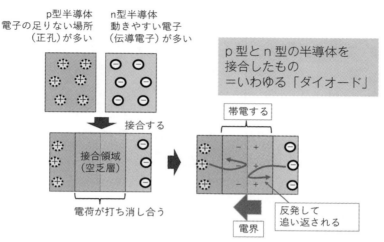

p型半導体
電子の足りない場所
（正孔）が多い

n型半導体
動きやすい電子
（伝導電子）が多い

p 型と n 型の半導体を
接合したもの
＝いわゆる「ダイオード」

接合する

接合領域
（空乏層）

帯電する

反発して
追い返される

電界

電荷が打ち消し合う

提供：産業技術総合研究所

[図Ⅳ -20] ダイオードによる太陽光発電の仕組み

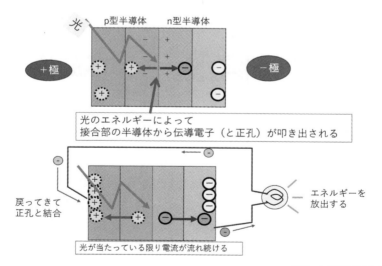

光

p型半導体

n型半導体

＋極

ー極

光のエネルギーによって
接合部の半導体から伝導電子（と正孔）が叩き出される

戻ってきて
正孔と結合

エネルギーを
放出する

光が当たっている限り電流が流れ続ける

提供：産業技術総合研究所[94]

る。励起とは、原子や分子などの粒子があるエネルギーをもった定常状態に、外部からエネルギーを与えて、より高いエネルギーをもつ定常状態に移すことをいう[95]。

　n型半導体内で励起させられた伝導電子が電界から解き放たれるだけのエネルギーを得ると、n型半導体内に伝導電子が生じ、p型半導体内に電子が足りない場所（正孔）が生じる。その結果、電子を外部へ押し出す力（起電力）が生まれる。起電力は光を当てている間は持続し、次々に電子が押し出され、外部の電気回路に電力が供給される。押し出された電子は外部の電気回路を通じてp型半導体の側へ戻り、正孔と結合する。

（3）原子力発電

　原子力発電は、過去にたいへん不幸な事故が起きているものの、ウラン原料の供給が安定していることや、酸素が得られない潜水艦でも稼働できることなどの理由で利用されている。

　原子力発電の仕組みは、［図Ⅳ-21］上図のように、ウラン235の原子核に中性子を当てると、ウラン原子は2つの原子核に分かれ、このとき大量の熱が発生する。原子力発電も、［図Ⅳ-21］下図のように、火力発電と同様に水を熱で蒸気に変えてタービンを回して発電する。

（4）燃料電池

　燃料電池は、水素と酸素を反応させてエネルギーを得て水しか排出しないクリーンさという利点があるものの、水素を作る（改質）ためにエネルギー源を必要とすることなどが課題である。**改質**は、一般に、炭化水素の組成・性質を改良することをいう[96]。水蒸気改質法は、メタンを原料とし、水蒸気を使用して合成ガス（水素および一酸化炭素）を得る方法で、工業化されており、国内のほとんどの水素がこの方法で作られている[97]。

［図Ⅳ-21］ 原子力発電の仕組み

〈核分裂のしくみ〉

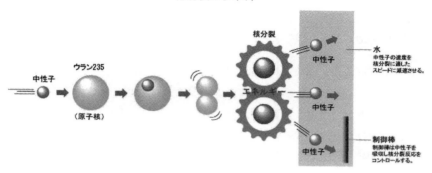

中性子

ウラン235
（原子核）

核分裂

エネルギー

中性子

水
中性子の速度を
核分裂に適した
スピードに減速させる。

中性子

制御棒
制御棒は中性子を
吸収し核分裂反応を
コントロールする。

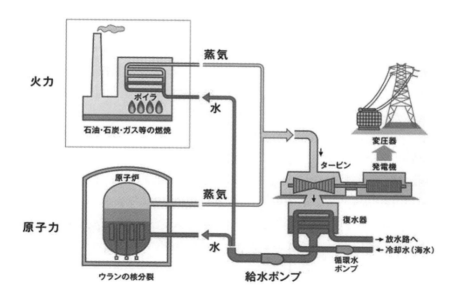

提供：上図：中国電力株式会社、下図：日本原子力文化財団「原子力・エネルギー図面集」[98]

[推薦図書10]『図解雑学 原子力』竹田 敏一（2002）ナツメ社

（5）日本のエネルギー源

　エネルギー源は、価格、利便性、安全性などの比較で需要者から選択される。例えば、石炭を燃やして走る蒸気機関車よりも重油を燃やして走るディーゼルカーの方が、鉄道事業者にとってコストが安く、便利（設備や人件費を減らせる、従業員の負担を減らせるなど）であれば、蒸気機関車は廃れてしまう。原子力発電の方が石油による発電よりもコストが安く、原料が安定的で、CO_2排出が少ないが、事故が起こったときの負担が大きいことを考えると、トレードオフ（trade‐off。一方の目標値を好ましい状態にするためには他方の目標値を好ましくない状態にせざるをえない関係）[99]の関係になるかもしれない。

（5）-1　日本のエネルギー源の歴史

　日本の明治時代以降のエネルギー源の変化をみると、江戸時代以前から使われていた薪や炭を使っていたが、国内の炭鉱で石炭が採掘されはじめ、1920年代（大正時代）には石炭が主流となった。1940-60年代（戦前、戦中、戦後）には水力発電が15％を占め、1955年に日本初の高さ100mを超える巨大ダムである上椎葉ダムが建設され、1963年には黒部ダム（黒四ダム）が建設されるなど、各地でダムによる水力発電所建設が行われた。

　1973年までには石油が主となったが、1974年、1979年に2回の石油危機（原油価格の高騰）が起きて、石油依存、中東産油国依存からの脱却が求められた。原子力発電は、ウランの供給元がカナダ、オーストラリアなど安定した国であること、コストが安いと考えられたことから2010年には11％まで比率を拡大した。しかし、東日本大震災における東京電力 福島第1発電所の事故により、1％程度まで縮小した。

[図IV -22] 日本のエネルギー源の変化

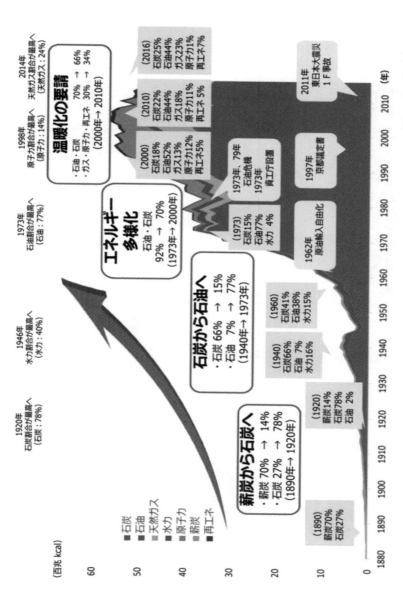

出所：エネルギー白書2018[100]

（5）-2　エネルギー間競争

　ある目的を達成するためのエネルギー量は物理量として同一なので、石炭と石油、原子力と自然エネルギーといった**エネルギー間の競争**は、デザインやブランドといった感性的な要素は関係しにくく、**価格を中心に厳しい競争となる傾向**がある。自然エネルギーへの転換は望ましいが、価格が他のエネルギー源よりも高ければ、差額を誰かが負担することとなる。**自然エネルギーの普及は、"思い"だけでは難しく、発電、送電コストの低減などの技術革新や、赤字にしないビジネスモデルの構築が必要**となる。

　福島第1原子力発電所事故の賠償金や処理費用、新しい安全基準をクリアするための既存原子力発電所への追加投資などにより、**原子力発電の発電コストは上がる傾向**にある。

[図Ⅳ-23] 発電コスト比較

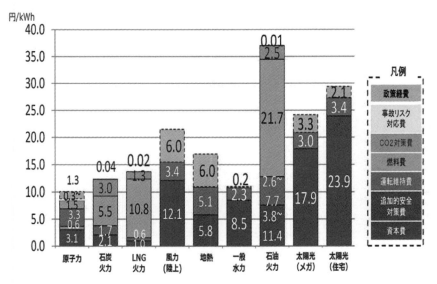

出所：経済産業省（2017年公表）101)

（5）- 3　日本の太陽光発電は過剰に

　日本の太陽光発電は過剰になりつつある。九州電力は2018年10月13日、日本で初めて、九州の太陽光発電事業者に一時、稼働を止めるよう求めた。10月に入って気温の低下で冷房などの電力需要が減り、電力が余って供給が不安定になるのを防ぐためであった。

　国は再生可能エネルギーの普及を目指し、太陽光発電へ優遇を行い、太陽光発電への投資が進んだ。しかし、太陽光発電をすべては活かせなくなった。原子力、風力、水力、地熱発電は出力抑制が難しい。火力発電の抑制や揚水式発電、蓄電池での蓄電、九州域外への送電などで太陽光発電の増加に対応してきたが、この日に限界に達した[102]。

[図Ⅳ -24] **九州で太陽光発電が過剰となった**

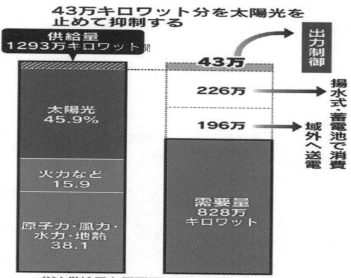

出所：日本経済新聞

（5）- 4　離島での発電

　離島での発電は、燃料を船で運んで火力発電することが多いので、単位発電量当たりのコストがかかり割高となる。**五島列島の黄島^{おうしま}では、1984年、国の事業により太陽光発電による海水の淡水化施設が世界で初めて設置された**[103]。1999年からは長崎県の飲料水供給事業として逆浸透膜法^{ぎゃくしんとうまくほう}によって海水から飲料水を作って供給している[104]。黄島のような離島では、火力発電所を建設・運営したり、水を本土から輸送したりすると費用がかさむ。太陽光発電による海水の淡水化は、離島の条件下では最適なビジネスモデルである可能性がある。

（6）日本の電気の周波数

　日本の電気の周波数は、静岡県の富士川あたりを境に、東日本が50Hz（ヘルツ）、西日本が60Hzと異なっている。これは、1896（明治29）年に、当時の電力会社である東京電燈がドイツ製の50Hzの発電機を、大阪電燈がアメリカ製の60Hzの発電機を、それぞれ導入したことが発端である。日本全体で周波数を統一する検討も行われてきたが、電力会社と消費者双方が設備を交換する必要があるなど莫大な費用（政府の試算では、発電機や変圧器など電力会社の設備交換だけで約10兆円）がかかるため実現されていない[105]。

[図Ⅳ-25]　**日本の電気の周波数**

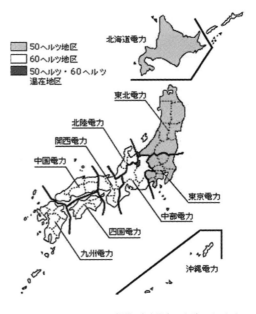

凡例：
■ 50ヘルツ地区
□ 60ヘルツ地区
■ 50ヘルツ・60ヘルツ混在地区

北海道電力
東北電力
北陸電力
関西電力
中国電力
四国電力
九州電力
東京電力
中部電力
沖縄電力

提供：東京電力エナジーパートナー

（7）回路計・オシロスコープ

　回路計（テスター）は、切り換えスイッチと端子とをもち、1つの指示計で電流・電圧・抵抗などの測定ができる小型の計器をいう[106]。

　オシロスコープ（oscilloscope）は、1つまたは複数の電気信号を時間または他の電気信号の関数として、人間の目に見えるように表示する装置をいう。各種の電気的現象の時間的変化、波形の観測、電気回路の動作確認、故障検出、調整などに用いられる[107]。

[写真Ⅳ-16] 回路計とオシロスコープ

回路計

オシロスコープ

提供：日置電機[108]

（8） 制御・センサ・アクチュエータ

（8）- 1 制 御

制御は、機械・化学反応・電子回路などを目的の状態にするために適当な操作・調整をすることをいう[109]。コンピュータ制御は、コンピュータを用いて制御することをいう。自動制御装置は基本的に、目鼻にあたる検出部（センサ sensor）、頭脳にあたる制御部（コンピュータ）、そして手足にあたる操作部（アクチュエータ actuator）の3要素で構成されている。

産業用ロボットや家電製品などの組み込みシステムを制御するコンピュータのプログラムを制御プログラムという。

［図IV -26］宮崎大学 田村教授の「顔の筋電位を用いた電動車椅子制御システム」

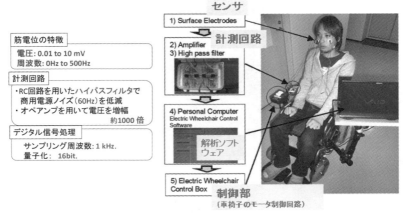

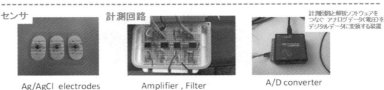

提供：宮崎大学 田村 宏樹 教授

（8）-2　センサ

センサは、人間の感覚に代わり、温度、圧力、磁気、光、ガスなどを検知する器具をいう[110]。センサには、一般的なスイッチのように接触して動作させるものと、非接触スイッチ（近接スイッチ）がある。センサを動作させるには、何らかのエネルギーが必要であり、例えば、スイッチでは押ボタン部分を押す機械的なエネルギーがそれにあたる。センサが、どのようなエネルギーを利用

[表Ⅳ-4] **センサの種類**（どのような物のどのような計量をどのようなエネルギーを感知してセンシングするのかにより、様々な種類がある。）

エネルギーの種類	検出の媒体	センサの具体例	検出の対象物	検出方式
電磁エネルギー	磁界	誘導型近接スイッチ	金属導体	非接触
		磁気形近接スイッチ	永久磁石	
	電界	静電容量形近接スイッチ	絶縁物	非接触
		静電容量式レベルスイッチ	高誘電率物体	接触
	電波	（レーダ）	電波反射物体	非接触
光エネルギー	光	光電形近接スイッチ	透明・不透明物体	非接触
		フォトインタラプタ	不透明物体（ドグ）	
		変位センサ	透明・不透明物体	
		測長センサ	透明・不透明物体	
		カラーセンサ	物体表面色	
		ロータリエンコーダ	スケール	
力学エネルギー（機械的）	液体	エアスイッチ	物質一般	接触
		電極式レベルスイッチ	液体	
		圧力センサ	気体・液体	
	音	超音波形近接スイッチ	固体・液体	非接触
	位置（変位）	マイクロスイッチ	カム、アクチュエーター	接触
		リミットスイッチ		
核エネルギー	X線	（レントゲン）	放射線の不透過物体	非接触
	放射線	放射線のスイッチ		
化学エネルギー	科学反応	（ガス検知器）	可燃性ガスなど	非接触
熱エネルギー	熱（温度）	温度スイッチ	発吸熱体、温度差	非接触

出所：オムロン[111]

して、どのような物のどのような計量を行うかには、[表IV‐4]のようなものがある。

（8）‐3　アクチュエータ

アクチュエータ（actuator）は、英語の actuate（動詞 他動詞、人を行動させる。機械などを働かせる、作動させる[112]）から派生した言葉で、さまざまなエネルギーを機械的な動きに変換し、**メカトロニクス機器**を正確に動かす駆動装置をいう。

メカトロニクス（mechatronics）は、メカニクス（機械技術）とエレクトロニクス（電子技術）の合成語で、1970年代半ばに、機械技術と電子技術との結合を指す言葉として日本で用いられ始めたもので、現在では欧米でも一般化している[113]。

アクチュエータには、**電気モータ**（直流モータ、交流モータ）、**電磁ソレノイド**（電気的エネルギーを直線運動の機械的エネルギーに転換する[114]）、**油圧シリンダ、空気圧シリンダ**などがある。そのほか、特殊アクチュエータとして、**形状記憶合金アクチュエータ**、超音波アクチュエータ、静電アクチュエータ、水素吸蔵合金アクチュエータなどが開発されている[115]。

（8）‐4　モータ

モータは、電力を動力に変換する電動機をいう[116]。

従来のブラシ付の DC モータ [図IV‐27] は、内部に「ブラシ」という電極と、「コミュテータ」という整流子を設け、その2つを接触させ機械的に電流の切り替えを行ってモータを回転させている。磁界の中に配置された巻線に電流を流すと、フレミングの左手の法則にしたがって N 極側の導体は上方向に、S 極側の導体は下方向に電磁力が働き、巻線は時計方向に回転する。巻線が回転して90°近くになると整流子とブラシが接触しなくなり、電流が流れない状態になるが、巻線は惰性で回転する。巻線の惰性により、再び整流子とブラシが接触し電流が流れ、時計方向の電磁力が発生し、回転を続ける。

ブラシレスモータは、電極、整流子のような機械的な接点ではなく、トラン

[図Ⅳ-27] ブラシ付の
DCモータの仕組み

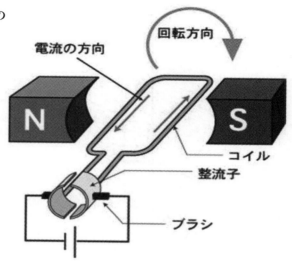

提供：株式会社 坂本製作所[117)]

ジスタなどで構成された電子回路を使い、電気的に電流の切り替えを行って
モータを回転させるものをいう[118)]。

　インバータ回路でモータを動かすと、ロータの回転位置に合わせて駆動電流
の位相と周波数を変化させることで、高い駆動効率と振動が少ない滑らかな回
転を低速から高速まで実現できる。インバータは、出力電圧・出力周波数を任
意に制御できるので、AC（交流）モータやブラシレスモータの回転数制御に広
く使われている。インバータ制御を行うと 低消費電力、高効率になる[119)]。

　ステッピングモータ［図Ⅳ-28］は、パルス信号によって回転角度・回転速
度を正確に制御し、正確な位置決め運転ができるモータで、クゥォーツ時計の
秒針のように、一定の角度ずつ回転する。この性質を利用して、工場の生産工
程で高速で高精度な位置決めのために使用されたり、監視カメラを動かした
り、駅の自動改札機の部品などに利用されている。

[図IV -28] ステッピングモータ

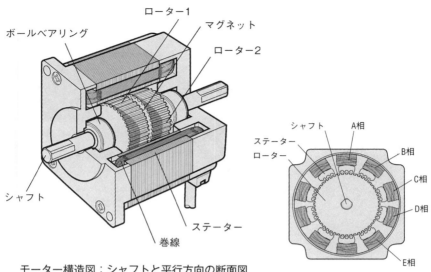

モーター構造図：シャフトと平行方向の断面図

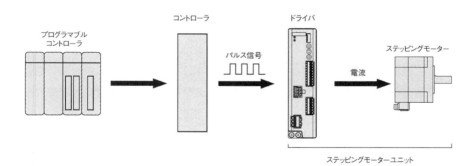

提供：オリエンタルモーター株式会社[120]

（8）- 5　油圧シリンダ

　油圧シリンダはパスカルの原理を応用したアクチュエータで、大きな力を出すことができる。例えば、［図Ⅳ -29］で、大きいシリンダの面積は小さいシリンダの４倍で、小さいシリンダに載せた10kg の重りは、大きいシリンダに載せた40kg と釣り合う。

［図Ⅳ -29］油圧シリンダの仕組み

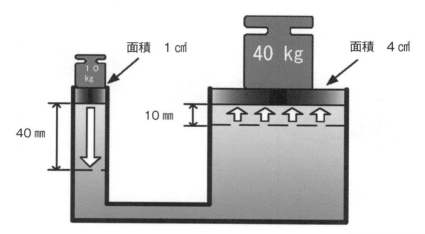

　　　　　　　　　　　　　　　　　　　　　　　　　　　提供：今野製作所[121]

　同じ比率の油圧シリンダに油圧ポンプで10kg の圧力で油を注入すると、アクチュエータは４倍の40kg の力を出すこととなる（ただし、動く距離は1/4となる）。
　この仕組みで油圧ショベルは堅い土も大きな力で掘り、多くの土を持ち上げることができる。

[図Ⅳ -30] 油圧ショベル用油圧シリンダと油圧ショベル

油圧シリンダ

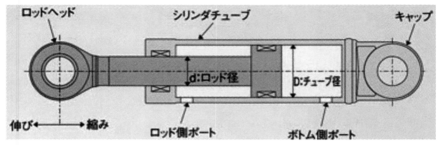

油圧ショベル

提供：日立建機[123]

提供：KYB-YS 株式会社[124]

（8）- 6　形状記憶合金アクチュエータ

　一般的な形状記憶合金は、加熱された時の形状を記憶している。低温で変形させた後に加熱すると、記憶している元の形状に戻る（形状回復）。その後は、加熱を停止しても、冷却しても、記憶している形状を維持するだけである。アクチュエータとして繰り返して動作させるには、外部からばね等の力で再び変形させる必要がある。この場合、ばねの力と形状回復力との差が、アクチュエータが出す力となる。

　［図IV -31］の形状記憶合金アクチュエータは、素材と処理方法に工夫を施すことで、冷却時と加熱時の2つの形状を記憶させている。また、ここで使われている形状記憶合金は、ニクロム線に近い電気抵抗、発熱効果を持っている。したがって、この形状記憶合金アクチュエータに電気を流すと形状記憶合金が電気抵抗によって熱せられ、熱せられた時の状態を記憶しているので縮む。電気を止めて形状記憶合金が冷えると、冷えた時の状態を記憶しているので伸びるという双方向の動きをする。このため、電流で動きを制御できるアクチュ

［図IV -31］**形状記憶合金アクチュエータ**

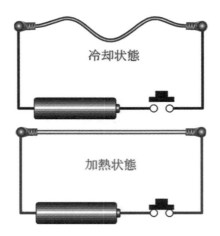

提供：トキ・コーポレーション株式会社（動画あり）125)

エータとして機能する。また、加熱時の形状回復力のほとんどを、アクチュエータから取り出すことができる。

（9）シーケンス制御

　シーケンス制御（sequence control）は、あらかじめ定められた順序または条件に従って、各段階を逐次進めていくような制御をいう。シーケンス制御が応用される分野は、家庭用電気機器、電話交換機、エレベータ、自動販売機のように日常生活に関連したものから、工作機械、産業用ロボット、印刷機など広い範囲にわたっている[126]。

[図Ⅳ-32] **シーケンス制御の例**（全自動洗濯機）

	人	洗濯ものを入れてボタンを押す
シーケンス制御	洗濯機	→ "洗濯もの" の量を計って、洗剤の適量を示す。
	人	洗剤を適量入れてふたを閉める
	洗濯機	→給水　　→洗い　　→脱水 →給水　　→すすぎ1　　→脱水 →給水　　→すすぎ2　　→脱水 →音で終了を知らせる

業界研究 19　電気機械産業

　電気機械産業は、電気の発生、輸送、利用に関する機器に係る産業をいう。電気機械業界の売上げは約86兆円（2021年）[127]。

　強電、弱電という分類がある。強電（重電）は、発電機、電動機、産業用電気機械など、機械が大きくて扱う電圧が高いものをいう。強電（重電）業界の売上げは約5兆円（2021年）[128]。

　弱電は、家電（家庭用電気機器）やスマートフォン、パソコンなどの電子機器など、小さくて扱う電圧が低いものをいう[129]。家電業界の売上げは約9兆円（2021年）[130]。

　電気機械企業は、日立製作所、ソニーグループ、パナソニックホールディングス、三菱電機、富士通、キヤノン、東芝、日本電気、シャープ、東京エレクトロン、日本電産、ＴＤＫ、京セラ、村田製作所、リコー、セイコーエプソン、ミネベアミツミ、ルネサスエレクトロニクス、コニカミノルタ、富士電機などがある。

　日立製作所、富士通、日本電気（NEC）などの企業は、かつてはコンピュータや半導体製造を行っていたが、これらの事業を売却し、情報サービス分野に事業転換を図ってきている。ソニーも、ゲーム＆ネットワークサービス分野は売上全体の26％で、音楽、映画、金融など多様な事業を行っている[131]。しかし、これらの企業は、産業分類、証券取引所の分類は電気機器になっている。

［課題20］業界研究（電気機械産業）

　リクナビの業界ナビ[132]、マイナビの業界研究[133] 電気機械産業から、について調べてみよう。電気機械産業から一つ企業を選んで調べてみよう。

［注］
83）株式会社平凡社世界大百科事典 第2版
84）広辞苑 第七版
85）小学館　日本大百科全書（ニッポニカ）
86）ブリタニカ国際大百科事典 小項目事典
87）小学館　日本大百科全書（ニッポニカ）
88）小学館デジタル大辞泉
89）ブリタニカ国際大百科事典 小項目事典
90）コンデンサの仕組み動画 https://www.murata.com/ja-jp/campaign/ads/japan/elekids/

compo/capacitor　村田製作所（2019/4/22取得）

91）株式会社 MISAKI http://www.misakicorp.co.jp/knowledge/（2019/4/22取得）

92）https://www.daihen.co.jp/technologygeeks/cat01/cat01_02/215/（2021/5/26取得）

93）産業技術総合研究所 https://unit.aist.go.jp/rpd-envene/PV/ja/about_pv/principle/index.html（2019/4/21取得）

94）産業技術総合研究所 https://unit.aist.go.jp/rcpv/ci/about_pv/index.html（2019/4/15取得）

95）ブリタニカ国際大百科事典 小項目事典

96）小学館デジタル大辞泉

97）日本原子力研究開発機構 https://atomica.jaea.go.jp/dic/detail/dic_detail_1771.html（2019/4/17取得）

98）電気事業連合会 https://www.fepc.or.jp/enterprise/hatsuden/index.html（2019/4/15取得）
日本原子力文化財団 https://www.ene100.jp/zumen/5-1-1　（2021/5/26取得）

99）有斐閣 経済辞典 第5版

100）経済産業省 https://www.enecho.meti.go.jp/about/whitepaper/2018pdf/（2019/3/22取得）

101）経済産業省 https://www.enecho.meti.go.jp/about/special/tokushu/nuclear/nuclearcost.html#topic02　（2019/3/26取得）

102）日本経済新聞 https://www.nikkei.com/article/DGXMZO36434960S8A011C1EA4000/（2019/4/21取得）

103）九州運輸局 http://wwwtb.mlit.go.jp/kyushu/gyoumu/kaiji/file01_11_28.htm　（2019/4/7取得）

104）長崎県 http://www.pref.nagasaki.jp/bunrui/kurashi-kankyo/mizukankyo/mizu/mizushigen/41489.html　（2019/4/7取得）

105）東京電力 https://www.tepco.co.jp/ep/private/guide/detail/hikkoshi.html　（2021/5/27取得）

106）デジタル大辞泉（小学館）

107）株式会社平凡社世界大百科事典 第2版

108）日置電機 https://www.hioki.co.jp/jp/、　https://www.hioki.co.jp/jp/products/detail/?product_key=1539　（2019/4/21取得）

109）小学館デジタル大辞泉

110）小学館デジタル大辞泉

111）https://www.fa.omron.co.jp/guide/special/knowledge/common/explanation.html（2019/4/22取得）

112）研究社 新英和中辞典

113）平凡社百科事典

114）国際電業株式会社 http://www.kdengyo.co.jp/product/2/ 動画あり（2019/4/22取得）

115）ブリタニカ国際大百科事典 小項目事典

116）広辞苑 第七版

117）坂本製作所 https://sakamoto-seisaku.com/motor-mechanism/（2021/5/26取得）

118）オリエンタルモーター https://www.orientalmotor.co.jp/tech/teruyo/vol32/（2019/4/22取得）

119）東 芝 https://toshiba.semicon-storage.com/jp/design-support/e-learning/brushless_motor/chap3/1274513.html（2019/4/22取得）

120）https://www.orientalmotor.co.jp/tech/reference/stepping_motor01/ （2021/6/10取得）

121）今野製作所 https://eagle-jack.jp/gijyutsu-shiryo/kisochishiki/yuatsu.php（2019/4/24取得）

122）https://www.kybes.co.jp/Yuatsuhtml/Yuatsusirinda.html （2021/6/10取得）

123）日立建機 https://japan.hitachi-kenki.co.jp/products/new/medium-excavators/（2021/6/1取得）

124）https://www.kyb-ys.co.jp/product/ （2021/6/10取得）

125）トキ・コーポレーション https://www.toki.co.jp/biometal/products/WhtsBM.php 動画あり（2019/4/24取得）

126）ブリタニカ国際大百科事典 小項目事典

127）https://gyokai-search.com/ （2023/5/28取得）

128）https://gyokai-search.com/ （2023/5/28取得）

129）平凡社百科事典マイペディア

130）https://gyokai-search.com/ （2023/5/28取得）

131）ソニー https://www.sony.com/ja/SonyInfo/IR/library/report/ （2023/6/28取得）

132）https://job.rikunabi.com/contents/industry/881/ （2020/05/20取得）

133）https://job.mynavi.jp/conts/2021/keyword/gyoukai/ （2020/05/20取得）

第 V 章
デジタル・情報通信技術

（1）情　報

　知識は、①知ること。認識・理解すること。また、ある事柄などについて、知っている内容。②考える働き。知恵。「―が発達する」③哲学で、確実な根拠に基づく認識。客観的認識[1]。

　情報は、①事物・出来事などの内容・様子。また、その知らせ。②ある特定の目的について、適切な判断を下したり、行動の意思決定をするために役立つ資料や知識。③機械系や生体系に与えられる指令や信号。例えば、遺伝情報など。④物質・エネルギーとともに、現代社会を構成する要素のひとつ。「事情」を「報告」することから一字ずつ抜き出してできた略語。雑誌「太陽」(1901年) に出てくるのが早い時期の例。英語 information の訳語として定着[2]。

　Information：1 Facts provided or learned about something or someone. 2 What is conveyed or represented by a particular arrangement or sequence of things[3] .

　インテリジェンスは、①知性。知能。理解力。②情報。諜報（ちょうほう）[4]。

　Intelligence： ① The ability to acquire and apply knowledge and skills. ② The collection of information of military or political value[5] .

　情報処理は、①与えられた情報から目的に添った情報を導き出すこと。②コンピュータを使用して行う処理一般のこと[6]。

　データは、①物事の推論の基礎となる事実。また、参考となる資料・情報。②コンピュータで、プログラムを使った処理の対象となる記号化・数字化された資料[7]。

　情報化社会は、物や資本などに代わって知識や情報に価値が置かれ、情報の生産・収集・伝達・処理を中心として社会・経済が発展していく社会。情報社会[8]。

　IT は、「情報技術」のことで、コンピュータやデータ通信に関する技術の総称。その言葉の意味は広く、情報通信分野の基礎技術から応用技術の範囲にまで及ぶ。具体的には、コンピュータやインターネットを中心とするネットワークを活用し、会社の業務や生活に役立てるための技術を指すことが多い。現在は、「ICT」という用語が使われることも多い[9]。

　ICT（アイ・シー・ティー、information and communication technology）は、情報通信技術。IT とほぼ同義。日本では、情報処理や通信に関する技術を総合的に指す用語として IT が普及したが、国際的には ICT が広く使われる[10]。

　デジタル・ディバイドは、パソコン、インターネットなどの情報技術を使いこなせる者と使いこなせない者の間に生じる格差で、情報格差ともいう。コンピュータの購入費用、使いこなすためのスキル、通信インフラの有無などによって、得られる収入や情報量の格差、利用できるサービスの格差などが発生する。途上国と先進国とでは、もともと経済、教育、通信環境に格差があり、デジタル・ディバイドによって、さらに経済的な格差が広がってしまうことが問題視されている[11]。

（2）デジタル

　コンピュータは情報処理を行う際に、デジタルデータを使用する。自然界に

あるアナログデータは使用できない。

　デジタル（Digital）は、情報を0と1の数字の組み合わせ、あるいは、オンとオフで扱う方式。数値、文字、音声、画像などあらゆる物理的な量や状態をデジタルで表現できる。

　アナログ（analog）は、連続的に変化する物理的な量や状態を表す言葉である[12]。

[図V‐1]　アナログとデジタル

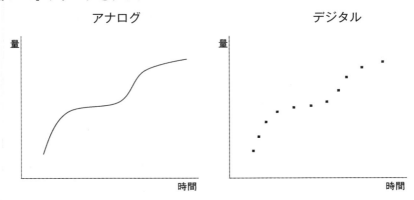

[図V‐2]　アナログ情報のデジタル変換の仕組み

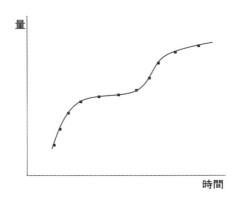

　コンピュータはアナログ信号を直接扱うことができないため、デジタル信号に変換する必要がある。この変換装置を A/D（アナログ・デジタル）コンバーターあるいは A/D 変換器という。A/D 変換の性能の尺度として 8 ビット、10bit、12bit といった単位が用いられ、数字が大きいほど精度が高い。［図Ⅴ-2］では、点をたくさん打つほど制度が高くなる。

　スキャナーのカタログの「入力 A/D 変換各色12bit」あるいは「36bit（3〈RGB 3色〉×12）」という数値などもこのことを指す[13]。

（3）ソフトウエア

（3）-1　ソフトウエアの分類

　一般的なコンピュータでは、コンピュータの基本的な制御を担当する OS（基本ソフト）と、実際の作業の処理を担当するアプリケーション（応用ソフト）に分かれている。

（3）-2　アプリケーション

　アプリケーション（応用ソフト）は、ワープロ・ソフト、表計算ソフト、画像編集ソフトなど、作業の目的に応じて使うソフトウェア。略してアプリということもある[14]。Windows95以降は、GUI（ジーユーアイ）で操作するものがほとんどである。

　アプリケーション（応用ソフト）以外の OS、ドライバ（内蔵のデバイス、周辺機器を使用できるようにするソフトウェア）、ファームウェア（電子機器に組み込まれた制御用プログラム）など、コンピュータの制御に使われるソフトウェアをシステム・ソフトウェアという[15]。

（3）-3　オペレーティングシステム（OS）

　オペレーティングシステム（OS）は、コンピュータの管理やユーザーへのインターフェースとその動作などを実現するソフトウェアの総称をいう。基本

ソフトウェアともいう。OS によって実現できる機能に差はあるが、入出力機能、ファイル管理、メモリー管理、ネットワーク機能などは、基本的な機能としてほぼすべての OS に搭載されている。主な OS には、マイクロソフト社の Windows やアップル社の Mac OS のほか、UNIX、Linux などがある[16]。

（3）- 4　GUI

GUI（ジーユーアイ、Graphical User Interface）は、コンピュータの操作の対象が絵で表現されるユーザーインターフェースをいう。マウスなどのポインティング・デバイスを使用して直感的にコンピュータを操作できる。現在の OS やアプリケーションの多くは、GUI を採用している[17]。

（4）プログラム言語

プログラム言語は、コンピュータにさせたい処理を記述するための言語をいう。プログラミング言語は、教育用や人工知能用、システム記述用など用途によって分別されており、用途に適したものを利用する。プログラミング言語では、記述方式や構造が文法として決められており、コンピュータへの指示書であるソースコードとして記述する。プログラミング言語の多くは、人間にとって理解しやすい様式になっているため、そのままではコンピュータが理解できない。そこで、記述されたソースコードをコンパイラーやリンカーというソフトウェアを使用して、コンピュータ（CPU）が理解できる言語（機械語）に変換（compile）することで、コンピュータはプログラムに指示された手順で計算、入出力などの処理を実行できる[18]。主なプログラム言語を開発された順に並べると以下のとおりである。IT 企業に入社した初心者が最初に研修を受けるのは、2022年現在、JAVA が圧倒的に多く、Python、Microsoft.NET 、C が多いが、会社や事業部の顧客が何を求めるかで、学ぶプログラム言語は様々である[19]。

BASIC（ベーシック）は、1964年に開発されたプログラミング言語をいう。大

型計算機の時間共有を双方向に制御するために開発された。比較的記述が簡単なことから、初心者向けのプログラミング言語として広く普及した[20]。

　Cは、1972年に開発された広い分野で使用されているプログラミング言語をいう。1989年にANSI（米国規格協会）の規格となり、標準化された。開発効率と移植性の高さ、ハードウェアの操作が容易にできることから、システムやアプリケーションなどのさまざまな開発分野で利用されている[21]。
　C++（シープラプラ）は、1985年にC言語をベースとして開発されたプログラミング言語をいう。C言語より開発効率がよくなるように、さまざまな拡張機能が追加されている。

　Python（パイソン）は、1991年に開発され、無償で公開しているプログラミング言語をいう。文法がシンプルで、少ない行数で簡単にプログラミングができる。科学技術計算を利用しやすいので、機械学習などのAI技術を用いたプログラム開発で、Pythonの利用率が急増している[22]。

　JAVA（ジャバ）は、1995年に開発された。Javaで作成されたソフトウェアは、Java仮想マシンというソフトウェア上で動作するため、OSごとにJava仮想マシンを用意すれば、OSにかかわらず実行できる。Javaのソフトウェアには、Webブラウザ上で動作するJavaアプレットと、単体で動作するJavaアプリケーションの2種類がある。また、Webサーバー側でJavaプログラムを実行するJava EE（Java Platform、Enterprise Edition）は、動的なページの生成やWebアプリケーションの構築に広く使われている[23]。

　Microsoft.NET（ドットネット）は、マイクロソフト社が2000年に発表した。業務で利用されるデータやWebページで提供される情報など、さまざまな形でやり取りされるデータの交換方法を定め、データの交換や情報の再利用をより簡単にすることを目指す。そのためのソフトウェアの開発・実行環境として、同社は「Microsoft .NET Framework」を提供している[24]。

（5）マークアップ言語

　マークアップ言語（Markup Language）は、文書の一部を「タグ」という特別な文字列で囲うことにより、タイトル、ハイパーリンクなどの文章の構造や、文字の大きさや色などの修飾情報を文章中に記述していく記述言語をいう。言語を使用して書かれた文書自体は、メモ帳などのエディターで開けるテキストファイルになるため編集が容易である。代表的なマークアップ言語としては、HTML、XML がある[25]。

　HTML（えいちてぃーえむえる、HyperText Markup Language）は、Web ページの記述に使用されるマークアップ言語をいう。ほかの文書への参照情報や文章の論理構造を、「< 〜 >」の書式で指定するタグを使って記述する。データが存在する場所を記述することで、画像や音声、動画などをページ内に埋め込める。HTML は、Web サイトのために開発され、HTML2.0でネットニュースや電子メールに対応した。その後 HTML3.2であらゆるアプリケーションで使えるように機能を大幅に拡張した[26]。

　XML（えっくすえむえる、Extensible Markup Language）は、ソフトウェアとデータの連携に重点が置かれたマークアップ言語をいう。HTML では、定められた要素しか使用できないが、XML では制作者が独自の要素を定義して利用できる。これにより、文書中のデータの意味などを定義して付加できるようになった。たとえば、「この数値は価格、この数値は出荷日」などといった情報を要素として定義し、データを交換できる[27]。

[写真Ⅴ‒1] Web サイトの表現とそれを記述した HTML

［注］
1）小学館　デジタル大辞泉
2）三省堂 大辞林
3）oxford dictionaries
4）小学館　デジタル大辞泉
5）Oxford Dictionaries
6）小学館デジタル大辞泉
7）小学館デジタル大辞泉
8）小学館デジタル大辞泉
9）ASCII.jp デジタル用語辞典
10）デジタル大辞泉
11）ASCII.jp デジタル用語辞典
12）ASCII.jp デジタル用語辞典
13）ASCII.jp デジタル用語辞典
14）ASCII.jp デジタル用語辞典
15）ASCII.jp デジタル用語辞典
16）ASCII.jp デジタル用語辞典
17）ASCII.jp デジタル用語辞典
18）ASCII.jp デジタル用語辞典
19）2022年4月、IT 企業向け研修受託業務の経験者から聴取り。
20）ASCII.jp デジタル用語辞典
21）ASCII.jp デジタル用語辞典
22）知恵蔵
23）ASCII.jp デジタル用語辞典
24）ASCII.jp デジタル用語辞典
25）ASCII.jp デジタル用語辞典
26）ASCII.jp デジタル用語辞典
27）ASCII.jp デジタル用語辞典
28）（2021/2/6取得）

第**2**節　コンピュータ・インターネット

（1）コンピュータ

コンピュータの特徴は、プログラムによって正確に処理する。高速に処理する。大量のデータを長期間記憶する。ソフトウエアの変更により多様な用途に利用できることである[29]。

（1）-1　構成

コンピュータの構成は、入力装置、出力装置、演算装置、制御装置から成る[30]。

入力装置は、コンピュータへデータを入力する装置の総称をいう。キーボードやマウスの他に、スキャナーやデジタルカメラ、ペンタブレットなども含まれる[31]。

出力装置は、コンピュータの処理結果を外部に出力する装置の総称をいう。ディスプレイやプリンターの他に、音声出力装置なども含まれる[32]。

演算装置は、正式には算術論理演算装置といい、CPU の構成要素のひとつで制御装置からの命令によって四則演算や論理演算を行う装置をいう。

制御装置は、CPU の構成要素のひとつで、命令を解読し、その命令を実行するのに必要な指示を各装置に送る。

制御装置と演算装置をあわせて処理装置という[33]。

（1）-2　論理回路

連続的な情報であるアナログ信号を取り扱う回路を「アナログ回路」という。離散的な情報であるデジタル信号を取り扱う回路を「デジタル回路」という。

　論理演算は、演算装置で行われる演算のひとつで、論理積、論理和、否定などの演算の総称をいう。論理演算の計算結果をもとに回路に結果を出力する[34]。

　デジタル回路は論理演算を行い、論理回路ともいう。**論理回路の基本要素はAND回路とOR回路、NOT回路の3種類だけで、その組み合わせで様々な機能の回路が作成できる。**デジタル回路の論理演算では、計算が簡単になる2進法を用いている。

　　　　AND回路は、Y（出力）＝A（入力）・B（入力）

　　　　OR回路は、Y（出力）＝A（入力）＋B（入力）

　　　　NOT回路は、Y（出力）＝$\bar{A}$（入力）

　論理演算で、2つの値の組み合わせに対して出力された値をまとめた表を真理値表という。

［表Ⅴ‐1］　2進法と真理値表

10進数	2進数
1	1
2	10
3	11
4	100
5	101
6	110
7	111
8	1000
9	1001
10	1010
11	1011

AND回路		
入力		出力
A	B	Y
0	0	0
0	1	0
1	0	0
1	1	1

OR回路		
入力		出力
A	B	Y
0	0	0
0	1	1
1	0	1
1	1	1

NOT回路	
入力	出力
A	Y
0	1
1	0

　論理回路の応用例として、コンピュータの**CPU（中央演算処理装置）**がある。CPUは、入力装置などから受け取ったデータを解釈して論理演算を行い、結果を出力装置などで出力する。CPUはコンピュータの中枢部分にあたり、各

種装置を制御したりデータを処理するコンピュータの基本性能を決める重要な部品である。CPU の機能をひとつの LSI（大規模集積回路）にしたものを、特にマイクロプロセッサという。代表的なマイクロプロセッサには、インテル社のCore 2 Duo、Core i7や、AMD 社の Phenom、Turion などがある[35]。

（1）- 3　データ圧縮

　データ圧縮は、データを元のサイズよりも小さくすることをいう。データ量の大きなファイルを小さくすることでディスク容量の消費を減らしたり、通信にかかる時間やネットワークへの負荷を抑えられる。ファイルの圧縮に使われるソフトウェアを圧縮ツールといい、LHA、ZIP などがある。画像や動画、音声のファイル形式として一般的に使われている JPEG、MPEG なども圧縮形式のひとつ[36] である。

［図Ⅴ-3］データ圧縮の仕組み

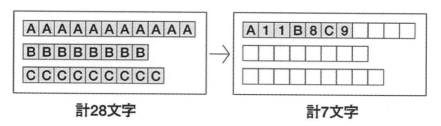

計28文字　　　　計7文字

出所：セザックス株式会社[37]

［課題21］CPU を見てみよう

　インテル社の Web サイト[38] で CPU を見てみよう。
　Intel® Core™2 Duo processor / Intel® Core™2 Extreme processor die photo の写真をクリックして画像をダウンロードして、CPU の配線の様子を見てみよう。

（1）- 4　コンピュータの小型化、高性能化

　コンピュータの歴史は、電磁石を使ってスイッチを閉じたり開いたりする計算機が1943年に作られ、1946年には真空管、1958年にはトランジスタ、1964年には IC（多くのトランジスタを一つにまとめた電子部品）、1971年には LSI（IC より大規模な回路を一つにまとめた電子部品）、1980年代には VLSI（LSI より大規模）を使用したコンピュータへと進化した。

［課題22］コンピュータ、パソコンの発達を写真で見てみよう

- 初期のコンピュータ（1946年）[39]
- 初期の Apple パソコン（1976年）[40]
- 日本電気製9800パソコン（1982年）[41]
  　PC-9800シリーズは、日本電気製の日本語対応に優れたパーソナルコンピュータ（パソコン）の製品群。それまでは、ワードプロセッサという日本語入力・印刷に特化した製品が広く使われていた。

- Windows95（1995年）[42]
  　Windows95によって、マイクロソフト社の OS である Windows は、Apple に操作性で追いついた。Windows95が普及して、対応する日本語入力ソフトなどのソフトウェアが多く発売されたことにより、パソコンメーカーが異なっても、コンテンツを相互に簡単にやり取りすることができるようになった。

- ソニー　バイオ PCG-C 1（1998年）[43]
  　デザイン性と機能性に優れたソニーを感じさせるパソコン。

　半導体メーカー Intel 社の創設者の 1 人であるムーア（G.Moore）が、「半導体の集積密度は18 ～ 24カ月で倍増する」という経験則（ムーアの法則 Moore's law[44]）を述べたほど、コンピュータの小型化、高性能化が急速に進んだ。

　1995年、windows95が発売され、パソコンの互換性が進んだ。windows95以前では、アップルの方が windows よりもアイコンやマウスなどで直感的に操作できるなどの長所があったが、windows95により操作性が近づいた。日本では、windows95以前では、ワープロ専用機が広く使用されており、日本

電気、東芝、シャープなど違う社のワープロ専用機では互換性がなかった。windows95以降は、各社のパソコンにwindows95をインストールして、wordや一太郎といったwindows95上で動く文書ソフトを入れて使用することが普及したため、パソコン、PC機器間による文書の互換性が向上した。

（2）携帯電話・スマートフォン

　スマートフォンは、インターネット、デジタルカメラ、動画、音楽再生、ゲーム、スケジュール管理などができる高機能携帯電話をいう[45]。2007年に発売された初代iPhoneをきっかけとして普及した。iPhoneなどの端末の高機能化に加え、携帯電話会社、Wi-Fiによる無線通信の高速化、タッチパネル技術、スマートフォンに合ったコンテンツの充実など、多様な技術やサービスがコーディネートされたことが、旧来の携帯電話、パソコンとは異なる発達をうながした。

[課題23] 昔の携帯電話・スマートフォンを見てみよう
日本の歴代の携帯電話[46]
シャープ W-ZERO 3 （2005年）[47]
初代 iPhone （2007年）[48]

[図Ⅴ-4]
携帯電話が
通話できる
仕組み

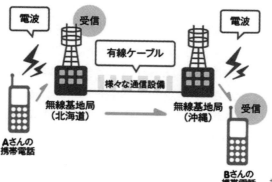

提供：NTT東日本[49]

［図Ｖ-5］タッチパネルの仕組み

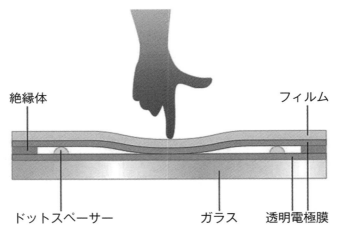

絶縁体　　　　　　　　　　　　　　　　　　　　フィルム

ドットスペーサー　　　　　　　　ガラス　　　　透明電極膜

提供：ＥＩＺＯ株式会社[50]

（3）インターネット・コンピュータネットワーク

　1969年、インターネットの元になる通信技術が開発された[51]。

　Lan（local area network）は、一つの企業内・ビル内など限られた地域で、複数のコンピュータを通信回線で接続し、相互にデータを伝送・共同利用するネットワーク、ローカルエリアネットワーク、構内通信網をいう[52]。

　WWW（World Wide Web）は、ワールドワイドウェッブの略で、世界中に蜘蛛の巣のように張り巡らされたハイパーテキストシステムをいう。ハイパーテキストシステムは、文書内にある文字列が、別のテキストやファイルにリンクしていることをいう。ユーザーがWebブラウザにURLを指定すると、HTTPによってWebサーバーへの接続とWebページを取得するためのコマンドの送信が行なわれる。指定されたファイルが存在すれば、Webサーバーから指定したファイルが転送されてくる。Webブラウザは、HTML形式などのファイル情報を読み込み、書式情報や文書構造を表わす「タグ」の内容に合わせてテキストを画面に表示する。テキストだけでなく、画像、音声、映像も同様に処理が可能である[53]。

[図Ⅴ-6] インターネット (WWW) の仕組み

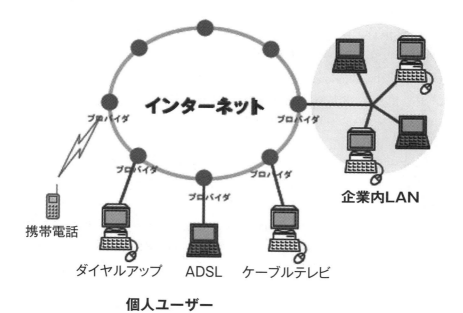

出所：総務省[54]

　HTTP（エイチ　ティー　ティー　ピー、HyperText Transfer Protocol）は、HTML 文書や画像などのデータを Web サーバーと Web ブラウザ間でやり取りするために使われるプロトコル（手順）をいう。HTTP では、データを受信する側（クライアント）が要求をサーバーに伝え、それに対してサーバーが応答する。例えば、ユーザーが URL を使って接続したい Web サーバーと表示したい Web ページを指定すると、Web ブラウザは指定されたサーバーに接続して、Web ページを取得するためのコマンドを送信する。サーバー上に該当するファイルがあれば、その結果を HTML（HyperText Markup Language）などのファイルとして Web サーバーから Web ブラウザに転送する[55]。

　TCP/IP は、インターネットで標準的に利用されている通信プロトコルで、TCP と IP という２つのプロトコルで構成される。TCP は、接続相手を確認

してからデータを送受信することで、信頼性の高い通信を実現する。IP は、相手を確認せずにデータを送受信することで、高速なデータの転送を実現する。TCP/IP による通信では、IP がネットワークから自分宛のパケットを取り出して TCP に渡し、TCP はパケットに誤りがないかを確認してから元のデータに戻す。Windows 95以降の Windows や Mac OS X は標準で TCP/IP に対応しており、Ethernet（イーサネット）ポートが付いているパソコンであればすぐにインターネットが利用できるようになっている[56]。

　インターネットは、世界中のネットワークが接続されたネットワークをいう。会社や学校などのネットワークが、それぞれ契約しているプロバイダによって、インターネットに接続されている。

　インターネットには、メールサーバーや Web サーバー（serve 仕える、奉公する。server 仕える人、もの）など、クライアント（client 顧客、依頼人）から送られる要求に対して、決められた動作を行う役割を担う**サーバー**がある。それらのサーバーが互いにインターネットを通じて連絡を取り合うことで、電子メールを送信したり、Web ブラウザで Web サイトを見ることができるようになっている。

　コンピュータ、情報用語の**クライアント**は、ネットワーク上で、サーバーというコンピュータからサービスを受ける側、あるいはサーバーに処理を依頼する側のコンピュータ端末をいう。サーバーからのサービスを利用するためのソフトウェアをクライアントソフトという。高負荷の処理を高性能のサーバーに任せたり、大容量のデータをサーバーに保存することで、クライアント側のコンピュータ（例えば手持ちのスマホやパソコン）の性能や記憶容量以上の処理が行える[57]。

　インターネットで情報の行き先を管理するために利用されているのが、それぞれのコンピュータに割り振られている **IP アドレス**という数字である。この IP アドレスは、世界中で通用する住所のようなもので、「127.0.0.1」のような数字の組み合わせによって表記されるのが一般的である。IP アドレスは、各国ごとに設置された機関が IP アドレスを利用者に配布している。日本では

社団法人日本ネットワークインフォメーションセンター（JPNIC）という組織が、このIPアドレスを管理している。

　通常、電子メールでは"mail.soumu.go.jp"、Webサイトでは"www.soumu.go.jp"のように指定する。これはドメイン名を使用した記述方法で、これらのアドレスを受け取ったDNSサーバー（ドメイン名とIPアドレスを変換する仕組みを提供するサーバー[58]）が、IPアドレスに自動的に変換し、行き先を見つける仕組みになっている[59]。

（4）デジタルカメラ・イメージスキャナ

　デジタルカメラは、撮影した画像をデジタルデータとして記録するカメラをいう。かつての銀塩カメラはレンズから通過した光をフィルムに投影して像を得るが、デジタルカメラでは、レンズを通過した光を、光学センサを使って電気信号に変換し、メモリーカードに記録する[60]。デジタルカメラの心臓部の受光素子は、光の強さは認識できるが、色の違いは認識できない。そこで、デジタルカメラは、外からの光をマイクロレンズで分解して、R（赤・レッド）、G（緑・グリーン）、B（青・ブルー）の三原色のカラーフィルタを通して、RGBそれぞれの光の強さを測ってデジタル信号化する。その信号を、映像エンジンで受けて、RGBそれぞれの光の強さを合成してカラー映像として出力して記録する[61]。人間の色認識の性質から赤、緑、青の光の三原色を合成すれば、すべての色を再現することができる。

　絵の具やプリンタのインクの三原色は、黄色（Yellow）と赤紫色（Magenta）と空色（Cyan）である[62]。インクはRGBの光を出すことはできない。Yellowは青色の光を吸収し、Magentaは緑色の光を吸収し、Cyanは赤色の光を吸収する性質を利用して、混ぜる比率でいろいろな色を表現している[63]。

　イメージスキャナ、スキャナは、文字や写真、絵などの原稿をデジタル画像データに変換する入力装置をいう。画像を光学的に読み込み、デジタル信号に変換することをスキャンという。原稿をガラス台に置いて読み込むフラットベッドスキャナーや写真のポジやネガを読み込むフィルムスキャナー、商業印刷

[図Ⅴ-7] デジタルカメラがカラー写真を撮る仕組み

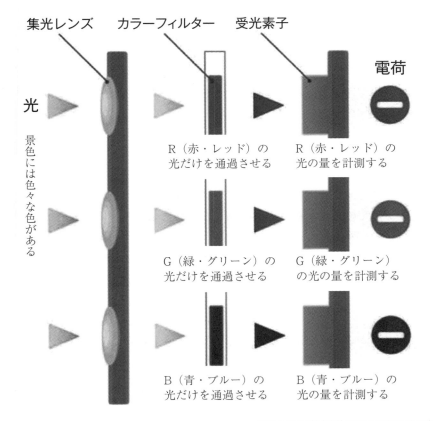

提供：ＴＤＫ株式会社 Techno Magazine[64]

用のドラムスキャナーなどがある。バーコード情報を入力するバーコードリーダーもスキャナーの一種である。最近では、フラットベッドスキャナーの機能とプリンタの機能を兼ね備えた複合機が普及しており、スキャンとプリントの機能と組み合わせることで、コピー機として利用できる。また、写真や手描きのイラストなどをパソコンに取り込んでさまざまな加工をしたり、文書の原稿を取り込み、OCR ソフトなどを使って文字認識処理を行い、テキストデータ

に変換したりできる[65]。

（5）ロボット

　ロボットは、狭義には、自動人形、機械じかけの人造人間など、外観を人間に似せ、機械的・電気的装置で人間の行為をまねさせる機械をいう。ロボットという名称が初めて使われたのはチャペックの戯曲《R.U.R.》（1920年）で、強制労働を意味するチェコ語のロボタ robota に由来する。

　広義には、どんな形態でも、目的の操作を自動的に行う自動機械装置をいう。例えば、海に浮かべる気象観測用のブイロボットなどもロボットである。電子機器やアクチュエータなどの発達で、様々な動作ができたり、おしゃべりしたり、表情を見せるようなロボットも作られている。工場の生産工程では様々な作業をするロボット[66] が利用されている。月着陸や海底探検用のロボットも作られている。自動車産業の溶接作業は、ほとんどがロボットで行われている。ソニーが発売した人工知能搭載の犬形ペットロボット（AIBO）や、本田技研工業が開発した二足歩行ロボットなどが注目された[67]。

（6）プリント配線

　プリント配線（printed wiring）は、電子部品を結ぶ配線用の導体を印刷によって基板という絶縁物上に実現する技術で、印刷配線ともいう。トランジスタや IC の発達とともに盛んに用いられてきた方法で、**写真焼き付け技術と化学エッチング**を利用したフォトエッチング法、印刷技術の一つであるスクリーン印刷法のほか、メッキ法などがある。基板にはフェノール樹脂やエポキシ樹脂、導体には銅箔などが用いられる。特徴としては、製品が均一で、耐震性、耐衝撃性に強く（例えば、湾岸戦争の空爆で外装が焦げたゲーム機が、内部には問題はなく正常に動作したというエピソードがある。）、生産の機械化、自動化に適している。電子機器の小型化には不可欠である[68]。

　エッチング法によるプリント配線は、工程①で、フェノール樹脂などのプラ

[図Ⅴ-8] プリント配線

提供：サンハヤト
株式会社[69]

[図Ⅴ-9] エッチング法によるプリント配線製造の仕組み

工程1　　　　　　工程2　　　　　　工程3　　　　　　工程4

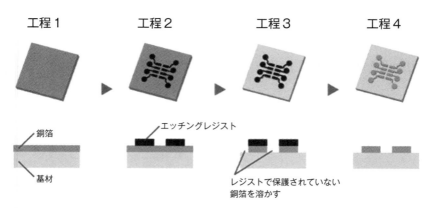

銅箔

基材

エッチングレジスト

レジストで保護されていない
銅箔を溶かす

提供：サンハヤト株式会社[70]

スチックなどの基材に銅箔が貼られた板（銅張積層板）を用意する。工程②で、エッチング液（塩化第二鉄）の作用を受けないエッチングレジストを印刷する。工程③で、エッチング液（塩化第二鉄）の化学反応を使って、エッチングレジストが印刷されている場所以外の銅箔を溶かす。結果として、銅箔を回路パターン通りにエッチング（化学腐食、蝕刻）加工することができる。工程④で、エッチングレジストを除去すると、印刷どおりの銅（導電体）による配線が完成する。印刷による生産技術なので、大量に同じものを生産でき、印刷の精度を上げることで細かな配線を作ることができる。

（7）公開鍵暗号・電子署名

　公開鍵暗号方式（Public Key Cryptosystem）は、情報を第三者が解読できない暗号に変換し、インターネットで送信する際の暗号化技術のひとつである。自らのサーバで、元の文を暗号化するときの暗号鍵（公開鍵）と、暗号文を復号するときの復号鍵（秘密鍵）を作成しておき、公開鍵は公開し、秘密鍵は秘密に所持しておく。**秘密鍵と公開鍵はペアの鍵であり一方の暗号鍵で暗号化したものはペアの鍵でしか復号できない。**

［図Ⅴ-10］公開鍵暗号方式の仕組み

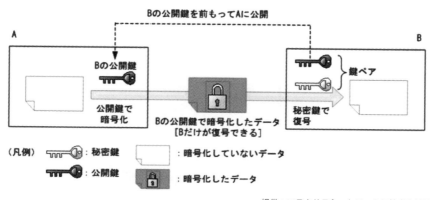

提供：アラクサラネットワークス株式会社[71]

　暗号送信をする際は、送り手［図Ⅴ-10のＡ］が送り先（Ｂ）のサーバから送り先（Ｂ）の公開鍵を入手して暗号化し、送り手（Ａ）から送り先（Ｂ）に送る。暗号の解読は、送り先（Ｂ）だけが持っている秘密鍵で復号する[72]。

　公開鍵と秘密鍵のペアの鍵は、**秘密鍵から公開鍵を推測するのは簡単だが、公開鍵から秘密鍵を推測するのは高速コンピュータでも数十年、数百年かかるという関数のペア（一方向関数）**で作成する。公開鍵から秘密鍵を推測することが可能であっても数十年、数百年かかれば意味はなくなるという発想である[73]。一方向関数の例は素因数分解で、素数の積「11×13」は簡単に計算できるが、143の素因数分解は手間がかかるといった数学を公開鍵暗号方式は利用している。

　電子署名は、電磁的記録に記録された情報について作成者を示す目的で行われる。

　暗号化等の措置で、改変が行われていないかどうか確認することができるものである。

　電子署名の仕組みは、送り手［図Ⅴ-11のＡ］が、秘密鍵で暗号化して送り先（Ｂ）に送る。送り先（Ｂ）は送り手（Ａ）のサーバから公開鍵を入手して暗号化文書を復号する。復号できれば、この文書が送り手（Ａ）の秘密鍵で暗号化された文書であると確認できる。したがって、送り手（Ａ）が秘密鍵で暗号化する行為が署名と同様に、この文書が確かに送り手（Ａ）が作成したものであると証明できる。

[図Ⅴ-11] 電子署名の仕組み

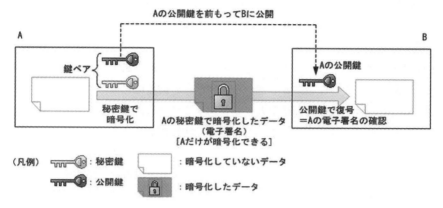

提供：アラクサラネットワークス株式会社[74)]

（8）暗号資産（仮想通貨）・ブロックチェーン

　暗号資産（仮想通貨）は、ビットコインなどインターネット上で流通する仮想通貨は、金融当局の規制を受けず、P2P（Peer to Peer，サーバを通さないで端末どうしの通信）ネットワークを通じて相手と直接取引するものをいう。2009年に開発され、世界各国で利用されている[75)]。日本では、2020年、利用者保護とマネー・ローンダリング対策のための資金決済法の改正により、法令上、「仮想通貨」は「暗号資産」へ呼称変更された[76)]。

　暗号資産（仮想通貨）は、インターネット上でやりとりできる財産的価値であり、資金決済法で、次の性質をもつものと定義されている。（1）不特定の者に対して、代金の支払い等に使用でき、かつ、法定通貨（日本円や米国ドル等）と相互に交換できる。（2）電子的に記録され、移転できる。（3）法定通貨または法定通貨建ての資産（プリペイドカード等）ではない[77)]。

　代表的な仮想通貨には、ビットコインやイーサリウムなどがある。仮想通貨は、銀行等の第三者を介することなく、財産的価値をやり取りすることが可能

な仕組みとして、高い注目を集めた。一般に、仮想通貨は、「仮想通貨交換所」や「仮想通貨取引所」という事業者（仮想通貨交換業者）から入手・換金することができる。仮想通貨交換業は、金融庁・財務局の登録を受けた事業者のみが行うことができる。

　仮想通貨は、国家やその中央銀行によって発行された法定通貨ではない。裏付け資産を持っていないことなどから、利用者の需給関係などのさまざまな要因によって、仮想通貨の価格が大きく変動する傾向にある。仮想通貨に関する詐欺などの事例も数多く報告されているので注意が必要である[78]。

　ブロックチェーン（Blockchain）は、インターネット上で、あるデータが改竄（悪意で書きかえられる）されていないことを証明する手段のひとつである。

　ただし、次に解説するブロックチェーンの欠点に対して犯罪者が攻撃し、ブロックチェーン記録が書き換えられ、仮想通貨「モナコイン」で資金消失が発生した事例[79]があった。

　ブロックチェーンについて、大原，ASCII.jp (2018) は以下のように解説している。

　ブロックチェーンの構造は、データ（Data）とハッシュ (Hash) 関数から構成される。ハッシュ関数は、任意のデータを、ほぼ一意に決まる固定長の値に変換し、かつ、逆方向の変換はできない関数をいう。

　ハッシュ関数はその性質上、元の値が変わっただけで大きく結果が変わる。これを利用して、ハッシュの値を比較することで、元の値が同じか違うかを簡単に判断できる。また、ハッシュ関数での変換後の値から元の値は推察できない性質である。

　ブロックチェーンでは、毎回データとハッシュを計算する。あるブロックのハッシュが、次のブロックに記録される。［図Ⅴ -12］の例で、イッペイ氏の情報を元にしたハッシュ（Hash# 1）は、イッペイ氏のブロックではなく、次のハッチ氏のブロックに記載される。ハッチ氏の情報のハッシュ（Hash# 2）は、その次のショータ氏のブロックに、という具合に1つづつずれる形で記録される。これは改竄をしにくくするためである。

[図Ⅴ-12] ブロックチェーンの仕組み

提供：大原雄介氏，ASCII.jp

　仮にイッペイ氏がデータを改竄したとする。すると、[図Ⅴ-12] の Hash ＃1の値が変化してしまう。改竄がばれないようにするためにはハッチ氏のデータも変更しないといけない。ところがハッチ氏のデータを変更すると、今度はショータ氏、つばさ氏……とつながっているデータ全部を変更しない限り、つじつまが合わなくなる。

　ブロックチェーンでは、P2Pの形ですべてのユーザーがデータを保持して共有している。データを隠せない。仮に、イッペイ氏がデータを改竄すると、イッペイ氏の持っているデータが他のユーザーの持っているデータと一致しなくなることで、改竄が発覚する。

　ブロックチェーンの欠点は、以下の点が挙げられている。

1. 激しい取引に耐えられない。すべてのユーザーがブロックを共有するため、ブロックを1個追加するのに、ビットコインの場合、おおむね10〜20分を要する。

2. ブロックチェーンは改竄されたかどうかは判断できても、そのデータが正しいものなのかどうかは一切関与しないので、データの正当性そのものは別の手段で担保する必要がある。

3. たまたま同じタイミングで異なるユーザーが新規ブロックを追加すると、ある一つのブロックの次に2つのブロックが続き、分岐(ブランチ)ができる。分岐が発生した場合は多数決でどちらの分岐を残すかを決めるルールになっている。悪意を持った参加者が猛烈な勢いでブロックを追加すれば、改竄（かいざん）されたブロックが多数決で残ることとなり、不正をブロックチェーンに残すことができる。

［注］

29）茅野（2014）p.4

30）茅野（2014）p.5

31）ASCII.jp デジタル用語辞典

32）ASCII.jp デジタル用語辞典

33）ASCII.jp デジタル用語辞典

34）ASCII.jp デジタル用語辞典

35）ASCII.jp デジタル用語辞典

36）ASCII.jp デジタル用語辞典

37）http://www.sezax.co.jp/monthly_up/vol_84.html（2019/5/29取得）

38）インテル https://www.intel.com/pressroom/kits/core2duo/
, https://www.intel.com/pressroom/kits/core2duo/pix/CNRMRM-die.jpg（2019/4/22
取得）

39）1946年 ENIAC　https://ja.wikipedia.org/wiki/ENIAC　（2019/4/7取得）

40）https://gigazine.net/news/20180828-historic-apple-1-auction/　（2019/4/7取得）

41）PC-9800シリーズは、1982年に発売された日本電気が開発及び販売を行った日本語対
応にすパーソナルコンピュータ（パソコン）の製品群。https://ja.wikipedia.org/wiki/
PC-9800%E3%82%B7%E3%83%AA%E3%83%BC%E3%82%BA　（2019/4/7取得）

42）https://commons.wikimedia.org/wiki/File:Win95-scr-00.jpg　（2019/4/7取得）

43）SONY　https://www.sony.jp/products/Consumer/PCOM/PCG-C1MSX/index.html
（2019/4/13取得）

44）有斐閣 経済辞典 第5版

45）デジタル大辞泉

46）Wikipedia　https://ja.wikipedia.org/wiki/%E6%97%A5%E6%9C%AC%E3%81%AB
%E3%81%8A%E3%81%91%E3%82%8B%E6%90%BA%E5%B8%AF%E9%9B%BB%E
8%A9%B1　（2021/2/5取得）

47）PC Watch　https://pc.watch.impress.co.jp/docs/2005/1020/willcom.htm（2019/4/13取
得）

48）https://ja.wikipedia.org/wiki/IPhone　（2019/4/7取得）

49）NTT 東日本 https://business.ntt-east.co.jp/content/nw_system/03.html　（2019/4/10取
得）

50）https://www.eizo.co.jp/eizolibrary/other/itmedia02_08/（2021/6/2取得）

51）https://www.britannica.co.jp/blog/internet1/（2023/11/6取得）

52）デジタル大辞泉

53）ASCII.jp デジタル用語辞典

54）総 務 省 http://www.soumu.go.jp/main_sosiki/joho_tsusin/security_previous/kiso/
k01_inter.htm　（2019/4/10取得）

55）ASCII.jp デジタル用語辞典

56）ASCII.jp デジタル用語辞典

57）ASCII.jp デジタル用語辞典

58）IT トレンド用語

59）総 務 省 http://www.soumu.go.jp/main_sosiki/joho_tsusin/security_previous/kiso/

　　　k01_inter.htm　（2019/4/10取得）
60）　ASCII.jp デジタル用語辞典
61）　ソニーセミコンダクタソリューションズ株式会社 https://www.sony-semicon.co.jp/
　　　products_ja/IS/ccd_tech/index.html（2019/5/29取得）
62）　デジタル大辞泉
63）　321web.
64）　https://www.jp.tdk.com/tech-mag/knowledge/082（2021/2/25取得）
65）　ASCII.jp デジタル用語辞典
66）　ファナック株式会社　動画 https://www.fanuc.co.jp/ja/product/video/robot.html
　　　（2019/5/29取得）
67）　平凡社百科事典マイペディア
68）　ブリタニカ国際大百科事典 小項目事典
69）　https://www.sunhayato.co.jp/about.html（2019/4/21取得）
70）　サンハヤト https://www.sunhayato.co.jp/solution/about_etching_machine.html
　　　（2019/4/21取得）
71）　アラクサラネットワークス AX6700S・AX6600S・AX6300S ソフトウェアマニュアル
　　　コンフィグレーションガイド Vol.1　Ver. 11.9対応
　　　https://www.alaxala.com/jp/techinfo/archive/manual/AX6000S/html/11_9/
　　　CFGUIDE/0175.HTM　（2019/6/5取得）
72）　ASCII.jp デジタル用語辞典
73）　パーソルテクノロジースタッフ株式会社 https://persol-tech-s.co.jp/corporate/
　　　security/article.html?id=26（2019/5/30取得）
74）　アラクサラネットワークス AX6700S・AX6600S・AX6300S ソフトウェアマニュアル
　　　コンフィグレーションガイド Vol.1　Ver. 11.9対応
　　　https://www.alaxala.com/jp/techinfo/archive/manual/AX6000S/html/11_9/
　　　CFGUIDE/0175.HTM　（2019/6/5取得）
75）　デジタル大辞泉
76）　金融庁 https://www.fsa.go.jp/policy/virtual_currency/index.html,
　　　https://www.gov-online.go.jp/useful/article/201705/1.html (2021/2/25取得)
77）　日本銀行 https://www.boj.or.jp/announcements/education/oshiete/money/c27.htm/
　　　（2019/6/5）
78）　https://www.fsa.go.jp/policy/virtual_currency/index.html（2021/2/25取得）
79）　日本経済新聞（2018）「仮想通貨「モナコイン」一部消失　海外交換業者
　　　で。ブロックチェーン技術に懸念も」https://www.nikkei.com/article/
　　　DGXMZO30735220Z10C18A5EA5000/　（2021/2/25取得）

第**3**節 AI

（1）AI

　AIは、人間が持っている、認識や推論などの能力をコンピュータでも可能にするための技術をいう[80]。

　第一次人工知能（AI）ブームは、1950年代後半〜1960年代に起きた。**コンピュータによる推論や探索が可能**となり、**問題を限定すれば答えられる**ようになった。冷戦下の米国は、仮想敵国の情報を**機械翻訳できないかに期待**した。しかし、当時の人工知能（AI）では、迷路を解いたり、定理を証明したりはできたが、様々な要因が絡み合っている現実的な問題を解くことはできないことがわかり、ブームは終わった。

　第二次人工知能（AI）ブームは、1980年代に起きた。事前に必要な情報を、コンピュータが認識できる形で入力しておけば、人工知能（AI）が実用可能になった。コンピュータが、その分野の専門家のように受け答えするプログラム（エキスパートシステム）ができた。日本では、政府による「第五世代コンピュータ」と名付けられた大型プロジェクトが推進された。しかし、**必要な情報を、事前にすべて、人がコンピュータに入力する必要**があり、手間がかかるし、入力していないことは答えられないので、1995年頃、ブームは終わった。

　第三次人工知能（AI）ブームは、2000年代から本書執筆時（2023年）まで続いている。第一に、**ビッグデータ**（大量のデータ）を与えると、**人工知能（AI）自身が知識を獲得していく機械学習が実用化**された。第二に、知識を定義する要素（特徴量、Feature value）を人工知能（AI）が自ら習得する**ディープラーニング**（深層学習、特徴表現学習）が開発された。

　特徴量は、対象を認識する際に注目すべき特徴は何かを定量的に表すことをいう。ディープラーニングの開発以前は、人間が特徴量を考えて、コンピュー

［表Ｖ-2］人工知能（AI）の歴史

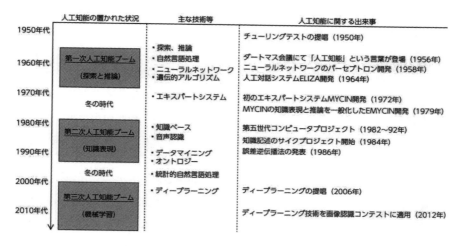

出所：総務省「ICT の進化が雇用と働き方に及ぼす影響に関する調査研究」（平成28年）

タに入力する必要があったので、実際には使えなかった。ディープラーニングにより、例えば、防犯カメラに映った無数の人の中から、顔が映っていなくても、瞬時に同一人物を特定することなどが可能になった[81]。

（2）AIの代表的な研究テーマ[82]

①推論・探索

推論は、人間の思考過程を記号で表現し実行するものをいう。

探索は、解くべき問題をコンピュータに適した形で記述し、考えられる可能性を総当たりで検討したり、階層別に検索することで正しい解を提示することをいう。探索の手法は、ロボットの行動計画を、前提条件・行動・結果の３要素によって記述する「プランニング」にも用いることができる。例えば、迷路を解くために、迷路の道筋をツリー型の枝分かれ道としてコンピュータ内で再構成した上で、ゴールにたどり着く分岐を順番に総当たりで探し、ゴールに至る道を特定する。やっていることの手間はかかっているが、計算が速いので、

一瞬で答えが出る。

②エキスパートシステム

エキスパートシステムは、専門分野の知識を入力して推論することで、その分野の専門家のように振る舞うプログラムをいう。1972年にスタンフォード大学で開発された「マイシン（MYCIN）」という医療診断を支援するシステムが世界初である。例えば、予め定めた病気に関する情報と判断のルールに沿って質問し、得られた回答に基づいて次の質問を選択するといった過程を繰り返すことで、病気を診断する。

エキスパートシステムの性能は、入力した知識で決まるので、1984年、一般常識のデータベースを作る「サイクプロジェクト」が開始され、現在も続けられている。エキスパートシステムでは、**暗黙知をコンピュータに入力する困難さ**が課題となった。

暗黙知（あんもくち）は、主観的で言語化することができない知識、知っているが言語化できない、または、たとえ言語化しても肝要なことを伝えようがない知識をいう。**形式知**（けいしきち）は、言語化して説明可能な知識をいう[83]。

[図Ⅴ-13] 形式知と暗黙知

知識のほんどは暗黙知で、形式知化できるのは一部だけ。

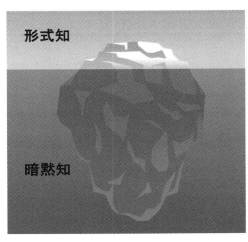

形式知

暗黙知

提供：イラスト AC

③機械学習

機械学習は、コンピュータが、数、文字、画像、音声などの**大量のデータから、ルールや知識を自ら学習**する（見つけ出す）技術をいう。例えば、消費者の一般的な購買データを大量に学習することで、消費者が購入した商品やその消費者の年齢等に適したオススメ商品を提示することが可能になる。

④ディープラーニング

ディープラーニングは、ニューラルネットワークを用いた機械学習の手法の一つをいう。ニューラルネットワークは、機械学習のアルゴリズム（algorithm、計算手順）の一つであり、人間の脳が学習していくメカニズムをモデル化して、問題を解決しようとする仕組みをいう。

　情報抽出を一層ずつ多階層にわたって行うことで、高い**抽象化を実現**する。従来の機械学習では、学習対象となる変数（特徴量）を人が定義する必要があった。ディープラーニングは、予測したいものに適した**特徴量を大量のデータから自動的に学習**することができる。精度を上げる（ロバスト性を高める）手法と、その**膨大な計算を可能にする**だけのコンピュータの計算能力が得られたことで実現した。

　ロバスト性、ロバストネス（robustness）は、堅牢性、強靭性、頑強性の意味で、外部からの影響を避けたり、影響を最小限に抑えたりする仕組みをいう。

（3）ディープラーニング・AIができること[84]

　ディープラーニングは何にでも使えるAIだと誤解されているがそうではない。人工知能・AIは、速いコンピュータに、情報処理やパターンを学習する計算方法と、大量のデータを与えて訓練させることが必要である。したがって、多用途に何でも使えるAIは存在せず、特定の用途向け、例えば、音声認識、翻訳や訴訟情報の検索などのために、速いコンピュータ、計算方法、大量のデータの3つの要素を組み合わせる。これにより、プロに近い翻訳や、100万件の訴訟データから秒単位で関係する訴訟情報のみを取り出すなど、人間で

[図V-14] ディープラーニングの仕組み ディープラーニング（多階層による情報抽出＝ニューラルネットワーク）で手書き文字「1」を「1」と認識する仕組み

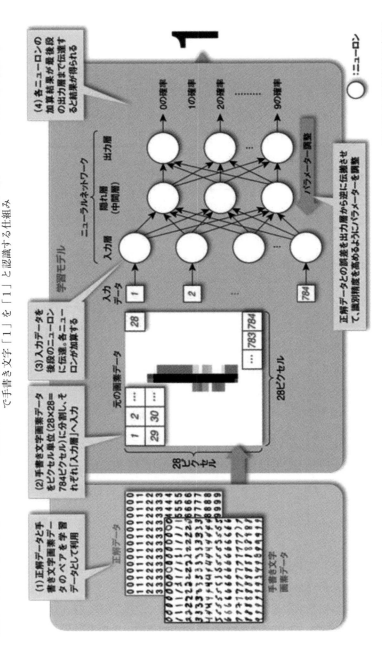

提供：株式会社野村総合研究所[85]

はできないようなことを実現させている。

　人工知能・AI が、将棋や碁の名人に勝った理由も、将棋や碁というルールが決まった特定の目的に対して、速いコンピュータ、計算方法、大量のデータの３つの要素を組み合わせたからである。碁では、１局（一つの勝負）で3000万の局面（場合分けが）がある。人間の碁のプロが30年かけて１万１千局打つと言われる中、人工知能・AI は、16万局を３週間で、さらに、16万局の中で１手だけランダムに変えた3000万局面を１週間で学修して強くなったという。

　このように、AI は、特定の目的に威力を発揮し、元データが多いほど正確さが増す。したがって、これからの企業戦略では、何に対して人工知能・AI を使うか、そのための大量のデータをどうやって収取するかが重要となる。それを判断して、使いこなしていくのは人間の仕事である。

（4）AI ができないこと

　AI 技術の中でも、映像認証、顔認証などで画期的な成果を上げているディープラーニングであるが、だまされやすいことも明らかになっている。

　例えば、めがねフレームに AI をだます模様を付けて、男性がメガネをかければ、特定の女性だと AI に誤認識させることもできる[86]。道路標識に、AI をだます模様を付けた小さなシールを貼ると、AI は道路標識を間違って認識する[87]。視覚情報だけでなく、音声情報でも AI をだますことができる。人間にはわからないように、ラジオや音楽の音に細工をして、それを聞いた Siri、Google アシスタント、Alexa などの AI アシスタント（AI によって人の質問に答えてくれるもの）が、「コンピュータウイルスをダウンロードせよ」と言われたようにだますことができる[88]。

　AI は、暗黙知を理解できない。例えば、人間の子供は、ドアの開け方を一度学ぶと、その能力を素早く一般化して、ほとんどのドアを簡単に開けられるようになる。AI は、囲碁、チェス、将棋などゲームそれぞれにディープラーニングで学修する。あるゲームについて学習したことを、他のゲームに応用す

[図Ⅴ-15] シンギュラリティ

X=10A	1.0	3.2	10.0	31.6	100.0	316.2	1,000.0	3,162.3	10,000.0	31,622.8	100,000.0
A	0.0	0.5	1.0	1.5	2.0	2.5	3.0	3.5	4.0	4.5	5.0

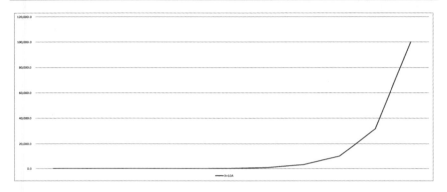

ることはまったくできない。"何でも使える AI"の実現は遠いという[89]。囲碁で最強の人間に勝った AI も、囲碁以外については、考える、推測する、計画を立てるなどの能力はまったくない。何一つ応用できることはない。囲碁 AI は、"究極の賢い馬鹿"と言われている[90]。

　AI が暗黙知を理解できない、もう一つの例は、保育園の年中・年長組で良く行われているジェスチャーゲーム（声を出さずに身振り手振りだけでお題を伝える遊び）である。高度の視覚的、言語的、社会的な理解が必要とされ、ゲームの中では最も難しかった囲碁よりも、ジェスチャーゲームの方が AI にとっては難しく、AI で実現できていない[91]。

　英国オックスフォード大学のベネディクト・フレイ博士とオズボーン准教授は、米国で10 ～ 20年内に労働人口の47％が機械に代替可能であると試算をしている[92]。また、AI によって大量の失業者が出るという仮説がある。しかし、AI の雇用に対する全般的な影響は誰にもわかっていない[93]。

[図Ⅴ-16] AI画像検査機の開発要素

出所：武州工業[94]

　米国のカーツワイル（Raymond Kurzweil）は、2030年代終わりまでに、人間の脳をスキャンしてコンピュータ上で再構成できる、2045年に、AIの知能が人間を超える（シンギュラリティ, Singularity, 英語で特異点の意味）と予想した。重要な根拠は、コンピュータの性能は指数関数的（ＡＸ）に進歩するから、最初はゆっくりした進歩に見えるが、ある時点から垂直に近い感じで進歩していく [図Ⅴ-15] というものである。他方、この予測に懐疑的な識者もいる。カーツワイルと別の識者は「2029年末までに"人工知能"ができるかどうか」で2万ドルの賭けをしている[95]。

（5）中小製造業でのAI活用事例

　東京都青梅市の武州工業株式会社は、1951年創業、従業員150人、自動車用金属加工部品、板金、プレス、樹脂加工、自動制御機械製作、半導体関連事業を営み、パイプの曲げ加工に強みをもった企業である。

　製造業では、取引先に不良品を出荷するわけにはいかない。しかし、人間が検査すると、疲れてまれに不良品を見逃すことがある。そうすると、担当者

［写真Ⅴ-2］　ＡＩ画像検査機

出所：武州工業[96]

［写真Ⅴ-3］　ＡＩ画像検査機で検出した不良品（右）

出所：
武州工業[97]

は、心配して過剰に厳しく検査するようになってしまい、全体の生産性が下がってしまう。対策として、ＡＩを使って常に一定の基準で良品／不良品を判断できるようにしたいと考えた[98]。開発目標は、「精細なカメラで部品を撮影し、画像からキズをＡＩで自動判定する AI 画像検査機を自社開発する」こととした[99]。

　2019年から始めた開発は難しかったが、ＡＩベンチャーの StatHack 社と共同で開発することができた。自社開発したメリットは、①社員は自分たちの仕

事を理解しているので、開発の過程でトライアンドエラーと改造を素早く何回も行うことができた。②ＡＩ企業に委託するよりも安く開発できた。③仲間による開発だったので、検査担当者の理解も得られやすかった。

　ＡＩ画像検査機を完成させて導入できたメリットは、①人が検査のために使う時間が減り、②人がより付加価値の高い仕事に取り組むことができるようになった[100]。

　2021年からは、自社開発の AI 画像検査機を、医療機器メーカー、自動車部品メーカーに販売し、社内利用もさらに進めている[101]。

［注］
80）ASCII.jp デジタル用語辞典
81）Fuji News Network, https://www.fnn.jp/articles/-/13627　（2021/8/23取得）
82）総 務 省 http://www.soumu.go.jp/johotsusintokei/whitepaper/ja/h28/pdf/n4200000.pdf（2019/5/29取得）
83）デジタル大辞泉（小学館）
84）安宅（2020）（pp.31-46）
85）日経 SYSTEMS 2016 年 9 月号 p.60 https://xtech.nikkei.com/it/atcl/column/17/011600006/011600002/ （2019/5/29取得）
86）https://users.ece.cmu.edu/~lbauer/proj/advml.php 　（2022/05/22取得）
87）Mitchell（2019）（ミッチェル, 尼丁 (訳)(2021)）（p.169）
88）Mitchell（2019）（ミッチェル, 尼丁 (訳)(2021)）（pp.341-342）
89）Mitchell（2019）（ミッチェル, 尼丁 (訳)(2021)）（pp.244-245）
90）Mitchell（2019）（ミッチェル, 尼丁 (訳)(2021)）（pp.252-253）
91）Mitchell（2019）（ミッチェル, 尼丁 (訳)(2021)）（p.248）
92）Frey, Osborne(2017)(p.1)
93）Mitchel（2019）（ミッチェル, 尼丁 (訳)(2021)）（p.400）
94）武州工業 https://www.busyu.co.jp/ai_rd/ 　（2023/7/20取得）
95）Mitchel（2019）（ミッチェル, 尼丁 (訳)(2021)）pp.84-96
96）https://note.com/busyu_300years/n/nac21416f17c3 （2023/7/20取得）
97）https://lfb.mof.go.jp/kantou/content/000226791.pdf （2023/7/20取得）
98）武州工業 https://www.busyu.co.jp/ai_rd/ 　（2023/7/20取得）
99）東 京 都 https://www.metro.tokyo.lg.jp/tosei/hodohappyo/press/2021/03/25/22.html （2023/7/20取得）
100）武州工業 https://www.busyu.co.jp/ai_rd/ 　（2023/7/20取得）
101）東京中小企業投資育成株式会社 https://www.sbic.co.jp/company/profile/ （2023/7/20取得）

第**4**節 ビジネス・生活での利用

　デジタル・情報通信技術のビジネス・生活への利用は幅広く、現在の生活に不可欠となっている。携帯電話、スマートフォン、タブレット、自動車、家電、音響・映像機器、カラオケ、ゲーム機、住宅の防犯カメラなどの機器や、ネットショッピング、教育、医療、コンビニでのチケット購入、鉄道、バスなど交通機関の電子カード、高速料金を自動で支払うETCなどで利用されている。

　企業は、生産、流通、事務処理などにコンピュータを利用している[102]。私たちの生活にもコンピュータは深く根差しているが、知的財産権、プライバシーの保護、コンピュータ・セキュリティ、ウイルス、マナーの問題、情報の不正利用、健康障害など、コンピュータに関連する諸問題が存在する。本書では詳述しないので、必要があれば他の情報源を当たられたい。

　　[推薦図書11]『ある日突然、普通のママが子どものネットトラブルに青ざめ
　　　　　　　　る 知らないと意外にコワいネットとスマホの落とし穴』長谷
　　　　　　川陽子（2017）アイエス・エヌ

（1）生産現場での利用

　FA（factory automation）は、工場全体の自動化システムの総称をいう。工場の製造設備や研究所などで、数値制御の工業機械や産業用のロボットなどを導入して、コンピュータ制御技術を用いた作業の自動化を行っている。FMSなどの多品種少量自動生産システムに代表されるような、設計、加工、出荷といった工場生産の各分野の自動化から、生産計画、管理、生産情報などを対象とした情報ネットワーク共有による効率化までを含め、トータルな生産の自動化

［写真Ⅴ‐4］CAD 設計

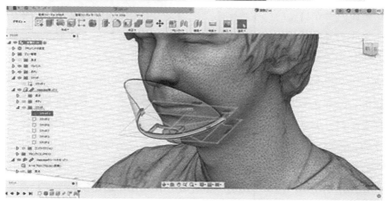

注：CAD のソフトウェアでマウスガードを設計している。人間はスキャンデータを使
　　用している。

提供：島根県[103]

をしている[104]。

　FMS（flexible manufacturing system）は、多品種・小ロット生産に対応した、
柔軟な生産システムをいう。消費者ニーズの多様化に伴い、生産ラインでは
生産製品の固定化をせず、柔軟性を持たせた生産の自動化が進められている。

FMS は生産現場の情報ネットワーク化とロボット化で、商品によって生産設備を大幅に変更することなく、一定の範囲内で類似品や複数の製品を、需要の変動に応じて混流生産できる。FMS は電気製品、衣服、食品、石油化学、住宅など、変種変量生産が要求される分野に幅広く広がっている[105]。混流生産は、一つの生産ラインで複数の製品を生産することをいう[106]。

　CAD（キャド, computer-aided design）は、コンピュータを使って設計・デザインすることをいう。コンピュータ支援設計ともいう。機械用、建築用、建築設備用、土木用、電気用、回路用、基板用、半導体回路分野などさまざまな分野用に各種の CAD ソフトウェアが用意されている。また、かつては製品の断面図を作成し、製図用途に応用する 2 次元 CAD が主流だったが、近年は 3 次元図形処理を行い、立体状の製図を直接操作する 3 次元 CAD が主流である[107]。

　CAM（キャム, computer-aided manufacturing）は、CAD システムによって蓄えられたデータを基にして、数値制御の工作機械や組立てロボットの動作指令をコンピュータが自動的に生成することをいう。CAM を含んで、より広い範囲の生産工程をコンピュータの制御によって自動化することを FA という。CAD と CAM を統合した生産方式を **CAD/CAM システム**という[108]。

　CIM（シーアイエム、シム, Computer Integrated Manufacturing）は、生産現場の情報を収集し、ネットワークとデータベースを構築することで、営業、設計、製造、物流など、生産全般の活動の合理化を図るコンピュータ支援設計システムをいう。CIM では製造現場で発生する製造に関する情報や技術に関する情報、それらの管理情報をコンピュータシステムで統括することで、生産を効率化する。生産だけでなく、経営、開発、販売などにわたる製造業の企業活動全体の情報を管理、共有し効率化する仕組みとなりつつある[109]。

（2）流通現場での利用

　企業の流通現場では、POS、バーコード、IC タグによる、管理・地籍、電子商取引、電子マネー、インターネットバンキングなどがコンピュータで行われている。

　POS（ポス、point of sales system、販売時点情報管理システム）は、店頭での販売動向をコンピュータでチェックし、マーチャンダイジング（商品政策）、在庫管理、商品搬入などを統合的に管理するシステムをいう。本社と各店舗の端末機をオンラインで結び、端末機（POS対応レジスター）で読み取った商品バーコードのデータが本社に集約される。このシステムの普及が小売と流通に変革をもたらした[110]。

　POS導入によるメリットは、大きくハードメリットとソフトメリットに分かれる。ハードメリットは、チェックアウト（コンビニのレジでの会計、ホテルの支払いなど）の生産性の向上、価格登録ミスの防止、商品名入りレシート発行による顧客サービス、店事務作業の簡素化、レジ教育訓練費用の削減、単品値付け作業費用の削減、仲間どうしの不正、アンダーリングの防止が上げられる。

　ソフトメリットは、死に筋商品把握による在庫削減効果、売れ筋商品把握による欠品防止効果、利益ミックスによる粗利益増効果、新商品効果、販促効果測定、棚スペース生産性向上効果、などが上げられる[111]。

　アンダーリング(under-ring)は、不正の手口で、売上元帳の記録上の売上げ金額を実際の売上の金額より少なく記録する不正取引をいう。実際の売上金額と現金売上元帳との差額の現金を盗む。現金商売に典型的な不正取引で小切手やクレジットカードの商売では起きない[112]。

　バーコード（bar code）は、商品の価格や規格等をバー（棒線）によってコード化したものをいう。これを商品の包装や値札などにとりつけ、レザー光線を装備したPOSスキャナーでバーコードを読み取り、コンピュータファイル（価格マスタ）から価格を検索し（PLU, プライス・ルック・アップ）、レシートに印字する。日本の標準はJAN（ジャン、Japanese Article Number）という。JANの標準タイプは2.66cm×3.73cmの大きさで、13桁のバーによって表現されている[113]。

　JANコード（ジャンコード、GTIN ジーティン）は、「どの事業者の、どの商品か」を表す、世界共通の商品識別番号である。JANコードは、商品のブランドを持つ事業者が、日本では一般財団法人 流通システム開発センターから貸与されたGS1事業者コードを用いて、商品ごとに設定する。通常、バーコードスキャナで読み取れるように、JANシンボルというバーコードシンボルに

[図V -17] JAN コード

①の45は日本を表す。45を含む9桁は企業コード（GS 1 事業者コード）。一般財団法人 流通システム開発センターが企業に貸与する。
②の3桁は商品コード。企業が決める。
③は、チェックデジット（読み取り誤差チェックの数字）

出所：一般財団法人 流通システム開発センター [114]

[図V -18] 集合包装用商品コードを ITF シンボルで表現した例

ITFシンボル

集合包装用商品コード

インジケータ　　集合包装に内包される単品の　　チェックデジット
　　　　　　　　JANコードの先頭12桁と同じ　　（JANコードのチェックデジットとは異なる）

よって商品パッケージに表示される。JAN コードと JAN シンボルは世界共通の仕組みであり、多くの国で使用されている。JAN コードは日本国内での呼び方で、国際的には **EAN** イアン（European ヨーロピアン Article アーティクル Number ナンバー）コード、あるいは、**GTIN** ジーティン -13、GTIN- 8 という。

　著者は、1990 ～ 1992年、通産省中小企業庁取引流通課長補佐として、JAN コードの充実・普及に貢献した。当時は、コンビニエンスストアの一部しか JAN コードで全品管理しておらず、新製品が JAN コードで登録されていないなどの不備が多くて実用的とは言えなかった。関係者の努力と、著者が実現した中小企業庁からの助成金で、品目、業態が広がり、新商品も迅速にデータベースに登録されるようになった。

　集合包装用商品コードは、商品の集合包装（ケース、ボールなど）に付けられる商品識別コードをいう。主に、受発注や納品、入出荷、仕分け、棚卸管理等

で使われる。国際標準では GTIN-14 という[115]。

　ITF シンボルは、商品を詰め合わせる段ボール箱には、印刷精度が求められる JAN コードを印刷できないので、印刷精度が雑でも読み取れるコードとして使用される[116]。

　IC タグは、無線で情報の読み出し・書き込みが可能な IC チップを内蔵した荷札をいう。荷札型のもの以外にも、ラベル型、カード型など、さまざまな形状がある。動作に電源が不要なことが特徴で、バーコードに比べ多くの情報を保存できるため、商品の生産から物流、販売、廃棄までの過程全体を把握でき、流通の効率化や在庫管理の簡略化が可能になる[117]。

　電子商取引は、インターネットなどのネットワーク上で契約や決済といった商取引をすることで、EC（イーシー、イー・コマース）ともいう。企業間での取引はもとより、近年は Web 上の店舗で商品を販売するオンラインショップや、個人と個人の間で売買をするオークションなども活発化している。電子商取引は、企業同士の取引「B to B」(Business to Business)、企業・消費者間の取引「B to C」(Business to Consumer)、消費者同士の取引「C to C」(Consumer to Consumer) の大きく 3 つに分類される[118]。

　電子マネーは、貨幣価値の決済を電子化したものをいう。プリペイドカード型電子マネーとネットワーク型電子マネーの 2 つに大別される。前者は IC チップに貨幣価値データを記録する電子マネーで、専用端末を使って入金（チャージ）しておき、リーダー／ライターで支払いをする。Edy や Suica、携帯電話に IC チップを内蔵した「おサイフケータイ」などがある。後者は、インターネット決済専用で、オンラインショップやオンラインゲームの支払いに使用する[119]。

　インターネットバンキングは、インターネットを通して残高照会や振込、振替などの銀行のサービスが利用できるシステムをいう。顧客は店舗に足を運ばなくて済み、銀行側は運営費用が安く抑えられるという双方にメリットがある[120]。

[写真Ⅴ-5] ㈱麻友物流センターでの商品・棚管理

JAN コード（右下のバーコード）での1品ずつの商品管理

6個入り集合包装用商品コード

120個入り段ボール箱の ITF シンボル

物流倉庫の商品棚

棚番号（10-07-1-4）

（3）物流センターでの AI、JAN、ITF 活用事例

　埼玉県川越市に本社がある㈱麻友は、1881年創業の日用雑貨・家庭用品の専門卸商社であり、有名ドラッグストアチェーン店などに多数の商品を日々納品

している。同社の物流センターでは、JAN コード、ITF コードを利用して商品と商品が入った段ボールなどを識別し、倉庫内の商品棚に棚番号を付けて、どの商品がどの棚に置いてあるか、コンピュータで管理している。

　同社の課題は、以下が挙げられていた。

①例えば、歯ブラシを 3 本納品しなければならないのに、誤って 4 本納品してしまう。

②ドラッグストアチェーン店に送る商品を、倉庫内から集める作業をする際に、たくさん歩かなければならず、時間がかかったり、作業者の負担が重くなったりする。

③倉庫内で、商品を分類して保管しているので、季節商品や COVID-19関連グッズなどの需要が高まった場合、作業者が倉庫内の特定の場所の棚に集中してしまい、混雑して時間がかかってしまう。

④作業時間がかかるということは、時間当たりの生産性が低くなるということであり、利益が減ったり、競合他社との競争に負けてしまう。

　これに対して、同社では、以下の対策を取った。

①計量・検品カートを導入して、歯ブラシの重さを自動で測ることで、3 本納品しなければならないのに誤って 4 本納品するなどを防止する。

②AI（ディープラーニング）に、作業者の倉庫内での動き方や歩数の過去の大量のデータをインプットし、作業者が歩く歩数を減らせるような作業指示を、自動で作成する。また、季節商品や COVID-19関連グッズなどを倉庫内で分散させて作業者の混雑が起きないような棚配置指示を、自動で作成する。

③これらにより、納品ミスを減らし、

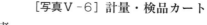

[写真Ⅴ-6] 計量・検品カート

提供：イシダ

作業者の作業時間と作業負担を減らして、時間当たりの生産性を向上させる。

（4）オフィスでの利用

　企業の事務処理現場（オフィス）では、OA、SOHO、グループウエア、クラウドコンピューティングなどが利用されている。

　OA（オーエー、Office Automation）は、オフィス内の事務作業の自動化・効率化を図ることをいう。また、OA の推進を図るための機器を、OA 機器という。OA 機器には、パソコンや FAX、コピー機などがある[121]。

　SOHO（そーほー、small office home office）は、パソコンとネットワークを活用して、小さな事務所や自宅で仕事する業務形態をいう。インターネットの普及により、会社に出勤しなくても家にいながら取引先とデータのやり取りを行えることから、急速に広まった。自宅を事務所として事業を起こす、あるいは会社と自宅をインターネットで接続して、仕事を自宅でするなどの形態がある[122]。

　グループウエアは、オフィス内外で共同作業する業務で、複数の人が効率よく作業するためのネットワーク環境を利用したソフトウェアをいう。主に、情報共有やコミュニケーションを目的としたもので、電子メール、掲示板、電子会議、スケジュール管理、文書データベース、ワークフロー、プロジェクト管理などの機能がある。グループウェアを使うことで、グループ単位のプロジェクトや事業計画の立案など、複数の人が共同作業をする業務を円滑に運営できる。また、支店や他社と協同で進める事業で、時間や場所の制約を少なくできる[123]。

　クラウドコンピューティング（Cloud Computing）は、インターネットを利用したサービスの利用形態をいう。インターネット上のさまざまなハードウェアやソフトウェアの資源をクラウド（雲、Cloud）として捉えて、ユーザーはそうしたサーバー群の存在を意識することなく、さまざまな処理をサービスとして利用する。クラウド・コンピューティングでは、クライアントは、インターネ

ットへの接続機能やWebブラウザなど最低限の環境を用意するだけで、電子メールやグループウェア、業務システムといったさまざまなサービスが利用できる。実際の処理は、サービスを提供する事業者（ASP）側のサーバーで実行・管理される。ユーザーは、利用したサービスの料金を支払う。自社サーバーの管理や、個々のクライアントパソコンへのソフトウェアのインストールなどの手間がかからず、ハードウェアとソフトウェアをまるごとアウトソーシングできるのがメリットである[124]。

（5）生活での利用（IOT）

　IoT（Internet of Things）は、あらゆる製品・モノをインターネットに接続する技術をいう。モノのインターネットともいう。
　例えば、IoTが普及すれば、家電、家屋といった様々な物がインターネットにつながり、デジタル・情報通信技術で家庭の電力を効率的に使ったり、外出先から家のエアコン、電気ポット、掃除ロボットなどの家電を動かしたりすることができる。

［図Ⅴ-19］家庭のIOT

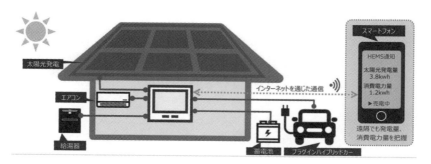

出典：総務省

[注]

102）茅野（2014）pp.9-13

103）島　根　県 https://www.pref.shimane.lg.jp/industry/employ/kikan/tobu_gijutsu/
　　　zaishokushakunren/3D/imasugu3dcad.html　（2020/08/13取得）

104）ASCII.jp デジタル用語辞典

105）ASCII.jp デジタル用語辞典

106）キーエンス FA 用語辞典

107）ASCII.jp デジタル用語辞典

108）小学館　日本大百科全書(ニッポニカ)

109）ASCII.jp デジタル用語辞典

110）平凡社百科事典マイペディア

111）(株)ジェリコ・コンサルティング流通用語辞典

112）日米会計税務アドバイザリーサービス
　　　http://www.saikos.com/news.php?itemid=270　（2019/5/9取得）

113）流通用語辞典

114）一般財団法人 流通システム開発センター　http://www.dsri.jp/jan/about_jan.html
　　　（2019/5/13取得）

115）流通システム開発センター https://www.gs1jp.org/code/jan/itf.html　（2022/7/1取得）

116）流通システム開発センター https://www.gs1jp.org/code/jan/itf.html　（2022/7/1取得）

117）ASCII.jp デジタル用語辞典

118）ASCII.jp デジタル用語辞典

119）ASCII.jp デジタル用語辞典

120）ASCII.jp デジタル用語辞典

121）ASCII.jp デジタル用語辞典

122）ASCII.jp デジタル用語辞典

123）ASCII.jp デジタル用語辞典

124）ASCII.jp デジタル用語辞典

第5節 社会人が身につけるべきデジタル・情報通信技術

（1）社会人が身につけるべきデジタル・情報通信技術の知識範囲

　デジタル・情報通信技術の進化により、様々なデータや技術を通じて、ビジネスの可能性や環境が変化している。企業では、経営者・役員、管理職、従業員のそれぞれの立場や業務のために、進化するデジタル・情報技術学び、自社のビジネスに利用することが求められている[125]。

　デジタル・情報技術のビジネスへの応用は、［図Ⅴ-20］のように、企業のバ

［図Ⅴ-20］デジタル・情報技術のビジネスへの応用のイメージ

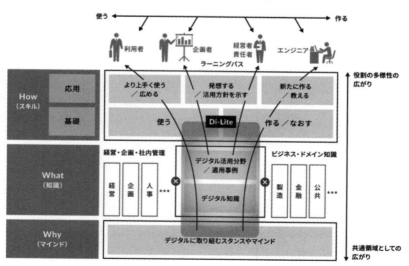

出典：デジタルリテラシー協議会[126]　　注：Di-Lite は、デジタル・情報技術の共通知識の意味。

[図V -21] 社会人が身につけるべきデジタル・情報通信技術の知識範囲

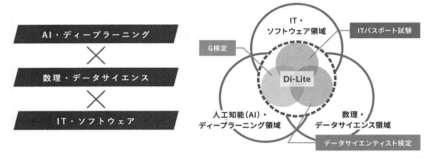

出典：デジタルリテラシー協議会[127]

リューチェーンのそれぞれの分野で行い、企業内の経営者・幹部、企画担当、デジタル・情報技術の専門家、利用者（社員）が協力して取り組む必要がある。

　このように、これからの社会人は、デジタル・情報技術をビジネスに応用するために必要な知識を誰もが学ぶ必要がある。このため、2022年、高校では「情報Ⅰ」科目が導入された。大学でも、高校「情報Ⅰ」科目に準じて、文部科学省から『数理・データサイエンス・ＡＩ教育プログラム認定制度（リテラシーレベル）[128]』が示され、モデルカリキュラムの導入が始まっている。

　社会人が身につけるべきデジタル・情報技術の知識範囲を民間企業団体が［図V -21］のように検討している。知識範囲は、ITソフトウェア領域、数理・データサイエンス領域、AI・ディープラーニング領域の3領域があり、それぞれを学習するための資格として、ITパスポート試験、G検定、データサイエンティスト検定の3つの資格の内容を推奨している。

　ITパスポート試験は、①企業経営の基本、②情報システム戦略、計画、③コンピュータの知識、④セキュリティを内容とする。

　G検定は、①人工知能の知識、②機械学習・ディープラーニング、③データの収集・加工、実装、評価、④危機管理、⑤数学、統計を内容とする。

　データサイエンティスト検定は、①ビジネス課題解決、②数学、統計、④データ加工を内容とする。

（2）文系学部の卒業生がIT企業に就職したらどうなるのか

　文系学部からIT企業に就職する人は、以前から多かったが、これからも増えるであろう。文系の若い人を育てるIT企業に入社すると、以下の2段階の新入社員教育を受ける。

　①チームでビジネスをすること。どの組織で仕事をするときも基本である。IT企業ではチームで仕事ができれば、顧客の要望を理解して、様々なICT技術を組み合わせて対応することができるようになる。

　②会社や事業部で必要とされるプログラム言語を習得する。

　プログラム言語の研修は、2022年現在、Javaが圧倒的に多く、Python、Windows.net、Cが多いが、会社や事業部の顧客が何を求めるかで、学ぶプログラム言語は様々である。

　プログラム言語を習得するときに大事なのは、要素に細かく分けて、論理的につなげていく思考法である。これは、どのプログラム言語にも共通することなので、何かのプログラム言語を習得すれば、他も同じように学ぶことができると言われている。

　入社して3年くらいで、仕事の方法を学んで活躍すれば、多くの文系学部出身者が期待された水準で仕事ができるようになる。

　文系学部出身者にもプログラムを作ることに向いている人はいる。学部や勉強した学問に関係なく、能力や思考法の向き不向きによると言われている。プログラムを作ることが得意でないとしても、プログラム言語などのICT技術を理解した上で、顧客と自社の技術者を結ぶような営業職になる文系学部出身者は多い。初めから営業だけに従事してICT技術を知らない人よりも、ビジネス×ICT技術で"提案営業"できる人の方が、営業内容のレベルは上になる。

　理系の情報技術学部出身者が、顧客の経営内容や困りごとを理解するのはハードルが高いと言われる。経営学を学んでいない、学生時代に専門的な学修に集中していて広く社会と関わる機会が少ない、技術に自信があるので、相手に合わせるのではなく、自分の考えを主張しやすい、相手がわかるように説明

しないなどによる。文系学部出身者は、経営学を学んだ人も多く、広く社会を学んでいるので、顧客の経営を理解するのはハードルが相対的に低いと言われる。一方で、ICT 技術を理解するのはハードルが高い。

　これからの IT 企業には、顧客の経営課題と ICT 技術の両方を理解することが求められるので、文系学部出身も、理系学部出身者も、強みを活かしながら、足りないことを学び続けて活躍できる。数十年先までの将来を考えれば、使用されるプログラム言語は変わっていくであろう。ICT 技術の大きな変化も何回か起こるであろう。その時に大事なのは、

　①チームでビジネスをできること。

　②プログラム言語などの新しい技術を学び続けることができること。

である。

　文系学生が IT 企業を就職先のひとつとして考えるときは、ICT 技術の歴史と現状を理解し、将来も大きな変化が起き続けるであろうことを理解することが重要である。その上で、就職活動では、さまざまな IT 企業を自分の目で見て、話して、感じ取って就職先を検討することが重要である。ICT 技術は手段なので、その手段で何をしようとしている会社なのか、就職先として自分に合っているか調べて判断するべきである。

　何かやりたいことがあったり、人事、経理など特定の職種に興味があるのであれば、その内容を上手に ICT 技術・AI 技術で実現している企業に入社する選択肢がある。例えば、経理アウトソーシング受託会社、人事アウトソーシング受託会社、IT 技術・AI 技術を活用している監査法人、会計事務所などがある。

　ICT 技術・AI 技術は手段ではあるが、これからも大いに使われる技術であることは疑いない。IT 企業に入社して新入社員教育を受けて、最初にプログラミング言語を一所懸命学んで社会人のスタートを切ることは、将来のキャリアを豊かにする。AI を使うノウハウも知っていた方が良い。どのような業界、企業に入っても ICT 技術・AI 技術は使うが、現在は大きく変化している時期なので、IT 企業に入れば、より先端のことを、より多くの機会に仕事を

通じて習得できる。

　社会人のスタートで、ICT 技術・AI 技術の先端を学ぶと、現在のようにＩＣＴ技術、ＡＩ技術が大きく変化している時期は、より良いキャリアを築くことができる可能性がある。そうすれば、将来、自分のキャリアデザインをし直したときに、好きな業界、企業に転職することが容易になる可能性がある。

（3）文系学生がIT企業に入った後のキャリア──A社のケース──

　ICT 技術を使った企業支援をメイン業務にしている企業 A 社の事例で、文系学生が IT 企業に就職した場合にどのようなキャリアパスを通っていくのか見てみよう[129]。

　A社は、採用時に文系・理系の区別をせずに採用し、1年目の研修も区別していない。業務内容は、ICT 技術を使った企業支援、顧客企業の課題を ICT 技術で解決することである。

　工学部情報学科で専門教育を受けた学生を新規採用したり、IT のシステム開発の高度な技術者を中途採用したりすることはせず、文系・理系にこだわらず未経験者を採用して、自社内研修で社員に IT 技術を修得させてきた。もし、社内ではできないようなシステム開発が必要になれば、専門のシステム開発企業や、独立した技術者に発注・依頼する。自社で開発できるプログラムは内製した方が低コストで作ることができるという考え方である。

①採用

　面接・内定の過程で、SPI 3 を学生に受験させる。SPI 3 の性格検査で、学生が自社に向くか判断の材料にする。学生の学部や大学で何を学んだかには関係なく、持って生まれた性格や本人の思考傾向によって、プログラムの開発に向いている向いていないがある。プログラムの開発に向いていなくても、顧客の課題や困りごとを聞いて解決法を整理する（要件定義）に向いている人もいる。そのような自社の仕事に向いていて、自社の企業思想に賛同してくれる学生を採用する。自社の企業思想に賛同してくれる人でないと、お互いに幸せに

働けないと考えるからである。

　ＩＴ企業でも、顧客企業のＩＴ利用を支援することをメイン業務にしている企業と、システム開発を専門的に行うタイプの企業がある。①システム開発を専門的に行うタイプの企業は、工学部で情報を学んだ学生を採用する。②顧客企業のＩＴ利用を支援することをメイン業務にしている企業は、文系や情報分野以外の理系も採用する。顧客の課題や困りごとを聞いて解決法を整理する（要件定義）ためには、コミュニケーション能力が高い人が必要だからである。

②入社時研修

　4月に入社してすぐの1ヶ月で、社会人としての基礎的な研修を行う。5月に各現場に配属される。システム部門に配属となった社員は、現場が独自に準備した3ヶ月間の研修（プログラム言語やシステムを学ぶ）を受講する。また、仕事の諸課題をプログラムで処理するために、仕事の内容を整理して、プログラムでどう処理するか要点を整理する〝要件定義〟ができるように研修する。

　どの現場で何人くらい新人が必要かを調べた上で学生を採用している。研修で、新人が何に向いているかも考慮して配属先を考える。

③1年目から3年目

　1年目から3年目の仕事内容は、大きく2種類に分かれる。

　1）システム開発

　　顧客の課題・困りごとを聴いて、システムの要件定義を行い、自分や社内でプログラムを作ったり、社内で作れないプログラム言語やシステムはシステム開発会社に発注したりして、顧客の業務処理に必要なシステムを構築する。

　2）ＩＴヘルプデスク・サポート

　　顧客企業のＩＴシステムの運用・管理を行う。顧客企業の情報システム部門を支援したり代行したりする。

　3）新サービス・事業開発

　　優秀な人、向いている人は、3年目までに、新サービス・事業開発を担
　当できる人もいる。

④4年目から30歳まで
　大学卒の総合職は、4年目からはチームリーダーの役割を担うことが期待さ
れている。3年を待たずに力を発揮してチームリーダーの役割を担えるように
なっている人も多い。仕事内容は、4種類に分かれる。

　　1）システム開発のチームリーダー
　　　　顧客単位のシステム開発チームのリーダーとして、顧客の課題・困りご
　　とを聴いて、システムの要件定義を行い、システムを作って納品する仕事
　　を率いる。顧客を定期的に訪問して困りごとを聴きだす。管理職として、
　　チームメンバーの労務管理も行う。
　　2）ITヘルプデスク・サポート
　　　　顧客企業のITシステムの知識の幅を広げて、顧客企業が情報システム
　　で困っていることは何でも対応できるように知識の幅と深さを広げてい
　　く。チームリーダーとなって、チームメンバーの労務管理も行う。
　　3）サービス営業
　　　　ITシステムで課題・困りごとを解決するサービスを営業する。
　　4）新サービス・事業開発
　　　　IT技術の知識と経験を積んで、新しいサービス、新しい事業を開発す
　　る。従来の業務は、顧客や市場の変化、ICT技術の進化、関連法令のI
　　T対応等で無くなったり、変わったりしていくので、新しいサービス、事
　　業を開発していく必要がある。

⑤30歳を超えたら
　マネジメントとスペシャリストの2つの道がある。マネジメントは、管理職
として部門を統括する。スペシャリストは、技術の専門性を高めていく。
　A社では副業を認めているので、自分の力でできることを事業化したり、

将来は独立して事業を行うことを考える人もいる。

（4）DX・AI などの新しい技術は人の仕事を奪わない

　コンピュータやインターネットが発達するにしたがって、手計算、そろばん、タイプライター、手紙、電信などの伝統的な道具や、それによって生計を立てていた人の職業は、ICT 技術によって便利でコストが安い方法やモノに置き換わってきた。この本を執筆している現在（2023年）は、AI・人工知能によって、ある種の職種は仕事がなくなるという話しがあり、生徒や学生によっては恐怖を感じている人もいる。大人が、そういう話しをネガティブなイメージでして、子供に勉強をするように脅しているという話しも聞く。良くないことだ。子供が勉強することは大事だが、仕向ける手段が良くない。

　情報技術や AI・人工知能によって、ある種の職種の仕事がなくなるということは、これまでもあったし、これからも起こるであろう。著者が社会人になった時（1984年）には、和文タイプライターのタイピストという職種があり、その職に就いている人がいた。ベテランもいたが、二十歳前の人もいた。しかし、数年で、和文タイプライターのタイピストという職種はなくなった。和文タイプライターの機能が、パソコンとプリンターに置き換わったからである。彼ら・彼女らは、パソコンを使った経理などの事務の仕事に替わった。和文タイプライターを早く正確に打てるという技能は評価されなくなり、経理などの仕事に必要な知識を新しい仕事の中で覚えていった。

　これからの企業戦略では、仕事に ICT 技術や人工知能・AI を使うかが重要となるだろう。それを判断して、使いこなしていくのは人間の仕事であることを、後で詳しく述べる。

コラム4

心配するな工夫せよ

　「**心配するな工夫せよ**」は、地方創生の偉人、岩切章太郎氏の座右の銘である。意味としては、心配することは心を弱くして病むだけで問題の解決にはならない。覚悟を持ち、心配することはやめよう。しかし、心配することをやめるだけでは、ものごとは解決しないので、解決のためにできることを必死に工夫しようという意味である。悩んでいるときに、仏教のお坊さんから授かった言葉だという。

　AI・人工知能が自分の人生を暗くするのではないかと心配しても、心を弱くして病むだけで問題の解決にはならない。まずは、情報処理技術、AI・人工知能のことを知ろう。そして、AI・人工知能が、何ができて何ができないかを理解しよう。AI・人工知能によって、将来、自分が就いた仕事はなくなるかもしれない。その時には、AI・人工知能ができない仕事をするように軽やかに変わっていこう。そのためには、社会人になった初期に一所懸命に働いて仕事力の基礎を身につけ、その後も、仕事に関して必要な新しいことを勉強していけばよい。ほとんどの人は自然にそうしている。そのころには、AI・人工知能は、生活、仕事の中にすっかり定着していて、また何かの新しい技術ができて「〇〇技術が、ある職種の仕事をなくす脅威だ」と言われるかもしれない。その時には、後輩や子供たちに言ってほしい。「心配するな工夫せよ」と。

[表V-3] デジタル・情報技術年表

西暦	時代	できごと
紀元前 8世紀から 4世紀	ローマ時代	そろばんや歯車を使った計算機があった。
1943年	第2次世界大戦前	初のコンピュータが作られる。電磁石を使ってスイッチを閉じたり開いたりする計算機。
1946年	第2次世界大戦後	真空管を使用したコンピュータが作られる。
1950年代 後半〜 1960年代	1950年代	第一次人工知能（AI）ブーム
1958年		トランジスタを使用したコンピュータが作られる。
1964年	1960年代	IC（多くのトランジスタを一つにまとめた電子部品）を使用したコンピュータが作られる。
1964年		プログラミング言語　BASIC（ベーシック）が開発された。
1969年		インターネットの元になる通信技術が開発された。
1971年	1970年代	LSI（ICより大規模な回路を一つにまとめた電子部品）を使用したコンピュータが作られる。
1972年		プログラミング言語　Cが開発された
1980年代	1980年代	VLSI（LSIより大規模）を使用したコンピュータへと進化した。
1980年代		第二次人工知能（AI）ブーム
1982年		PC-9800シリーズ発売。
1985年		プログラミング言語　C++（シープラプラ）がCをベースとして開発された。
1991年	1990年代平成	プログラミング言語　Python（パイソン）が開発された。
1993年		マークアップ言語　HTML仕様書が公開された。
1995年		windows95が発売された。
1995年		プログラミング言語　JAVA（ジャバ）が開発された。
1998年		マークアップ言語　XMLが公開された。
2000年	2000年代	マイクロソフト社が「Microsoft .NET」を発表した。
2007年		初代iPhoneが発売された。
2000年代 から現在		第三次人工知能（AI）ブーム

業界研究 20　　IT 産業（Part2）

[表 V - 4] IT 業界の中の業界の種類例

携帯電話事業など	NTT、NTT ドコモ、KDDI、AU、ソフトバンクなど
ソフトウェア開発・販売	ソフトウェアの受託開発、パッケージソフトウェアの販売・カスタマイズなど
ゲーム開発・販売	ソニー、任天堂、セガ、カプコンなど
社内システム支援	企業内のアカウント、メール、セキュリティ、バックアップ、サーバ確保など顧客企業の情報システム部門の業務を請け負う。
営業支援	企業の B to C の Web サイトの制作、運営、消費者からの問い合わせ対応など、顧客企業の販売・営業関連業務を請け負う。
経理支援	領収書、伝票のデータ化、記帳、支払処理、月次、年次の財務書類作成、税務書類作成など、顧客企業の経理部門の業務を請け負う。
人事支援	人事、労務管理などに必要なデータベース作成、人事評価システムの設計、運用業務などを請け負う。
専門的な業務の支援	スポーツイベント、エンターテインメント、音楽、映像作成など、専門的な業務に対応した IT サービスを提供する。
e コマース	Amazon、楽天、メルカリなど
ポータルサイト	Google、Yahoo など

　ソフトウェア業界の売上は、1 位が日本オラクル、2 位がトレンドマイクロ、3 位がオービック。経常利益は 1 位が日本オラクル、2 位がオービック、3 位がトレンドマイクロである (2022年) [130]。

　日本オラクルは、オラクル (Oracle Corporation) の日本子会社。オラクルは、米国の企業向けコンピュータソフトウェアメーカー。リレーショナルデータベース管理システム「オラクルデータベース」の開発で知られる。1977年、ラリー・エリソンらによってソフトウェア・デベロップメント・ラボラトリーズとして設立。1979年、構造化照会言語 SQL; Structured Query Language を使

った最初期の商業用リレーショナルデータベースプログラム「オラクル」を発表。汎用性の高いこのデータベースプログラムは急速に広まった。ワールド・ワイド・ウェブ WWW 技術対応の製品を早い段階から開発し、2010年サンマイクロシステムズを買収、プログラム言語 Java、オペレーティングシステム Solaris に加え、オープンソースデータベース MySQL も所有した[131]。

　営業支援 IT 企業は多くある。一例に、regain group ㈱がある。同社は、「新しい "eigyo" のかたち」を 世界へ提案するとしている。同社の考えは、これまで IT が担ってきたイノベーションは、主に経理や総務の合理化が中心でコスト削減を目的としてきた。しかし、これからの IT イノベーションは、企業経営の本質的な領域である営業にも及ぶ。これまでの営業は、体質が古く変革が難しい領域だっただけに、今後の IT イノベーションによる伸びしろがあるとする。営業は、関係者のコミュニケーションの質が重要で、質を確保しながら、チャット技術、AI、テレマーケティングの手法を使うことで、対面せずに質の高い営業コミュニケーションが可能となる。その結果、コストの削減や、地理・言語・時間の壁に囚われない営業ができるようになる。だれでも、いつでも、どこでも、営業を行えるようになる[132] としている。

　経理支援 IT 企業の例[133] は、
　ＮＯＣアウトソーシング＆コンサルティング株式会社は、1965年創業、アウトソーシングの実績は1000社以上。まだ経理アウトソーシングが世間から注目を集める前から蓄積されたノウハウやキャリア、そして人材を強みとしている企業である。対応可能な企業規模も幅広く、業務改善のアドバイスや定期的な訪問など、きめ細かなサービスを行っている。1000人を超える専門スタッフ（全サービス合算）が在籍しているため、高度な依頼内容も引き受けることが可能。オンサイト型やインハウス型など、需要にあった内容が選べるため、コスト面から見ても優れた会社としている。
　NTT ビジネスアソシエは、NTT グループが提供しているアウトソーシングサービスで、NTT の経理シェアードサービスセンターで培われたノウハウ

やスキルからサービスを提供している。NTT のグループ内から実績のある人材を採用したフルスコープ型のアウトソーシングを行って、会計業務から決算業務に至るまで幅広い業務を委託できるのが特徴である。またコンサルティングや経理人材育成のサービス業務など、将来的な経営を見据えたサポート業務も行っている。

　ＭＨＣトリプルウィン株式会社は、三菱 HC キャピタルグループが決算業務を行ってきたノウハウと実績から経理アウトソーシングサービスを提供している。サービス水準が高く、安全性にひときわ注力している企業でもある。データ管理は日立グループのデータセンターで365日24時間監視の下で行われ、バックアップもされている。情報管理システムがしっかり組み込まれているので、安心して業務委託できる企業である。

　LIXIL 住生活ソリューションは、建築材料・住宅設備機器の大手である LIXIL グループが提供している経理アウトソーシングサービスである。売掛金の管理や支払いデータの作成、請求書の発送など経理に関する業務を幅広く委託できる。担当スタッフが対面で対応してくれる『訪問型』、データを送るだけの『センター型』の２種類の委託方法があり、自社の体制や予算に合わせて選べる。

　辻・本郷 税理士法人は、公認会計士や税理士が多く在籍しており、スタッフの技術水準が高い企業である。海外にも拠点があるため、外資系企業や海外に支社があるケースでも対応してくれる。経理を行う際のシステムの提案や導入サポートなども行っており、経理業務全般で支援を受けられる。

　人事労務支援 IT 企業の例は、㈱ Enigol、オンライン会計事務所、㈱シーエーシー（CAC）、エムザス㈱、㈱ミナジン、㈱アックスコンサルティング、㈱シスプロ、アールイープロデュース㈱、㈱トライアンフ、MHC トリプルウィン㈱、レジェンダ・コーポレーション㈱などがあり、給与計算、年末調整、人事申請、社会保険など、顧客企業の人事労務支援を ICT 技術や社会保険労務士などの専門家により行っている。

┌───┐
│ ［課題24］業界研究（IT 産業）

　　リクナビの業界ナビ[134]、マイナビの業界研究[135] から、IT 産業について調べてみよう。IT 産業から一つ企業を選んで調べてみよう。
└───┘

┌───┐
│ 業界研究 21　エンタテインメント、ゲーム、レジャー施設、映画、音楽 │
└───┘

　エンターテイメント業界は、ゲーム、音楽、レジャー施設、書籍など娯楽コンテンツを通じてユーザーを楽しませる業界をいう[136]。

　ゲーム業界の売上げは、約7兆円（2021年）。主な企業は、ソニー、任天堂、バンダイナムコ、スクウェア・エニックス、ネクソンがある[137]。

　レジャー施設業界の売上げは、約1.2兆円（2021年）。主な企業は、オリエンタルランド（東京ディズニーランド）、西武、東急不動産、東武鉄道、ラウンドワン（ボウリング場）がある[138]。

　映画業界の売上げは、約0.6兆円（2021年）。主な企業は、東宝、東映、松竹、東映アニメーション、東北新社がある。

　音楽市場規模は、約0.3兆円（2021年）。COVID-19（新型コロナ）以前より縮小傾向である。ストリーミング配信、サブスク（サブスクリプション。一定料金を払えば、一定期間内なら商品やサービスを何度も自由に利用できるビジネスモデル。）の利用が増加している[139]。

┌───┐
│ ［課題25］業界研究（エンタテインメント業界）

　　リクナビの業界ナビ[140]、マイナビの業界研究[141] から、エンタテインメント業界について調べてみよう。エンタテインメント業界から一つ企業を選んで調べてみよう。
└───┘

［課題26］業界研究（卸・商社）

　リクナビの業界ナビ[142]）、マイナビの業界研究[143]）から、卸・商社について調べてみよう。卸・商社から一つ企業を選んで調べてみよう。

［課題27（学生への課題）］自分が就職を検討する業界

　すべての産業に関わる工業技術の概略を学んだ。あらためて、［表Ⅲ‐1］に表記されているすべての業界の一覧を見て、自分が就職する可能性はないと思うものを二重線で消してみよう。

［表Ⅲ‐1］ リクナビ 、マイナビの業界分類と本書で紹介の章等（再掲）

リクナビ		マイナビ		本書の章等
大分類	小分類	大分類	小分類	
－	－	サービス	医療機関	Ⅰ：2の(11)
銀行・証券・保険・金融業界	都市銀行・信託銀行、地方銀行、信用金庫、損害保険、生命保険、証券	金融	銀行・証券・信金・労金・信組クレジット・信販・リース・その他金融生保・損保	Ⅰ：2の(9)
百貨店・専門店・流通・小売業界	ファッション・服飾雑貨・繊維、ドラッグストア・医薬品・化粧品・調剤薬品	流通・小売	百貨店・スーパー・コンビニ・専門店、調剤薬局	Ⅰ：2の(8)
－	－		コンサルティング・シンクタンク・調査	Ⅰ：2の(6)
サービス・インフラ	人材サービス（人材紹介・人材派遣）、教育、福祉・介護、鉄道、航空・空港、レジャー・アミューズメント・パチンコ、ホテル、旅行、外食・レストラン・フードサービス、不動産その他サービス	サービス	人材サービス（派遣・紹介）、不動産、鉄道・航空・陸運・海運・物流、レストラン・給食・フードサービス、ホテル・旅行、福祉サービス、アミューズメント・レジャー、フィットネスクラブ・エステ・理	Ⅰ：2

			美容冠婚葬祭専門、その他サービス	
情報（広告・通信・マスコミ）業界	出版・雑誌 放送・テレビ・ラジオ 広告	広告・出版・マスコミ	マスコミ（放送・新聞）、マスコミ（出版・広告）、芸能・映画・音楽	Ⅱ：4
サービス・インフラ	公社・官庁	官公庁・公社・団体		Ⅰ：2の(12)
メーカー	食品		農林・水産、食品	Ⅲ：2の(1)
百貨店等	ファッション・服飾雑貨		アパレル・服飾	Ⅳ：2の(3)
－	－	メーカー、専門商社	住宅・インテリア、プラント・エンジニアリング、印刷・事務機器、日用品、建設・設備、スポーツ・玩具・ゲーム	Ⅳ：2の(2)
－	－	サービス	電力・ガス・エネルギー	Ⅲ：2の(4)
メーカー	自動車		自動車・輸送用機器	Ⅳ：3
IT・ソフトウェア・情報処理業界	ソフトウェア 情報処理	ソフトウェア・通信	ソフトウェア・情報処理・ネット関連 ゲームソフト通信	Ⅰ：2の(6) Ⅴ
商社	総合商社	メーカー全般、総合商社		Ⅰ：2の(8)
メーカー	鉄鋼		鉄鋼、金属・鉱業	Ⅳ：2の(1)
－	－		木材	Ⅳ：2の(2)
百貨店等	繊維		繊維・紙パルプ	Ⅳ：2の(3)
メーカー	化粧品、医薬品	メーカー、専門商社	化学、ゴム、ガラス、セラミックス、薬品・化粧品	Ⅳ：2の(4)(5)
－	－		機械、精密・医療機器	Ⅳ：3
－	－		電気	Ⅳ：4

出所：リクナビ、マイナビの Web サイト（2020年5月）から著者作成

［業界研究目次］

業界研究1　　IT産業（Part 1）……………………………………………………　33
業界研究2　　運輸、宿泊業………………………………………………………　37
業界研究3　　小売業………………………………………………………………　40
業界研究4　　卸・商社……………………………………………………………　43
業界研究5　　銀行、保険…………………………………………………………　45
業界研究6　　教育、学習支援業…………………………………………………　46
業界研究7　　介護…………………………………………………………………　47
業界研究8　　公務員・公的組織…………………………………………………　48
業界研究9　　広告・出版・マスコミ……………………………………………　93
業界研究10　食品・外食…………………………………………………………　110
業界研究11　建設業、不動産業…………………………………………………　119
業界研究12　エネルギー産業……………………………………………………　124
業界研究13　鉄鋼業界・金属業界………………………………………………　149
業界研究14　木材・住宅・家具…………………………………………………　160
業界研究15　繊維産業……………………………………………………………　162
業界研究16　石油精製、化学、ゴム、薬品・化粧品業界……………………　169
業界研究17　ガラス、セラミックス、セメント………………………………　172
業界研究18　自動車、機械産業…………………………………………………　180
業界研究19　電気機械産業………………………………………………………　211
業界研究20　IT産業（Part2）……………………………………………………　275
業界研究21　エンタテインメント、ゲーム、レジャー施設、映画、音楽……………　278

［注］

125）経済産業省（2022）
126）https://www.dilite.jp/　（2022/05/21取得）
127）https://www.dilite.jp/　（2022/05/21取得）
128）https://www.mext.go.jp/a_menu/koutou/suuri_datascience_ai/00002.htm
　　（2022/05/21取得）
129）2022年5月、A社の人事担当から聴取り。
130）https://www.s-agent.jp/column/20886　（2022/12/2取得）
131）ブリタニカ国際大百科事典 小項目事典
132）https://www.regain-group.com/　（2022/12/2取得）
133）https://www.noc-net.co.jp/blog/2020/01/column_304/　（2022/12/2取得）
134）https://job.rikunabi.com/contents/industry/881/　（2020/05/20取得）
135）https://job.mynavi.jp/conts/2021/keyword/gyoukai/　（2020/05/20取得）
136）https://offerbox.jp/columns/industry-analysis/30817.html　（2023/6/5取得）
137）https://gyokai-search.com/　（2023/6/5取得）
138）https://gyokai-search.com/　（2023/6/5取得）

139）https://gyokai-search.com/　（2023/6/5取得）
140）https://job.rikunabi.com/contents/industry/881/　（2020/05/20取得）
141）https://job.mynavi.jp/conts/2021/keyword/gyoukai/　（2020/05/20取得）
142）https://job.rikunabi.com/contents/industry/881/　（2020/05/20取得）
143）https://job.mynavi.jp/conts/2021/keyword/gyoukai/　（2020/05/20取得）

第 VI 章
計量、品質管理

第**1**節 計 量

（1）計量の意義[1]

　私たちの生活の中では、例えば、朝の目覚まし時計の時間、エアコンの温度・湿度調節、体重の計量、朝食のレシピの計量、調理で使った水道・ガス・電気の計量、通勤・通学の時間、距離などを計って暮らしている。計るために、時計、温度計、湿度計、体重計、水道メーター、ガスメーター、電力量計などが家庭や職場にある。科学や産業の分野では、目的に応じた測定器で測定結果を数量化することが重要となる。

　計るためには、ものさしなどの測定器が必要となるが、測定器が正しいことはどのように保証されるのであろうか。歴史上では、紀元前221年、秦の始皇帝が**度量衡**（度は長さ、量は容積、衡は質量）を統一し、標準となる升や分銅を中国全土に配布した。

　日本では、**計量法**で計量に係るルールを統一している。国際単位系（SI：International System of Units）が整備されるにしたがって、日本の計量法は国際単位系（SI）を実施することを定める内容となってきている。

　計量法の元は、1875年（明治8年）の度量衡取締条例であり、1885年、日本が**メートル条約**に加入すると、1890年に**国際度量衡局**（パリ）からアジア初の「**日本国メートル原器**」、「**日本国キログラム原器**」が付与された。なお、現在は、メートル、キログラムは［図Ⅵ‐1］のように決められており、メートル原器などは計量標準とはなっていない。

　著者は、2005〜07年、経済産業省知的基盤課長の任にあり、計量法など日本の計量標準行政の責任者を務めた。

［図Ⅵ−1］国際単位系の基本単位と現在の決め方

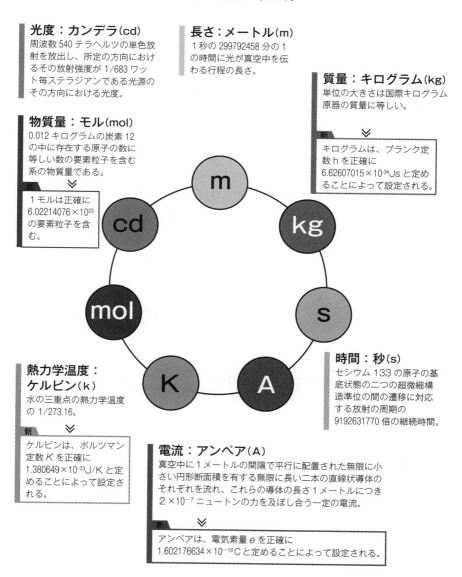

光度：カンデラ(cd)
周波数 540 テラヘルツの単色放射を放出し、所定の方向におけるその放射強度が 1/683 ワット毎ステラジアンである光源のその方向における光度。

長さ：メートル(m)
1 秒の 299792458 分の 1 の時間に光が真空中を伝わる行程の長さ。

質量：キログラム(kg)
単位の大きさは国際キログラム原器の質量に等しい。

新 ≫
キログラムは、プランク定数 h を正確に 6.62607015×10⁻³⁴ Js と定めることによって設定される。

物質量：モル(mol)
0.012 キログラムの炭素 12 の中に存在する原子の数に等しい数の要素粒子を含む系の物質量である。

新 ≫
1 モルは正確に 6.02214076×10²³ の要素粒子を含む。

熱力学温度：ケルビン(k)
水の三重点の熱力学温度の 1/273.16。

新 ≫
ケルビンは、ボルツマン定数 K を正確に 1.380649×10⁻²³ J/K と定めることによって設定される。

時間：秒(s)
セシウム 133 の原子の基底状態の二つの超微細構造準位の間の遷移に対応する放射の周期の 9192631770 倍の継続時間。

電流：アンペア(A)
真空中に 1 メートルの間隔で平行に配置された無限に小さい円形断面積を有する無限に長い二本の直線状導体のそれぞれを流れ、これらの導体の長さ 1 メートルにつき 2×10⁻⁷ ニュートンの力を及ぼし合う一定の電流。

新 ≫
アンペアは、電気素量 e を正確に 1.602176634×10⁻¹⁹ C と定めることによって設定される。

提供：産業技術総合研究所　計量標準総合センター 2)

（2）国際単位系（SI）

　計量標準は、ものを測るものさしとして、国がそれらの基準を定め、国民生活、事業活動、研究活動に幅広く利用されるものをいう。また、計測の際に使用される具体的な標準器を示す意味で使われる場合もある。

　国際単位系（SI）は、メートル条約に基づき、計量標準の単位の統一を、技術分野、国、経済、文化の違いを超えて、また常に新しい技術を取り入れて、普遍的な国際計量標準を作っている体系をいう[3]。

（3）SI基本単位、SI組立単位、SIとともに用いることができる単位

　国際単位系（SI）の**基本単位**は、計量に係る各分野の基礎となる単位で、合理的で信頼度の高い実現性（再現性）をもつ7つの単位が選ばれている（前ページ［図Ⅵ-1］）。

　国際単位系の**組立単位**は、基本単位の乗除（かけ算、わり算）で組み立てられる単位で、多数の組立単位がある。

［図Ⅵ-2］国際単位系（SI）の組立単位

基本単位を用いて 表されるSI組立単位	速さ：メートル毎秒（m/s） 面積：平方メートル（㎡） 密度：キログラム毎立方メートル（kg/㎥）など
固有の名称をもつ SI組立単位	平面角：ラジアン（rad） 立体角：ステラジアン（sr） 力：ニュートン（N） 周波数：ヘルツ（Hz） 電気抵抗：オーム（Ω）　など

提供：産業技術総合研究所　計量標準総合センター[4]

　※国際単位系（SI）の基本単位と組立単位の関係は288〜289頁の［図Ⅵ-4］に掲載

（4）国際単位系（SI）の指数の接頭語

　国際単位系（SI）では、10^{-24}から10^{24}まで指数の読み方である20個の**接頭語**を決めている。指数・接頭語を用いることで、目的に応じた手頃な大きさの単位を作ることができる。例えば、長さの単位 m（メートル）に指数の接頭語を付けると、小は電子の半径から、大は宇宙の半径までを表現できる。

2.8fm　電子の半径	52.9pm　水素原子の半径
20〜500μm　アメーバの体長	1m　メートル原器
3.7km　富士山の高さ	384Mm　地球と月の距離
58.8Tm　太陽と冥王星の距離	30.9Pm　1光年
100Ym　宇宙の半径	

［図Ⅵ-3］国際単位系（SI）の接頭語（指数の読み方）

1 000 000 000 000 000 000 000 000	10^{24}	【ヨタ】(Y)
1 000 000 000 000 000 000 000	10^{21}	【ゼタ】(Z)
1 000 000 000 000 000 000	10^{18}	【エクサ】(E)
1 000 000 000 000 000	10^{15}	【ペタ】(P)
1 000 000 000 000	10^{12}	【テラ】(T)
1 000 000 000	10^{9}	【ギガ】(G)
1 000 000	10^{6}	【メガ】(M)
1 000	10^{3}	【キロ】(k)
100	10^{2}	【ヘクト】(h)
10	10	【デカ】(da)
1		
10^{-1}	【デシ】(d)	0.1
10^{-2}	【センチ】(c)	0.01
10^{-3}	【ミリ】(m)	0.001
10^{-6}	【マイクロ】(μ)	0.000 001
10^{-9}	【ナノ】(n)	0.000 000 001
10^{-12}	【ピコ】(p)	0.000 000 000 001
10^{-15}	【フェムト】(f)	0.000 000 000 000 001
10^{-18}	【アト】(a)	0.000 000 000 000 000 001
10^{-21}	【ゼプト】(z)	0.000 000 000 000 000 000 001
10^{-24}	【ヨクト】(y)	0.000 000 000 000 000 000 000 001

提供：産業技術総合研究所　計量標準総合センター[5]

[図Ⅵ-4] 国際単位系（SI）の基本単位と組立単位の関係

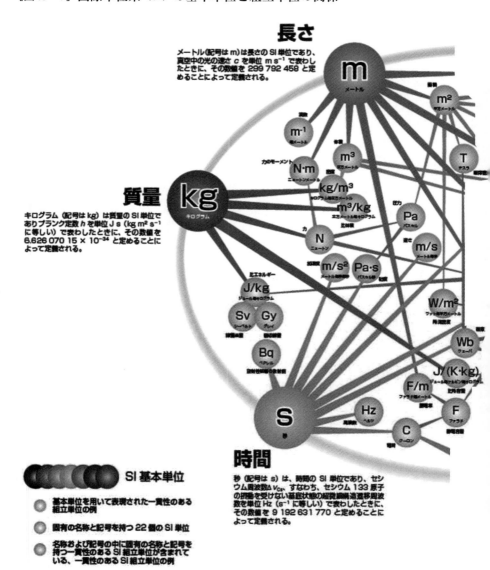

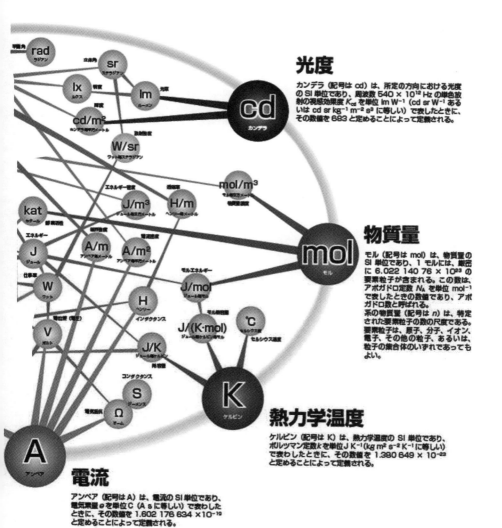

光度

カンデラ (記号は cd) は、所定の方向における光度の SI 単位であり、周波数 540 × 10^{12} Hz の単色放射の視感効果度 K_{cd} を単位 lm W^{-1} (cd sr W^{-1} あるいは cd sr kg^{-1} m^{-2} s^3 に等しい) で表したときに、その数値を 683 と定めることによって定義される。

物質量

モル (記号は mol) は、物質量の SI 単位であり、1 モルには、厳密に 6.022 140 76 × 10^{23} の要素粒子が含まれる。この数は、アボガドロ定数 N_A を単位 mol^{-1} で表したときの数値であり、アボガドロ数と呼ばれる。
系の物質量 (記号は n) は、特定された要素粒子の数の尺度である。要素粒子は、原子、分子、イオン、電子、その他の粒子、あるいは、粒子の集合体のいずれであってもよい。

熱力学温度

ケルビン (記号は K) は、熱力学温度の SI 単位であり、ボルツマン定数 k を単位 J K^{-1} (kg m^2 s^{-2} K^{-1} に等しい) で表わしたときに、その数値を 1.380 649 × 10^{-23} と定めることによって定義される。

電流

アンペア (記号は A) は、電流の SI 単位であり、電気素量 e を単位 C (A s に等しい) で表したときに、その数値を 1.602 176 634 × 10^{-19} と定めることによって定義される。

提供：産業技術総合研究所　計量標準総合センター 6)

［推薦図書12］『トコトンやさしい計量の本』今井 秀孝、吉田 雅彦ほか（2007）
　　　　　　日刊工業新聞社

［注］
1）今井、吉田ほか（2007）
2）https://www.aist.go.jp/Portals/0/resource_images/aist_j/aistinfo/aist_link/no_21/no_21_full.pdf（2021/6/5取得）
3）産業技術総合研究所　計量標準総合センター https://www.nmij.jp/library/（2019/6/13取得）s
4）計量標準総合センター https://www.nmij.jp/library/（2019/6/13取得）
5）https://www.nmij.jp/library/（2019/6/13取得）
6）https://www.nmij.jp/library/（2019/6/13取得）

_第2_節 品質管理

（1）品質管理

　品質管理（quality control；QC）は、製品の**品質の維持と不良品の発生防止**等のため、検査を行い、不良品発生の原因を分析する統計的管理手法[7]）をいう。製造部門では不良品を出さないように、歩留まりを上げるようにすることがコスト削減につながる。品質管理部門は、製造部門とは別に、製品の品質の最終検査などを請け負い、不良品を出荷することにより顧客に迷惑をかけたり、リコール[8]によって自社に損失をもたらすことがないように努めている。

　リコール（リコール・システム　recall system）は、設計・製造上の誤りなどにより製品に欠陥があることが判明した場合、一度販売された製品を製造者が無料で、回収、点検、修理、返金等を行うことをいう。法令によるリコールと製造者・販売者による自主的なリコールがある。自動車やオートバイの場合、道路運送車両法に基づき、メーカーや輸入業者が無料で対応を行っている。

　歩留まりは、製造ラインで生産される製品から、不良製品を引いたものの割合をいう。不良発生率が高い場合は「歩留まりが低い」といい、逆に不良発生率が低い場合は「歩留まりが高い」という。新しい製造プロセスを導入した直後の製造現場は、当初は歩留まりが低く、製造を繰り返しながら歩留まりを上げていく。この歩留まりによって、製造原価は大きく影響を受ける。

（2）品質管理の実際

　品質管理を現場で進めるためには、管理図法、層化法などの手法を使う。QC（Quality Control）活動を現場段階で行う従業員の小集団を **QC サークル**という。これは日本独特のもので、メーカーだけでなく第三次産業にも普及し

た。製造現場からスタートした QC 活動は、今日では、営業・企画・開発・総務・経理などの非製造部門をも含めた全社的な QC 運動として定着し、これを TQC（Total quality control）運動という。

　販売面では、目標を設定し、その実践方式を編み出し、プラン・ドゥ・チェック方式を実践する「方針管理」と、日常の営業活動でムリ・ムダ・ムラを排除する改善運動としてのサークル活動がある[9]。

　ムリ・ムダ・ムラは、生産管理や業務運用の合理化・効率化を進めるときに、排除すべき要素のキーワードである。「ムリ」は、実践できないスケジュールや切り詰めといった能力を超えた計画を指す。「ムダ」は、余分に生産する、余計な動作を含んでいる、といった除くべき余剰を指す。「ムラ」は、適正な方式が標準化されずにムリとムダの間を行き来している状況を指す。ムリ・ムダ・ムラの概念は「ジャスト・イン・タイム」の主要な考え方であり、「トヨタ生産方式」の根幹のひとつに挙げられる。経営（マネジメント）から現場のプロジェクト管理、個人の業務・仕事術に至るまで幅広く応用でき、多方面で参照されている。

　QC 7つ道具は、品質管理及び品質改善を実施していくための手法の中で、特に、層別、パレート図、特性要因図、ヒストグラム、散布図、チェックシート、管理図の手法を「QC 7つ道具」という。ただし、個人によって7つ道具の種類を少しずつ足したり引いたりすることもある。主として数値で得られるデータ（数値データ）の処理を対象とする手法が多い。

　「QC 7つ道具」は、一見活用しにくいように思われる各種の**統計的手法を現場の実務に使えるように工夫・簡便化**されたものである。したがって、製造現場での身近で有効なツールとして、**小集団活動や不良低減活動**等で活用されている。

（2）- 1　層　別

　層別（stratification）は、機械別、原材料別、作業者別などのようにデータの共通点や特徴に着目して同じ共通点や特徴をもついくつかのグループ（層）に分けることをいう。層別の目的は、層による何らかの違いを見つけることであ

［図Ⅵ-5］層別分析

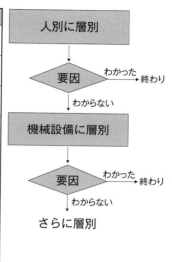

層別項目	層別の内容
人（Man）別	個人、性別、年齢、職業、技能、経験年数　など
機械設備（Machine）別	機種、号機、型式、金型、治工具　など
材料（Material）別	材料メーカー、購入先、ロット、購入時期　など
作業方法（Method）別	ロット、作業速度、温度、回転数、作業場所　など
推定（Measurement）	測定者、検査員、測定器、試験器、測定場所　など
環境（Environment）別	騒音、換気、照明、風、気圧、気温、温度、天候　など
部門別	設計、生産技術、製造、資材、外注、物流　など
時間別	時間、午前、午後、昼夜、シフト、曜日、週、旬、月、期　など
……	……

提供：ＭＥマネジメントサービス[10]

る。この違いを見つけることで、ばらつきの原因を突き止めることができる[11]。

（2）-2　ABC分析・パレート図

　パレート図は、集計した項目の分量と割合（構成比）をそれぞれ棒グラフと折れ線グラフで示し、同じ図に重なるように表示した図をいう。典型的なパレート図は、各項目の分量（例えば発生数や金額など）を値が大きい順に（降順に）並べて棒グラフで示し、また、その棒グラフで示された各項目の全体における累計の割合を折れ線グラフによって示す。これによって、各項目の全体における比重が明らかになり、重要性や対応優先度の判断が促される。

　パレート図を作成するには、ヒストグラムで作成した表を度数が多い項目・階級順に並び変え、累計の全体に対する割合を算出する。累計を縦軸にとり、折れ線グラフを書く。横軸を項目に、縦軸を類型とし、計を100（％）とすると、各項目の全体の中の比率がわかる[12]。

[図Ⅵ-6] ABC分析・パレート図

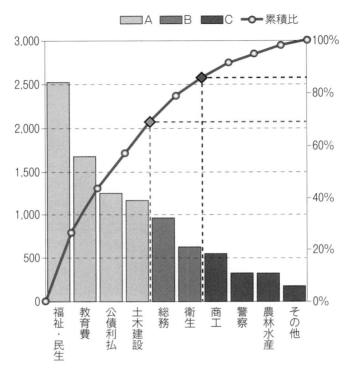

目的別歳出	決算額	構成比
福祉・民生	2,525	26%
教 育 費	1,680	18%
公 債 利 払	1,257	13%
土 木 建 設	1,171	12%
総 務	961	10%
衛 生	630	7%
商 工	552	6%
警 察	323	3%
農 林 水 産	321	3%
そ の 他	175	2%

出所：著者作成。総務省（2018）

　パレート図は、「パレートの法則」を提唱した経済学者パレート（Vilfredo Pareto）の名にちなんでいる。パレートの法則は、複数ある要素のうち一部の要素だけで全体の大半が占められていることが多いことをいう。

　パレート図は、主に品質管理（不良・不具合対応）の分野で、優先的に対応すべき事項を見定める際に用いられる（ABC 分析）。

　ABC 分析は、全体に占める度数の割合が大きい項目を A、中程度の項目を B、少ない項目は C と分類して、全体に占める割合の大きさごとに分析を行っていく分析手法をいう。この分析は企業戦略における商品開発や商品購入層の分布分析、製品の不良品発生率の管理などにも活用されている。

　例えば、[図Ⅵ-6] では、地方自治体の支出項目の大きい順番に棒グラフを並べ、折れ線グラフで累積構成比を示している。福祉・民生費、教育費、公債利払、土木建設費は多い項目なので A グループとしている。A グループで全体の支出の約 6 割、A，B グループで約 8 割を占めていることがわかる。

　例えば、予算が厳しくて支出を見直さなければならなくなったときに、やみくもに支出削減を検討しても人手が多くかかって、しかも、成果が上がりにくい。ABC 分析の考え方では、まず、支出が大きな項目（A グループ）の支出見直しから検討する。なぜなら、例えば、商工費は全体の 6 ％なので、10％削減しても全体の0.6％しか削減できない。一方で、福祉・民生費は全体の26％なので、10％削減できれば、全体を2.6％削減できる。実際に、日頃の健康維持や予防医療に力を入れたり、薬をジェネリックに変えるなどで、民生費の中の国民健康保険、高齢者福祉経費の削減に成功した自治体もある。

（2）-3　特性要因図・フィッシュボーン図

　特性要因図（別名：フィッシュボーンチャート、フィッシュボーン図、fish bone chart、ishikawa diagram）は、ある問題点について、影響を及ぼす原因を系統立てて表した図をいう。特性要因図は、「店の売り上げが低下した」、「Web サイトのアクセス数が減った」など、企業や団体が抱える問題の解決策として、会議などで用いられることがある。

　特性要因図を作成するには、まず、水平の矢印線を描き、その右側に問題点

［図Ⅵ-7］**特性要因図**（フィッシュボーン図）

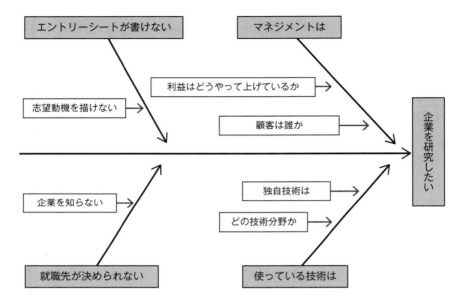

や課題を書く。次に、水平の矢印線に向けて斜めに矢印線を描き、始点付近に要因を書く。さらに、斜めの矢印線に向けて矢印線を描き、始点付近に要因のさらに要因を書く。

　特性要因図は、図の形が魚の骨に似ていることから、「フィッシュボーンチャート」、「フィッシュボーン図」ともいう。なお、特性要因図は、日本の品質管理の先駆者として知られている石川馨博士によって考案された[13]。

（2）-4　ヒストグラム

　ヒストグラム（histogram）は、測定値の存在する範囲をいくつかの区間に分けた場合、各区間を底辺とし、その区間に属する測定値の出現度数に比例する面積をもつ柱（長方形）を並べた［図Ⅵ-8］のような図をいう。区間の幅を一定にし、柱の高さは各区間に属する値の出現度数に比例させる。データの分布状況や不良品の発生状況を把握するために用いられる[14]。

[図Ⅵ-8] ヒストグラム

①一般型

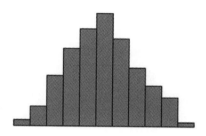

②ふた山型

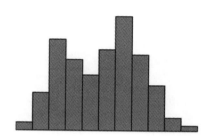

③歯抜け型（くし型）

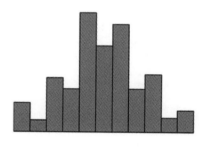

④右すそ引き型

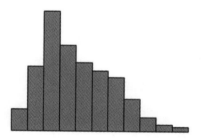

⑤絶壁型

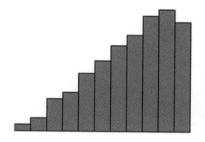

⑥離れ小島型

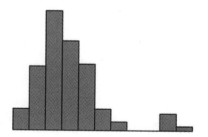

提供：KnowledgeMakers[15]

①**一般型**　データが中心付近に集まっておりひとつの山のようになっている
　　一般的な形で、工程が管理された状態のときにできる分布

②**ふた山型**　データが集中している山が2つある。ふた山型では分布（平均
　　値）の異なる2種類のデータが含まれていることが考えられるため、層別
　　が必要。

③**歯抜け型**（くし型）　歯抜け型ヒストグラムは区間幅の取り方が良くない場
　　合や、データ採りや測定にクセがある場合に発生する。この傾向が見られ
　　た場合、データ採取方法やヒストグラム作成の方法を再検討する必要があ
　　る。

④**右すそ引き型**（左右非対称）　データが下限規格付近に偏っており、すそが
　　右方向へ引いている状態。規格外れが出やすいので平均値を上げる対処が
　　必要。逆にデータが上限側に集中している場合は左すそ引き型になる。

⑤**絶壁型ヒストグラム**　右（左）端のある部分から急に度数が無くなってお
　　り、絶壁のようになっているヒストグラム。規格外（この場合は上限規格）
　　のものを取り除いた場合などに見られる。

⑥**離れ小島型**　データが飛んで現れている箇所があり、測定に誤りがないか
　　や、工程に異常がないかを確認する必要がある。

（2）-5　散布図

　散布図（scatter plot）は、2種類の項目を縦軸と横軸にとり、プロット（打点）
により作成される［図Ⅵ-9］のような図をいう。

　散布図を作成することで、2種類の項目の間に相関関係があるかどうかを調
べることが可能である。また、散布図に回帰直線（分布傾向を示す直線）を描く
ことで、予測値を求めることも可能である。

　散布図で、プロットが右上がりであれば「正の相関」、右下がりであれば
「負の相関」という。また、どちらでもない場合は「無相関」という[16]。　この
ほかに、最大型、最小型、指数型など直線的な関係ではない相関関係もある
[17]。

　相関関係は一方が変化すれば他方も変化する関係をいう。なお、因果関係

[図Ⅵ-9] 散布図

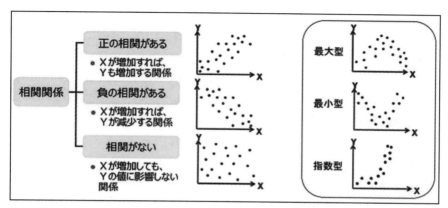

提供：コンサルソーシング株式会社[18]

は、一方が原因で他方が結果となる関係をいう。相関関係があっても、因果関係がどうなっているかはすぐにはわからない。

（2）-6　チェックシート

　チェックシート（check sheet）は、データが簡単にとれ、そのデータが整理しやすい形で集められるように、あらかじめデータを記入する枠や項目名を書き込んだ[図Ⅵ-10]のような用紙をいう。分布の状態や欠点・不良項目が、どこにどのくらい発生しているかを調査するために用いたり、点検すべき項目をあらかじめ決めておいて、点検作業を容易に確実に行うために用いたりする[19]。

[図Ⅵ-10] チェックシート

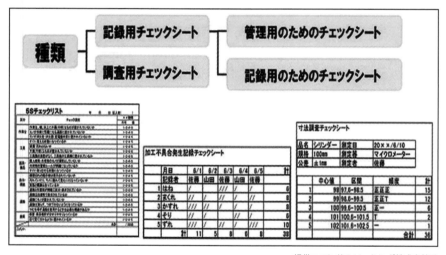

提供：コンサルソーシング株式会社[20]

（2）- 7　管理図

　管理図（control chart）は、品質や製造工程の管理に利用するグラフ表現のひとつで、製品の大きさや質量などのデータを毎回記録することで標準から外れた異常な製品を見出すグラフをいう。

　統計的に導かれた上方管理限界線と下方管理限界線のふたつの値の間に、製品のデータが収まっていない場合には、その製品の品質に異常があると考えられる。また、全体的に中心線より上方・下方に偏っている場合には、製造工程に問題があるとも考えられる[21]。

［図Ⅵ -11］管理図

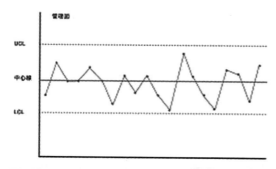

　データのバラツキから、自然のバラツキと異常のバラツキを見極めて、工程が安定した状態にあるかどうかを把握して管理するためのツール。ヒストグラムは完了した作業のデータから異常を見つけるツールだが、管理図は、日々、進行中の作業のデータから異常を見つけるツールである。日常の異常を見える化して不良や不具合を未然に防ぐことがねらい。

種類	データの例	管理図の種類	打点
計量値データ	長さ、重さ、強度、使用量、時間、湿度など	$X - R$ 管理図	平均値 X
			範囲R
		X 管理図	個々の値 X
計数値データ	不良率、不適合率、欠席率、出勤率など	p 管理図	不良率 p
	不良個数、不適合個数など	pn 管理図	不良個数 pn
	欠点数、ミス件数など	c 管理図	欠点数 c
	単位当たりの欠点数、災害件数など	n 管理図	個々の値 n

提供：コンサルソーシング株式会社[22]

（3）ISO

　ISO（アイエスオー）は、スイスのジュネーブに本部を置く国際標準化機構（International Organization for Standardization）の略称である。ISO が制定した規格を ISO 規格という。ISO 規格は、国際的な取引をスムーズにするために、製品やサービスに関して「世界中で同じ品質、同じレベルのものを提供できるようにする」ための国際基準である。例えば、非常口のマーク（ISO 7010）やカードのサイズ（ISO/IEC 7810）、ネジ（ISO 68）などがある。

　製品そのものを対象とする「モノ規格」のほか、組織の品質活動や環境活動を管理するための仕組み（マネジメントシステム）についても ISO 規格が制定されている。これらは「マネジメントシステム規格」という。品質マネジメントシステム（ISO 9001）や、環境マネジメントシステム（ISO 14001）などがある。ISO 規格の制定や改訂は、日本を含む世界165カ国（2014年現在）の参加国の投票によって決める[23]。

[図Ⅵ-12] 製品の ISO 規格

非常口のマーク
ISO 7010
カードのサイズ
ISO/IEC 7810
ネジ
ISO 68

提供：（一財）日本品質保証機構[24]

（4）ISO9000 ファミリー

　品質マネジメントシステムの要求事項を規定したISO9001（アイエスオーキュウセンイチ）は、ISO（国際標準化機構）に設置された技術専門委員会の1つであるTC176（品質管理及び品質保証）で作成されている。ISO9001（品質）[25]、ISO9000（用語）、ISO9004（持続的成功のための運営管理）及びISO19011（マネジメントシステム監査）のコア規格に加えて、品質マネジメントシステムをさらに有効に運用するための支援規格（品質計画書、構成管理、顧客満足など）を作成しており、これらの規格群は、ISO9000（アイエスオーキュウセン）ファミリー規格と総称されている。

[図Ⅵ-13] ISO9001

まえがき	
序文	0.1　一般 0.2　品質マネジメントの原則 0.3　プロセスアプローチ 0.4　他のマネジメントシステム規格との関係
1　適用範囲	
2　引用規格	
3　用語及び定義	
4　組織の状況	4.1　組織及びその状況の理解 4.2　利害関係者のニーズ及び期待の理解 4.3　品質マネジメントシステムの適用範囲の決定 4.4　品質マネジメントシステム及びそのプロセス
5　リーダーシップ	5.1　リーダーシップ及びコミットメント 5.2　方針 5.3　組織の役割、責任及び権限
6　計画	6.1　リスク及び機会への取組み 6.2　品質目標及びそれを達成するための計画策定 6.3　変更の計画
7　支援	7.1　資源 7.2　力量 7.3　認識 7.4　コミュニケーション 7.5　文書化した情報
8　運用	8.1　運用の計画及び管理 8.2　製品及びサービスに関する要求事項 8.3　製品及びサービスの設計・開発 8.4　外部から提供されるプロセス、製品及びサービスの管理 8.5　製造及びサービス提供 8.6　製品及びサービスのリリース 8.7　不適合なアウトプットの管理
9　パフォーマンス評価	9.1　監視、測定、分析及び評価 9.2　内部監査 9.3　マネジメントレビュー
10　改善	10.1　一般 10.2　不適合及び是正処置 10.3　継続的改善
付属書A（参考） 付属書B（参考）	新たな構造、用語及び概念の明確化 ISO/TC176によって作成された品質マネジメントシステム及び品質マネジメントシステムの他の規格類

提供：（一財）日本品質保証機構[26]

（5）ISO14000ファミリー

　環境マネジメントシステムの要求事項を規定したISO 14001（アイエスオーイチマンヨンセンイチ）は、ISO（国際標準化機構）に設置された技術専門委員会の一つであるTC207（環境管理）で作成されている。ISO/TC207では、ISO 14001を中心として、環境マネジメントシステムをさらに有効に運用するための支援規格（環境監査、環境ラベル、環境パフォーマンス、ライフサイクルアセスメント、温室効果ガス）を作成しており、これらの規格群は、ISO 14000（アイエスオーイチマンヨンセン）ファミリー規格と総称されている。

（6）HACCP

　HACCP（ハサップ）は、1960年代に米国で宇宙食の安全性を確保するために開発された食品の衛生管理の方式をいう。Hazard Analysis Critical Control Point の頭文字からとったもので、「危害要因分析重要管理点」と訳されている。

　原材料の受入れから最終製品までの各工程ごとに、微生物による汚染、金属の混入などの危害を予測した上で、危害の防止につながる特に重要な工程を継続的に監視・記録する工程管理の手法である。HACCP システムによる衛生管理手法は、勘や経験に頼る部分が多かった従来の衛生管理の方法とは異なり、あらゆる角度から食品の安全性について危害等を予測し、それぞれの製造工程ごとに、危害原因物質とその発生要因、危害の頻度や発生したときの影響力の大きさ等を考慮してリスト化し、それぞれの危害を適切に防止できるところに管理点を設定して重点的に管理・記録しようとするものである。

　HACCP システムを採用すれば、工程全般を通じて問題が発生しそうになった段階から適切な対策を講ずることができ、食中毒（微生物、化学物質を含む）や異物などによる危害を未然に防止し、製品の安全確保を図っていることを客観的に示すことができる[27]。

　欧州などは、HACCP 認証工場で作られた食品だけを輸入許可している。

[図Ⅵ-14] HACCP の仕組み

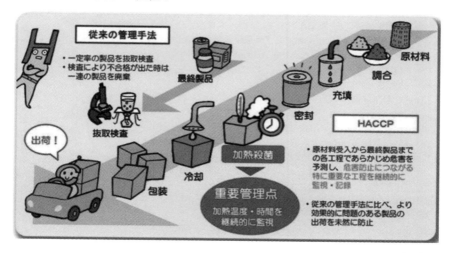

出所：農林水産省

（7）その他の品質規格

　ISO9000ファミリー、ISO14000ファミリーのほか、下記のような品質規格がある。

　IATF 16949（自動車）、JIS Q 9100（航空宇宙）、TL 9000（電気通信）、ISO 13485（医療機器・体外診断用医薬品）、ISO 22000（食品安全）、FSSC 22000（食品安全）、JFS-C（食品安全）、JGAP・ASIAGAP（農業生産工程管理）、ISO 50001（エネルギー）、ISO 45001・OHSAS 18001（労働安全衛生）、ISO 39001（道路交通安全）、ISO/IEC 27001（情報セキュリティ）、ISO/IEC 27017（クラウドサービスセキュリティ）、JIS Q 15001（個人情報保護）、PCI DSS（カードセキュリティ）、CSMS（制御システムセキュリティ）、ISO/IEC 20000（ITサービス）、ISO 22301（事業継続）、REACH＋プラス（製品含有化学物質管理）。

［注］
7）有斐閣 経済辞典 第5版
8）有斐閣 経済辞典 第5版
9）㈱ジェリコ・コンサルティング流通用語辞典
10）http://www.mejapan.com/09_76.html　（2021/6/3取得）
11）ＭＥマネジメントサービス
12）総務省（2018）
13）ＩＴ用語辞典バイナリ
14）OR 事典
15）https://knowledge-makers.com/histgram/　（2021/6/4取得）
16）ＩＴ用語辞典バイナリ
17）コンサルソーシング株式会社
18）https://www.consultsourcing.jp/5091　（2021/6/3取得）
19）OR 事典
20）https://www.consultsourcing.jp/5091　（2021/6/3取得）
21）ＩＴ用語辞典バイナリ
22）https://www.consultsourcing.jp/5102　（2021/6/3取得）
23）（一財）日本品質保証機構
24）https://www.jqa.jp/service_list/management/management_system/　（2021/6/3取得）
25）https://kikakurui.com/q/Q9001-2015-01.html
26）https://www.jqa.jp/service_list/management/service/iso9001/　（2021/6/3取得）
27）HACCP 認証協会

参考文献

Carl Benedikt Frey,and Michael A. Osborne (2013) *THE FUTURE OF EMPLOYMENT: HOW SUSCEPTIBLE ARE JOBS TO COMPUTERISATION?*, Oxford Martin Programme on Technology and Employment

Melanie Mitchell (2019) *Artificial Intelligence: A Guide for Thinking Humans*, Farrar Straus & Giroux（ミッチェル, 尼丁（訳）『教養としてのＡＩ講義』(2021)）

Michael Porter (1980), *Competitive strategy: techniques for analyzing industries and competitors, Free Press*（M.E. ポーター著　土岐 坤, 服部 照夫, 中辻 万治（訳）(1995)『競争の戦略』ダイヤモンド社）

Michael Porter (2003) *Competitive Strategy*, Free Press（M. ポーター著, 竹内弘高（訳）(2018)『［新版］競争戦略論（Ⅰ・Ⅱ）』ダイヤモンド社）

安宅 和人（2020）『シン・ニホン』ニューズピックス

今井 秀孝、吉田 雅彦ほか（2007）『トコトンやさしい計量の本』日刊工業新聞社

大原雄介, 北村／ ASCII.jp (2018)「ビットコインの根幹となるブロックチェーン」『ASCII.jp (KADOKAWA ASCII Research Laboratories、Inc. 2019)』ASCII

茅野 昌明（2014）『情報技術基礎』実教出版

楠木 建（2010）『ストーリーとしての競争戦略 優れた戦略の条件』東洋経済新報社

経済産業省（2016）「第2表　産業分類細分類別、流通段階・流通経路別の事業所数、従業者数及び年間商品販売額並びに仕入先別、販売先別の事業所数、年間商品仕入額、年間商品販売額及び構成比（その2）」『平成26年商業統計表　流通経路別統計編（卸売業）』経済産業省

経済産業省（2020）『繊維産業の現状と経済産業省の取組』経済産業省生活製品課

経済産業省（2022）『デジタルスキル標準』IPA、経済産業省

小池 和男（2005）『仕事の経済学（第3版）』東洋経済新報社

国土交通省（2019）『平成30年建設業活動実態調査の結果』国土交通省 総合政策局 情報政策課 建設経済統計調査室

総務省（2013）『日本標準産業分類（平成25年10月改定）』総務省政策統括官（統計基準担当）付

総務省（2018）「第1部　平成28年度の地方財政の状況2 地方財政の概況、目的別歳

出」『平成30年版 地方財政白書』総務省

内閣官房（2018）「ソフトインフラ」『第35回　経協インフラ戦略会議』内閣官房副長官補付

内閣府（2020）「財貨・サービスの供給と需要（名目）」『2019年度国民経済計算（2015年基準・2008SNA）』内閣府

㈱日本総合研究所（2016）『経営企画部門の実態──874社に聞いたアンケート調査結果──』㈱日本総合研究所 総合研究部門 経営企画機能研究チーム

日立評論（2015）「エネルギーソリューション」『特集　2015年度 日立技術の展望』日立評論2015年1・2月合併号

三谷 宏治（2019）『新しい経営学』ディスカヴァー・トゥエンティワン

山下 省蔵（2014）『工業技術基礎』実教出版

（独）労働政策研究・研修機構（2011）『第4回改訂 厚生労働省編職業分類 職業分類表』（独）労働政策研究・研修機構

索　引 [アルファベット]

A

AI　2、17、221、244、245、248、
　　249、250、251、252、260、261、
　　266、268、269、272、273、274、
　　276

B

BASIC　220、274

C

C++　221
CAD　256
CAM　256
CIM　256
CPU　226

D

DX　272

F

FA　254
FMS　255
FSC　39

G

GTIN　258
GUI　220

H

HACCP　304
HTML　222
HTTP　231

I

ICT　33、34、36、37、73、74、
　　217、245、267、268、269、272、
　　277、278、279
ISO　302、303、304、305
ISO9000　303、305
ISO14000　304、305
IT　33、34、35、36、37、94、103、
　　280、305

J

JAVA　220、221、274
JIS　305

L

Lan　222、230、231、275
LCC　39、40

O

OS　41、171、219、220、221、228、
　　232、256、257

P

POS　256、257

Q

QC 7つ道具　292

S

SI　129、185、284、286、287、288、
　　305
SOHO　262

W

Wi-Fi　229
WWW　230、231、276

X

XML　222、274

索　　引 [かな]

あ

IT業界　33、34、35、36
アクチュエータ　202、203、204、
　　207、210、211、235
アナログ　218、219、225
アプリケーション　34、219、220、
　　221、222
暗号資産　239
暗黙知　246

い

インターネット　27、34、93、95、
　　100、129、217、225、230、231、
　　232、237、239、240、256、259、
　　262、263、272、274
インターネットバンキング　256、259
インテリジェンス　216
インバータ　189、205

え

営業　34、35、36、37、39、41、45、
　　68、73、77、78、79、84、85、
　　86、88、98、120、256、267、
　　271、275、276、292
ABC分析　293、294、295

エキスパートシステム　244、246
エネルギー　26、33、75、76、84、
　　103、108、121、124、171、179、
　　185、189、190、192、194、195、
　　196、197、198、199、203、204、
　　216、280、305
演算装置　225、226
エンジン　123
エンジン　121、123、233

お

オシロスコープ　201
卸売業　40、41、43、44、86、89、
　　94、98、162

か

回路計　201
化学物質　91、164、304、305
仮想通貨　239、240
ガラス　103、127、144、146、172、
　　173、176、233、280
観光関連産業　37
管理図　291、292、301

き

機械学習　221、244、246、248、266

企業　24

企業研究　1、4、5、7、15、24、25、54、55、98、99

基本単位　185、285、286、288

キャパシタ　186

教育　26、27、35、45、46、47、49、78、80、87、102、107、217、220、254、257、266、267、268、269、294、295

業界研究　1、4、5、7、9、15、19、20、21、24、25、33、37、40、43、45、46、47、48、51、52、53、54、93、94、98、99、102、110、119、121、124、125、149、150、160、162、163、169、172、173、180、182、211、212、275、278、279

金属　32、79、103、108、115、144、147、148、149、176、180、185、186、203、250、280、304

金融業　27、44、46、94、102

く

口コミサイト　99

組立単位　286、288

クライアント　231、232、262、263

クラウド　262、305

グループウェア　262、263

け

経営企画　68、77、85

経営資源　2

形状記憶合金　204、210

経理　35、36、68、77、80、81、84、85、92、94、120、268、272、275、276、277、292

計量標準　284、285、286、287、289

原子力発電　75、127、194、195、196、198

原子力発電　194

建設業　27、31、97、119、120、121

建築　31、48、49、78、118、120、134、135、160、180、256、277

こ

公開鍵暗号　2、237、238

光学センサ　233

工業技術　2、4、32、43、87、88、98、99、101、102、105、111、126、127、128、132、140、279

航空会社　37、39

口座　88、89

工作機械　34、88、89、176、177、179、180、181、211、256

購買　41、68、69、77、88、89、91、93、246

公務　27、48、49、51、78

効用　70、71、73

小売業　27、29、30、40、41、42、43、97、102、162、163

交流　184、185、186、187、188、189、204、205

国際単位系　185、284、285、286、287、288

国際標準化　302、303、304

コンデンサ　91、186、187、188

コンピュータ　127、129、176、180、202、212、216、217、219、220、225、226、227、228、230、232、238、242、244、245、246、248、249、250、254、256、257、261、266、272、274、275

コンピュータ制御　180、202、254

さ

サービス　72

財 80
産業革命 121、128
散布図 292、298、299

し

シーケンス制御 211
事業活動 2、286
事業遂行能力 2
指数 250、287、298
ジャスト・イン・タイム 292
JAN コード 257、258、259、260、261
出力装置 225、226
蒸気機関 75、121、122、196
商社金融 89
情報 1、25、26、27、29、32、33、34、35、36、78、80、82、84、94、95、97、99、100、103、120、125、133、170、212、215、216、217、218、221、222、225、230、232、234、237、238、240、244、246、247、248、249、254、256、257、259、262、263、265、266、267、269、270、271、272、273、274、275、277、280、303、305
情報処理 34、35、78、94、103、216、217、248、273、280
情報通信 27、29、33、34、97、215、217、254、263、265、266
職業分類表 2、77、78
職種 1、2、67、68、69、77、78、80、82、85、92、93、120、268、272、273
食品加工 30、97、105
人工知能 2、220、235、244、245、248、250、266、272、273、274
人事 35、36、51、68、69、73、77、

81、82、83、84、85、94、120、268、275、277

す

推論 217、244、245、246
スキャナ 38、219、225、233、234、257
スマートフォン 229
スマートフォン 212、229、254

せ

制御 79、176、179、180、202、205、210、211、219、221、225、227、250、254、256、305
制御装置 202、225
生産管理 78、85、88、292
生産技術 33、73、78、86、87、88、139、140、237、293
製造 87
製造業 32
製鉄 108
石器 105、106、107、108、128
設計 87
接頭語 287
繊維 32、44、102、103、111、114、115、116、117、144、153、154、156、161、162、163、171、172、176、280
センサ 192、202、203、233

そ

層別 245、292、293、298
総務 2、25、27、34、49、68、77、81、84、85、86、94、231、245、263、276、292、294
ソフトウエア 219、225、278、279

た

ダイオード　187、188、192、193
太陽電池　184、186、189、190、
　191、192
タッチパネル　229、230
探索　244、245
炭素繊維　115、116、172

ち

チェックシート　292、300
蓄電器　186
知識　1、2、4、5、25、26、27、43、
　49、82、83、86、87、88、99、
　102、216、217、244、246、265、
　266、271、272
知的財産　87、132、133、254
地方行政　48、49
中古　68、70、71、78、90、91、92、
　94
調達　68、69、76、77、81、88、89
直流　184、186、187、188、189、204

て

ディープラーニング　244、245、
　246、247、248、249、261、266
停電　121、123
データ　25、35、38、45、176、217、
　218、221、222、225、226、227、
　230、231、232、233、234、240、
　241、244、246、248、255、256、
　257、258、259、261、262、265、
　266、275、276、277、292、296、
　298、300、301
データ圧縮　227
デザイン　87、132、134、135、198、
　228、256、269
デジタル　93、215、217、218、219、

　225、226、233、234、254、263、
　265、266、274
デジタルカメラ　225、233、234
鉄道会社　39
電圧　122、123、184、185、186、
　187、188、189、201、205、211、
　212
電気　27、29、32、33、34、46、75、
　76、79、93、94、97、104、121、
　122、143、149、150、164、179、
　180、184、185、186、188、190、
　192、194、200、201、204、205、
　210、211、212、228、229、233、
　235、256、263、280、284、286、
　305
電気の周波数　200
電子商取引　256、259
電子署名　237、238、239
電子マネー　256、259
電流　184、185、186、187、188、
　201、204、205、210

と

特性要因図　292、295、296
土木　31、49、78、79、105、118、
　135、256、294、295
トヨタ生産方式　292
ドライバ　142、143、219

に

日経225　97
日本標準産業分類　2、24、26
入力装置　225、226、233

ね

燃料電池　194

の

農林水産業　29、30、31

は

バーコード　234、256、257、259、
260

パソコン　37、144、186、187、212、
217、228、229、232、234、262、
263、272

バリューチェーン　2、32、33、35、
44、67、68、69、70、71、72、
73、74、75、76、77、85、93、
94、97、98、102、265

パレート図　292、293、294、295

半導体　127、189、190、192、194、
212、228、250、256

ひ

ビジネスモデル　2、30、75、87、
90、93、102、198、200、278

ヒストグラム　292、293、296、297、
298、301

品質管理　68、77、80、89、283、
291、292、295、296、303

ふ

フィッシュボーン　295、296

歩留まり　151、153、291

プラスチック　87、91、144、164、
165、166、167、168、169、171、
176、235

プリント配線　235、236

プログラム　202、217、219、220、
221、225、244、246、266、267、
268、269、270、276

プログラム言語　220、267、268、
270、276

ブロックチェーン　239、240、241

ほ

保険業　27、29、44、45、46、94、
97、98

ホテル　37、38、39、102、103

ま

マークアップ言語　222、274

め

メカトロニクス　204

メンテナンス　68、78、89、90、118

も

モータ　204、205、206

木材　103、142、144、151、152、
153、154、155、156、157、158、
159、160、176、280

ゆ

油圧シリンダ　204、207、208

り

リコール　89、291

旅行会社　37、38

ろ

ロボット　147、202、211、235、
245、254、256、263

論理演算　225、226

初版への謝辞

　本書は、多くの人からの教えによって書き著すことができた。著者が1984
〜 2015年の31年余り勤務した通産省・経済産業省では、企業研究はすべての
業務の基礎となる。通産省・経済産業省の先輩、同僚、後輩や、仕事で関わっ
た企業、団体の皆さまからの教えと人脈がなければ、本書を著すことはできな
かった。

　1992 〜 94年、岩手県商工労働部工業課長に出向した時には、岩手県庁、岩
手の企業の皆さまのおかげで、特に多くの企業を訪問し、学ぶことができた。

　2000 〜 01年、関東通産局・経済産業局産業企画部長の任にあった時には、
ＴＡＭＡ協会（現在の（一社）首都圏産業活性化協会）産業クラスター業務のプレイ
ング・マネジャーとして、関東甲信越の企業訪問を精力的に重ねた。西澤 宏
次長、牧野 直樹産業企画課長、富岡 信行補佐、山口 栄二係長（いずれも当時）
には、オフィスに不在がちな著者を快く支えていただいた。本書で紹介した
「企業支援の担当者は、企業に出向く前に、企業の社歴、Web サイトなどを見
たり、日刊工業新聞社の「トコトンやさしいシリーズ」や、ナツメ社の「図解
雑学シリーズ」などを購入して、訪問先企業の工業技術を勉強している。そう
しないと、企業の経営者や社員とコミュニケーションが取れないし、工場を見
せてもらったとしても、何をしているかわからないからである。」は、関東経
済産業局の茂木 恒明地域振興課長（当時。後に産業部長）から著者が教わった勉
強法である。

　2003年からご指導いただいている関 満博先生には、たびたび企業訪問に同
行させていただいて、企業研究の究極のあり方とはどのようなものかという
ことを身近に感じとらせていただいた。素人が工業技術を学ぶ早道は工業高校
の教科書を読むことという教えも、関先生からいただいた。関先生を慕う企業
人、行政職員からも多くを学ばせていただいている。

　2007〜09年、官民交流派遣で、日立建機株式会社に経営企画室部長として出向した。出向時に隣の席であった現社長の平野 耕太郎さんをはじめ、社員の皆さんに暖かく迎えられ、貴重な民間企業での経験をさせていただいた。企業を内側から見る経験によって、また、企業と企業の関係を直接見ることによって、企業の理解をいっそう深めることができた。

　工業高校で、工業技術をどのように教授しているかについては、宮崎県立宮崎工業高等学校 校長（当時） 竹下 弘一郎先生にご指導いただいた。竹下先生には、宮崎県産業教育審議会にともに参加し、宮崎県内の職業高校の教育の在り方について議論させていただいた。2017〜19年の宮崎県産業教育審議会では、著者が会長、竹下先生が副会長となり、四本 孝教育長（当時）、とりまとめ役の百枝 新也主事（当時）をはじめとする宮崎県教育委員会の皆さまにお世話になりながら、宮崎県内の職業高校の教育の在り方について議論させていただき、職業に深くかかわる教育の課題と現場の状況、その重要な意義について学ばせていただいた。

　宮崎大学地域資源創成学部の2019年度の「次世代技術と産業」科目でお世話になった宮崎大学工学部の淡野 公一先生、田村 宏樹先生、西岡 賢祐先生と、同学部の受講生の皆さんには、この本のもととなる教材を、ともに作っていただいた。実践女子大学の学生には、この教材の理解しにくいところに質問をしてもらったり、多くの感想をいただいた。もし、この本が文系学生、文系卒業生の方にもわかりやすくなっているとすれば、これらの方々のおかげである。

　本書は、多くの図や写真で、読者の理解を助けている。これは、ご提供いただいた企業、個人の方々が本書の趣旨にご賛同くださり、著作権の許諾に快く応じていただいた賜物であり、これらの図や写真なしでは本書は成立しなかった。

　妻、子供たちは、それぞれに多忙な中、COVID-19で不安定な世相でも、何げない団らんで一緒にくつろぐなど、引き続き支えとなってくれている。

　ここに記して心から感謝申し上げる。

　　2021年夏　　　　　　　　　　　実践女子大学人間社会学部の研究室にて

改訂増補版への謝辞

　本書の初版は、おかげさまで読者に好評であった。学生からは「業界・企業についての知識を身につけられた」「将来のキャリアについて考えられるようになった」「いろんな職業に興味を持ったし、調べる習慣がついた。テレビを見ていても、ある人の職業について気になったら調べるようにしている」などの声をいただいた。これらは、ひとえに、多くの皆さまからいただいた教えのたまものであり、心から感謝申し上げる。

　改訂版も、初版から引き続きご指導、著作物のご提供をいただいた方々に加え、武州工業さま、麻友さま、イシダさま、デジタルリテラシー協議会さま、共著者でもあるパーソルワークスデザインの安井さま、曽根さまほかの皆さまから新たに情報提供をいただいた。宮本　光晴　専修大学名誉教授からは、全般にわたりコメントをいただいた。

　宮崎の企業人の方々とも引き続き親交を重ねており、企業訪問させていただいたり、最新の状況を教えていただいている。家族ごとで東京に戻ってからは、宮崎を訪れて人と自然に触れるのが楽しみになっている。

　年齢を重ねる中で、人との関係の大切さをひとしお感じ、感謝の念を強くしている。

　家族は、年を経て変化しながらも、引き続き支えとなってくれている。

　ここに記して心から感謝申し上げる。

　2023年夏　　　　　　　　　　　　　　宮崎　大淀川河畔にて

　　　　　　　　　　　　　　　　　　　　　吉田　雅彦

著者紹介

吉田 雅彦　YOSHIDA Masahiko　博士（経済学）

　実践女子大学人間社会学部ビジネス社会学科 教授

1961年　佐世保市生まれ。本籍 岩手県。
1980年　広島学院高等学校卒業
1984年　東京大学経済学部（根岸 隆ゼミ）卒業

1984年、通商産業省・経済産業省に入省し、2015年に退職するまでの間、下記のように経済産業省製造産業局の筆頭課長や岩手県庁の工業課長、2000年版中小企業白書の担当室長、中小機構理事などを歴任したほか、日立建機㈱への官民交流派遣など、業界・企業、産業政策立案に関わってきた。2016～21年、宮崎大学、2020年から実践女子大学でキャリア科目、企業論などを担当し、学生に業界・企業研究を教授している。

1986. 6-1987.10　基礎産業局非鉄金属課係長
1988.11-1990. 9　生活産業局日用品課長補佐
1990. 9-1992. 6　中小企業庁指導部取引流通課長補佐（卸売業担当）
1992. 6-1994. 4　岩手県商工労働部工業課長
1994. 4-1995. 5　機械情報産業局車両課長補佐
1995. 5-1995. 7　機械情報産業局自動車課長補佐（日米自動車協議担当）
1999. 7-2000. 6　中小企業庁調査室長（2000年版中小企業白書執筆）
2000. 6-2001. 7　関東通商産業局産業企画部長（TAMA協会、個別企業支援の責任者）
2002. 7-2003.10　地域経済産業政策企画官（産業クラスター政策の全国展開）
2004. 7-2005. 9　製造産業局模倣品対策・通商室長（企業の知的財産保護）
2005. 9-2007. 7　産業技術環境局知的基盤課長（計量標準の責任者）
2007. 7-2009. 7　日立建機㈱経営企画室部長（官民交流派遣）
2009. 7-2011. 7　製造産業局参事官（局の筆頭課長）
2011. 7-2013. 7　（独）中小企業基盤整備機構理事（融資、総務担当役員）
2013. 7-2015.10　観光庁観光地域振興部長（指定職）
2015.10-2021. 9　宮崎大学 教授
2016. 4-2018. 9　宮崎大学地域資源創成学部長（初代）
2018. 3　　　　　専修大学経済学研究科 博士号取得
2020. 4-　　　　 実践女子大学人間社会学部ビジネス社会学科 教授

安井 健　YASUI Masaru

広島県呉市出身。キャリアコンサルタント。

大学在学中に IT サービス会社を設立。その後大手通信会社にて営業、販売職に従事した後、パーソルワークスデザイン株式会社（旧ハウコム）に入社。グループ内 4 社にて主に人事、経営企画を担当。人事、組織再編を専門とし、人事制度設計、理念策定、PMI など、企業経営の基盤構築を多数推進。現在は人事責任者として企業人事を管掌する他、コンサルタントとして組織再編や人事制度設計の支援、学術機関での講演、キャリア支援など幅広く活動。

曽根 悠子　SONE Yuko

東京都出身。キャリアコンサルタント。

横浜国立大学 経営学部卒業。法政大学大学院 経営学研究科 経営学専攻修士課程修了。修士（経営学）
金融機関人事部にて新卒採用・社内への社員教育を中心に担当したのち、電機メーカー教育部門にてグループ社員向け人材開発に携わる。その後、自動車メーカーグループ会社の人材コンサル支援部門にて派遣・人材紹介、RPOの営業・コンサルタントと並行し、全社新規事業プロジェクトのリーダーを兼務。2022年 1 月より現職のパーソルワークスデザイン株式会社にて、全社の人材発領域の教育設計、構築（新卒〜管理職）、全社のキャリア開発の立ち上げと各施策の設計〜運用に携わる。
人事・人材領域での実務経験を活かして、企業の人材開発、キャリア開発、組織開発への支援を行っている。

新しい業界研究 企業研究入門改訂増補版

2023年12月25日 初版印刷
2024年1月16日 初版発行

著　者　吉田雅彦 ©

　　　　安井　健 ©

　　　　曽根悠子 ©

発行者　川口敦己

発行所　鉱　脈　社
　　　　〒880-8551　宮崎市田代町263番地　電話0985-25-1758
　　　　郵便振替 02070-7-2367

印刷・製本　有限会社 鉱 脈 社